सबकुछ कर सकती हैं बेटियाँ

राजेन्द्र पाण्डेय

इस पुस्तक का प्रकाशन एवं विक्रय इस शर्त पर किया जा रहा है कि प्रकाशक की लिखित पूर्वानुमति के बिना इस पुस्तक या इसके किसी भी अंश को न तो पुनः प्रकाशित किया जा सकता है और न ही किसी भी अन्य प्रकार से, किसी भी रूप में इसका व्यावसायिक उपयोग किया जा सकता है। यदि कोई व्यक्ति ऐसा करता है तो उसके विरुद्ध क़ानूनी कार्रवाई की जा सकती है।

ISBN: 978-93-56821-07-1
eISBN: 978-93-56821-09-5

© **प्रकाशकाधीन**

प्रकाशकः प्रभाकर प्रकाशन
प्लॉट नं.-55, मेन मदर डेयरी रोड
पांडव नगर, ईस्ट दिल्ली-110092
फोनः 011-40395855

ई-मेलः sales@pharosbooks.in
वेबसाइटः www.prabhakarprakashan.com

प्रथम संस्करणः 2022

मुद्रकः सुषमा बुक बाइंडिंग हाउस ओखला इंडस्ट्रियल
एरिया फेस-II, नई दिल्ली-110020

सबकुछ कर सकती हैं बेटियाँ
राजेन्द्र पाण्डेय

प्राक्कथन

समाज में संतुलन बनाए रखने के लिए अमीर-गरीब दोनों ही हैं। गरीबों की संख्या जीरो पर पहुँच जाए तो भी सामाजिक व्यवस्था में गड़बड़ी उत्पन्न जो जाएगी और अमीरों की संख्या कम हो जाए तब भी सामाजिक व्यवस्था गड़बड़ा जाएगी। कहने का आशय है कि अमीर और गरीब दोनों एक-दूसरे के साथ जुड़े हुए हैं और दोनों का ही एक-दूसरे के सहयोग के बिना काम नहीं चलने वाला है। जंगल में शाकाहारी और माँसाहारी दोनों ही प्रकार के जानवर होते हैं। शाकाहारी जानवर घास खाकर जिंदा रहते हैं, तो माँसाहारी जानवर शाकाहारी जानवरों को खाकर जीवित रहते हैं। एक न हो तो दूसरा नहीं बचेगा। एक-दूसरे पर दोनों ही निर्भर हैं। कुदरत ने संतुलन बनाए रखने के लिए दोनों ही प्रकार के जानवरों की उत्पत्ति की है। मैं आपको केवल इतना ही समझाना चाहता हूँ कि यह संसार बड़ा ही अद्‌भुत और विचित्र है, इसको समझना आसान नहीं है और जो भी व्यक्ति इस संसार की लीलाओं को थोड़ा बहुत भी समझ जाता है, तो उसे स्वयं को परिस्थितियों के साथ एडजस्ट करने में कोई दिक़्क़त नहीं होती है।

कदम-कदम पर असंतुलन है, विषमताएँ भी हैं और अव्यवस्थाएँ भी हैं, इनको दूर करने के लिए स्वयं को ऊर्जावान बनाने की ज़रूरत है। यहाँ सब एक-दूसरे पर निर्भर हैं और सबका ही एक-दूसरे से मेल-मिलाप है। प्रकृति परस्पर तालमेल बनाकर चलती है, ताकि सृष्टि में संतुलन बना रहे, विषम परिस्थितियाँ न उत्पन्न हों और व्यवस्थाएँ भी बनी रहें। ठीक इसी तरह से प्रकृति ने स्त्री और पुरुष को भी उत्पन्न किया है और उन दोनों के परस्पर मेल से ही कुछ भी संभव है। स्त्री, पुरुष के बिना अधूरी है और उसके बिना कुछ भी नहीं कर सकती है, तो पुरुष भी स्त्री के बिना अधूरा है और उसकी मदद के बिना कुछ भी नहीं कर सकता है। दोनों मिलकर ही ऊर्जावान तथा शक्तिमान बनते हैं। एक पुरुष न तो अकेला कुछ प्राप्त कर सकता है और न एक स्त्री ही अकेली कुछ भी हासिल कर सकती है।

यह समाज पुरुष प्रधान है। ज़रूरत पड़ने पर स्त्री की पूजा करता है और यहाँ तक कहता है कि नारी की जहाँ पूजा होती है, वहाँ देवताओं का वास होता है और जब मतलब निकल जाता है तो यही समाज बड़ी ही बेशर्मी के साथ यह कहने में संकोच

नहीं करता है कि औरतों की बुद्धि घुटनों में होती है। औरत का मान भी और अपमान भी समाज ही करता है। पुरुष प्रधान समाज होने के कारण उन्हें औरतों को कुछ भी कहने का अधिकार प्राप्त है। तुम त्याग, धैर्य, संतोष और ममता की देवी हो और जब मौका मिलता है तो उस देवी के साथ सामूहिक बलात्कार वे ही लोग करते हैं, जो उसे त्याग, धैर्य, ममता, संतोष की देवी बताते हैं। स्त्री सदियों से ही पुरुषों के हाथ का खिलौना रही है और पुरुष अपनी सुविधानुसार उन पर तरह-तरह की वर्जनाएँ थोपते रहे हैं। पुरुष अनेक शादियाँ कर सकता है, लेकिन स्त्री नहीं कर सकती है, यह भी तो स्त्री के साथ एक प्रकार का अन्याय ही है। पति के मरने के बाद पत्नी आजीवन मृत पति के नाम की सफेद साड़ी पहनकर, संन्यासिनी की भाँति एक बेरस ज़िंदगी जियेगी और पत्नी की मृत्यु के बाद पति अपनी उम्र से भी कम युवती से विवाह कर जीवन का आनंद लेगा, यह समाज की कैसी व्यवस्था है? यह पुरुष समाज का ही तो नियम है। जितनी भी रस्में हैं, कसमें हैं वे सब औरतों के लिए ही होती हैं, पुरुषों के लिए तो कोई भी रस्म नहीं होती है। व्रत, त्योहार सब पुरुषों ने औरतों के ज़िम्मे लगाकर स्वयं को जीवन और आनंद से जोड़ लिया है।

आप ध्यान से देखेंगे तो पुत्र और पति की लम्बी आयु के लिए भी स्त्री ही व्रत करती है, लेकिन पुरुष पत्नी की लम्बी आयु के लिए कोई व्रत नहीं करता है और न ही स्त्री, पुत्री की लम्बी आयु के लिए ही कोई व्रत करती है। पति के रूप में पुरुष, पत्नी के लिए परमेश्वर है, लेकिन पत्नी के रूप में स्त्री, पति के लिए परमेश्वरी नहीं है। स्त्री का धर्म है पति की सेवा करना, लेकिन पत्नी की सेवा करने का धर्म पति का नहीं है। इन एकतरफ़ा नियमों को पुरुष प्रधान समाज ने ही बनाया है।

मेरे पड़ोस में वर्मा जी रहते हैं। वे अपने गाँव से हज़ार किलोमीटर की दूरी पर रहते हैं और नौकरी करते हैं। उनकी पत्नी और बच्चे भी उनके साथ रहते हैं। बच्चे अभी बहुत ही छोटे हैं। मैं दो दिन से देख रहा था कि उनकी पत्नी के कपड़े छत पर गिरे पड़े थे और वर्मा जी छत पर रोज आते और कपड़ों को देखने के बाद भी उठाकर नीचे नहीं ले जाते थे। वर्मा जी से मैंने कहा—"वर्मा जी, आपकी पत्नी के ही तो वे कपड़े हैं। दो दिनों से छत की धूल चाट रहे हैं। कपड़े फट जाएँगे। आपकी पत्नी क्या घर पर नहीं हैं?"

वर्मा जी बोले—"घर पर ही हैं। उनको दो दिन से तेज़ बुख़ार लग रहा है। वह छत पर नहीं आ पा रही हैं, इसलिए उनके कपड़े धूल चाट रहे हैं।"

उनकी बात सुनकर मुझको बड़ा ही अजीब-सा लगा। मैंने कहा—"क्या कहा आपने, वह बीमार हैं! आप तो बीमार नहीं हैं न? फिर आप उनके कपड़े क्यों नहीं ले जाते? क्या वह आपकी सेवा नहीं करती हैं? क्या वह आपके कपड़े धोकर छत पर

सुखाती नहीं हैं? क्या वह आपके लिए खाना नहीं बनाती हैं? क्या वह आपके जूठे बरतन माँजती नहीं हैं? वर्मा जी, जो स्त्री आपके प्रति तन-मन-धन से समर्पित है और दिन-रात आपकी ही सेवा में है तो फिर आप उसकी इतनी-सी भी सेवा नहीं कर सकते? उनको दवा देना, डॉक्टर को दिखाना, उनको नहलाना, उनके कपड़े बदलना, उनके कपड़ों को धोना, खाना बनाना, बच्चों की देखभाल करना यह आपका परम कर्तव्य है। यदि आप ऐसा नहीं करते हैं, तो आप एक अच्छे पति नहीं हैं। जीवनसाथी को हमदर्द, हमराही, हमसफ़र इसीलिए तो कहा गया है।"

वर्मा जी बोले-"भाई साहब, मैं समझ रहा हूँ। यह सोचकर पत्नी के कपड़े नहीं उठाता हूँ कि लोग क्या कहेंगे।"

मैंने कहा-"वर्मा जी, आपके बुरे दिनों में या अच्छे दिनों में भी, आपकी पत्नी ही साथ देगी, लोग साथ नहीं देंगे। पत्नी बीमार है तो सेवा कौन करेगा? आप ही तो करेंगे और आप बीमार पड़ेंगे तो पत्नी आपकी सेवा करेगी। इस सच्चाई को जितनी ही जल्दी आप कबूल कर लेंगे उतनी ही आसान आपकी ज़िंदगी हो जाएगी।

मैं पति हूँ और वह पत्नी है। मैं उसके काम नहीं करूँगा और वह मेरे काम करेगी इस ईगो से ऊपर उठेंगे तभी दाम्पत्य जीवन का आनंद ले सकेंगे।" मैंने वर्मा जी को समझाया तो वह पत्नी के कपड़े उठाकर नीचे चले गए।

मैंने उपरोक्त बातों का ज़िक्र यहाँ पर इसलिए किया, क्योंकि जब पति, पत्नी के साथ भेदभावपूर्ण व्यवहार करता है, स्वयं को परमेश्वर मानता है और पत्नी को अपनी सेविका कहता है तो फिर बेटी, बहन, माँ के साथ भेदभावपूर्ण व्यवहार क्यों नहीं होगा? पुत्र के पैदा होने पर थाली बजती है, परिवार का हर सदस्य ख़ुश हो जाता है, देवी-देवताओं को धन्यवाद दिए जाने लगते हैं और मिठाइयाँ आपस में बाँटी जाने लगती हैं तथा गाना, बजाना, नाचना प्रारंभ हो जाता है और पुत्री के पैदा होने पर सबसे पहले उस स्त्री को कोसा जाने लगता है कि कितनी अभागी है कि पुत्री की माँ बनी है। चारों तरफ़ मातम मनाया जाने लगता है, घर के बड़े लोग उस नन्हीं-सी बच्ची के लिए ईश्वर से मौत माँगने लगते हैं, क्या यह ठीक है?

लेकिन अब जमाना धीरे-धीरे बदलता जा रहा है, क्योंकि लोगों की सोच लड़कियों के प्रति पहले जैसी नहीं रह गई है। बहू-बेटों ने जैसे-जैसे पैरेंट्स को धोखा देना, सताना, कोई भाव न देना और अलग रहने का निर्णय लेना शुरू कर दिया है वैसे-वैसे बेटियाँ भाने लगी हैं। लोग उनकी परवरिश भी लड़कों से भी बेहतर ढंग से करने लगे हैं और यह भी कहने लगे हैं कि जब बेटी की तरह बेटा भी बहू को लेकर अलग घर बसा लेता है तो फिर बेटी के साथ भेदभाव भरा व्यवहार क्यों? बेटी ने क्या बिगाड़ा है और बेटे ने क्या बनाया है कि बेटी के साथ अन्याय किया जाए और उसकी नज़रों में

बुरे पैरेंट्स बना जाए। जब से बेटियों को पर्याप्त शिक्षा मिलने लगी है, पोषक तत्त्वों से भरपूर भोजन मिलने लगा है, पुत्र की तरह ही लाड-प्यार मिलने लगा है, मान-सम्मान मिलने लगा है, तबसे उनका साहस बढ़ गया है। उनमें आत्मविश्वास का स्तर काफी बढ़ गया है और वे बेटों को हर मामले में पछाड़ने लगी हैं। अब सबको ही मालूम हो गया है कि बेटियाँ बेटों से कई गुना ज्यादा अच्छी, वफ़ादार और ईमानदार संतान साबित होती हैं। वे आज्ञाकारी भी, बेटों से कई गुना ज्यादा होती हैं। उनके पास शरम, लिहाज और तहज़ीब भी होती है और वे संवेदनशील भी होती हैं।

एक हाल ही के सर्वे की रिपोर्ट बताती है कि एक स्त्री अपने मायके से दिली रूप से जुड़ी होती है और अपने माता-पिता के प्रति आजीवन निष्ठावान बनी रहती है। जो पुरुष बात-बात पर पत्नी के मायके वालों को बुरा-भला कहते रहते हैं, उसके पिता या माँ को गालियाँ देते रहते हैं, उनसे उनकी पत्नियाँ नफ़रत करती हैं और ऐसे पतियों के प्रति उनकी पत्नी की सोच ठीक नहीं होती है, लेकिन पति के माता-पिता को पत्नियाँ कितना भी बुरा-भला कहती हैं पति कोई विशेष प्रतिक्रिया व्यक्त नहीं करते हैं। यही तो समझने वाली बात है।

आज के लोगों में लड़की के प्रति मान-सम्मान काफी संभव है, लेकिन यह भी सच है कि अभी भी लड़कियों से नफ़रत करने वालों की संख्या काफी है। लड़कियों को हर वर्ग के माता-पिता पढ़ाने लगे हैं, उनको खेलों में भाग लेने दे रहे हैं और सांस्कृतिक कार्यक्रमों में भी भाग लेने से मना नहीं कर रहे हैं। उनको विविध नौकरियों के लिए कोशिश करने के लिए भी प्रोत्साहित करने लगे हैं। लड़कों की तरह ही उनको, उच्च शिक्षा दिलाने लगे हैं और लड़कियाँ हर तरह के काम को बखूबी करने लगी हैं। अब अभिभावकों को समझ में यह बात आ गई है कि लड़कियाँ पढ़ेंगी तभी दिन-प्रतिदिन बढ़ रही महँगाई का सामना पूरी सफलतापूर्वक कर सकेंगी। आर्थिक समस्याओं को हल तभी किया जा सकता है, जब पति के साथ-साथ पत्नी भी अच्छी सैलरी वाली नौकरी कर रही हो। एक पति की सैलरी से आज के समय में घर को चलाना, बच्चों को पढ़ाना और भी अन्य घरेलू खर्चों को पूरा करना संभव नहीं है। इसलिए स्त्री का भी पुरुष की तरह पढ़ना-लिखना आवश्यक है।

आज के समय में छुई-मुई, घूँघट में छुपी अनपढ़ दुल्हन की ज़रूरत नहीं है। साहसी, कर्मठ, सुशिक्षित तथा समस्याओं का सामना करने वाली दुल्हन की ज़रूरत है। आप अपनी बेटी को पढ़ा-लिखाकर इतना सबल, आत्मनिर्भर और आत्मविश्वासी बनाएँ कि वह खुद के लिए सहायता माँगने की बजाय ज़रूरत पड़ने पर दूसरों की सहायता कर सके। आज की लड़कियाँ अपने दम पर सबकुछ हासिल कर रही हैं, वे लड़कों की तरह ही संघर्षशील हैं और अपने करियर-निर्णय की दिशा में तीव्र गति से अग्रसर

हैं। 'अबला तेरी हाय कहानी आँचल में दूध आँखों में पानी' वाली बात अब झूठी पड़ गई है। आज की नारी न तो अबला रह गई है और न ही उसकी आँखों में लाचारगी के आँसू ही रह गए हैं। वह तो आत्मनिर्भर हो गई है, आर्थिक रूप से स्वतंत्र हो गई है और मजबूर भी नहीं है।

वह भी अब पुरुषों की तरह हवाईजहाज आकाश में उड़ाती है, सीने पर बंदूक तानकर खड़ी रहती है और समय आने पर अपने देश के लिए, सच्चाई के लिए और अपनी अस्मिता के लिए मर मिटती है। आज की नारी शिक्षिका भी है, संन्यासिनी भी है, सिपाही भी है, जिलाधीश भी है, प्रधानमंत्री भी है, ग्राम-प्रधान भी है, पुलिस इंस्पेक्टर भी है, बैंक मैनेजर भी है, पुलिस महाअधीक्षक भी है, नेता भी है, अभिनेत्री भी है, लेखिका भी है, कवियित्री भी है, मजदूर भी है, गायिका भी है, संगीतकार भी है। यानी कोई भी ऐसा क्षेत्र स्त्री से छूटा हुआ नहीं है। उसने अपनी विद्वता का लोहा हर क्षेत्र में सबको मनवा दिया है। आज की नारी एक सफल नर्तकी भी है और सफल अभिभावक भी है। पिता की अनुपस्थिति में घर का कुशलतापूर्वक संचालन करने में भी आज की स्त्री का कोई जवाब नहीं है। आज की नारी पढ़ने-लिखने के मामले में भी पुरुषों से आगे है। लड़कों की अपेक्षा लड़कियाँ अच्छे नंबरों से उत्तीर्ण होती हैं।

आज के समाज की सबसे ख़तरनाक प्रथा और लड़कियों की शत्रु, दहेज प्रथा है। दहेज प्रथा की वजह से ही भारतीय परिवारों में लड़कियों को हेयदृष्टि से देखा जाता है, उनको बोझ माना जाता है, उनको पसंद नहीं किया जाता है, उनको अच्छी नज़रों से देखा नहीं जाता है और उनके पैदा होने पर मातम मनाया जाता है, इस चिंता के साथ कि दस लाख की साहूकार आ गई। अब आज से ही इसके लिए धन जोड़ना शुरू कर दो। दहेज प्रथा वास्तव में ही भारतीय समाज और परिवारों की उन्नति और प्रगति में रोड़े अटकाती है। वे परिवार विकास नहीं कर पाते हैं, जिन परिवारों में दो से अधिक लड़कियाँ होती हैं। उनके अभिभावक जीवन भर जो भी धन मेहनत से जोड़ते हैं, वह लड़कियों की शादी में दहेज देने के बाद स्वाहा हो जाता है। मैंने लड़कियों के अनेक अभिभावकों को यह कहते हुए सुना है कि बुनियादी ज़रूरतें पूरी करने के बाद जो बचत हुई उसे लड़कियाँ ले गईं। अब तो भीखमंगों-सा हाल हो गया है। लड़की के माता-पिता वास्तव में ही लड़कियों की शादी में दहेज दे-देकर निर्धन हो जाते हैं। बेशक दहेज प्रथा से डरकर ज्यादातर अभिभावक यही चाहते हैं कि उनको एक भी लड़की संतान न हो। दहेज प्रथा समाज, परिवार और नारी के लिए शाप नहीं, बल्कि अभिशाप है। जब तक इस कुरीति का अंत नहीं होगा तब तक समाज महिलाओं के प्रति सकारात्मक नहीं सोच पाएगा। लड़की के पैदा होते ही अभिभावक इस चिंता में पड़ जाते हैं कि इसकी शादी के लिए दहेज कहाँ से आएगा? दहेज महिला उन्नति में बाधक है। इसका दमन आवश्यक है।

क्रम

1

बेटी, बेटे से कम नहीं

सुप्रसिद्ध विचारक डिजराइली का कहना है कि 'मनुष्य परिस्थितियों का दास नहीं, बल्कि परिस्थितियाँ मनुष्यों की दासी हैं।' इसी तरह से महिलाएँ भी किसी बंधन या किसी बंदिश की दासी नहीं, बल्कि बंदिशें महिलाओं की दासी हैं, लेकिन महिलाएँ पुरुषों की अपेक्षा ज्यादा भावुक होती हैं, जिससे वे बड़ी आसानी से भावनाओं में बह जाती हैं और तरह-तरह की बंदिशें उनको अपनी गिरफ़्त में ले लेती हैं।

जहाँ तक भावनात्मक शोषण का सवाल है, तो इसका शिकार लड़कियाँ और महिलाएँ अधिक होती हैं। यही कारण है कि लगभग 49 प्रतिशत लड़कियाँ यह चाहती हैं कि काश वे लड़का होतीं। भारत जैसे देश में जहाँ लड़कों को ही वंश बढ़ाने वाला, घर का चिराग़, कुलदीपक आदि विशेषज्ञों से नवाज़ा जाता है और लड़कियों को हर बात पर यह बताया जाता है कि वे एक ज़िम्मेदारी और बोझ हैं, वहाँ लड़कियों में ऐसी भावना का पनपना कोई आश्चर्य की बात नहीं। जहाँ लड़कों को हर तरह की आज़ादी मिलती है, उन्हें हर बात में प्राथमिकता दी जाती है, वहाँ इस तरह के भावनात्मक शोषण का शिकार लड़कियाँ होती ही हैं।

एक उदाहरण प्रस्तुत है–

भावना यही कोई बी.ए. प्रथम वर्ष में थी। वह पढ़ने-लिखने के बाद आकर्षक सैलरी वाली नौकरी करना चाहती थी, लेकिन उसकी मम्मी की दिली इच्छा थी कि भावना की शादी जल्दी हो जाए। उसकी उम्र शादी के लायक हो गई है। भावना शादी करना नहीं चाहती थी। वह आगे की पढ़ाई पूरी करना चाहती थी, लेकिन उसके चाहने से क्या होने वाला था। उसके मम्मी-पापा के हाथ में सबकुछ था।

शाम को भावना के पापा दफ़्तर से घर आए तो उन्होंने भावना की मम्मी से कहा–"अरे कहाँ हो?"

भावना की मम्मी किचन से बाहर आते हुए बोल पड़ी–"चिल्ला क्यों रहे हो, मैं यहीं हूँ। कहो क्या बात है?"

"आज बहुत बड़ी ख़ुशख़बरी लेकर आया हूँ। सुनोगी तो तुम्हारा मन बाग़-बाग़ हो जाएगा।" भावना के पापा ने कहा।

"हाँ तो कहो न, मेरे कान सुनने के लिए तरस रहे हैं। क्या भावना के लिए कोई बढ़िया-सा पढ़ा-लिखा सुन्दर लड़का देखकर आए हो?" भावना की मम्मी ने कहा।

"तुमने कैसे जान लिया कि मैंने भावना के लिए लड़का देखा है? तुम तो आज भविष्यवक्ता की तरह बातें कर रही हो। हाँ, मैंने भावना के लिए एक काबिल लड़का देखा है। उसका नाम मनीष है।" भावना के पापा यह कहते-कहते सहसा ही चुप हो गए क्योंकि भावना सहसा ही वहाँ आकर खड़ी हो गई थी। इतने में संजय भी आकर वहीं खड़ा हो गया। संजय भावना का बड़ा भाई था। भावना की माँ ने कहा–"लो हमारा बेटा भी आ गया। बेटा, पढ़ाई कैसी चल रही है?" माँ संजय को देखकर काफी ख़ुश हो गई। वह दौड़कर संजय के पास आई और उसको अपनी छाती से लगाते हुए कहने लगी–"तू ही तो मेरा मान-धन है, मेरे कुल का चिराग़ है और इस खानदान को आगे बढ़ाने वाला है।"

माँ इतना कहकर चुप हुई तो भावना अपना अजीब-सा मुँह बनाकर पापा को अपलक देखने लगी। उसके पापा ने इस बात का अनुमान लगा लिया कि भावना को माँ का यह व्यवहार पसंद नहीं आया है।

पापा ने अपने चेहरे पर जबरदस्ती मुस्कान लाते हुए कहा–"भावना तो संजय से उम्र में छोटी है। भावना की शादी से पहले तो संजय की शादी होनी चाहिए। तुम्हारी क्या राय है, शारदा?"

शारदा यानी भावना की मम्मी बोली–"भावना लड़की है। जवान हो गई है। जवान लड़की की शादी जितनी जल्दी हो जाए, उतनी ही अच्छी बात है। संजय तो लड़का है। हमारा कुलदीपक है। इसका विवाह तब होगा जब यह आर्थिक रूप से स्वतंत्र हो जाएगा और अपनी पढ़ाई पूरी कर लेगा। हमें संजय के विवाह को लेकर कोई चिंता नहीं है। भावना हमारी बेटी है। यह हमारी ज़िम्मेदारी है और बोझ भी है।" शारदा अभी बोल ही रही थी, तभी भावना ने टोक दिया–"मम्मी, मैं संजय से उम्र में छोटी हूँ। मेरी पढ़ाई भी अभी अधूरी है। मैं संजय से किसी भी मामले में कम नहीं हूँ। बेटी भी अपने मम्मी-पापा की शान हो सकती है, वह भी सुशिक्षित और आर्थिक रूप से स्वतंत्र होकर अपने मम्मी-पापा की देखभाल कर सकती है। मम्मी, यदि बेटी का लालन-पालन बेटे की तरह किया जाए तो बेटी, बेटे से बिलकुल भी कम नहीं हो सकती है। बेटी की परवरिश ही ऐसी होती है कि उसका बौद्धिक और मानसिक विकास अच्छी तरह से हो

ही नहीं पाता है। जिन बेटियों की परवरिश स्वस्थ और आधुनिक परिवेश में होती है, वे निश्चित रूप से बेटों से अधिक विकास करती हैं और उससे कहीं अधिक अपने अभिभावकों के प्रति ज़िम्मेदार भी होती हैं। पापा, मैं अभी पढ़ना चाहती हूँ। विवाह मेरी पहली प्राथमिकता नहीं है। मेरी पहली प्राथमिकता शिक्षा ग्रहण कर करियर बनाना है।" भावना ने समझाने का प्रयास किया, लेकिन भारतीय अभिभावक समझते कहाँ हैं। उन्हें तो बस लड़की के साथ यही एक व्यवहार करने आता है कि लड़की सयानी हो गई है, उसका विवाह कर दो। भावना के मम्मी-पापा भी कुछ ऐसी ही सोच रखते थे।

19 वर्षीय भावना उनकी नज़र में हर पल खटकती रहती थी। उसके पापा ने कहा–"बेटी, संजय से पहले हम तुम्हारी शादी करके अपनी ज़िम्मेदारी से मुक्त हो जाना चाहते हैं।"

"पापा, आप संजय को पढ़ने के लिए पूरा समय दे रहे हैं। उसके करियर को लेकर भी आप चिंतित हैं, और आप उसको कुलदीपक भी कहते हैं। क्या मैं आपकी बेटी नहीं हूँ? क्या आपका मेरे प्रति यही फर्ज़ है–विवाह करना?" भावना ने प्रश्नों की बौछार कर दी। भावना के पापा जवाब नहीं दे सके, क्योंकि उनके पास उसके प्रश्नों के जवाब नहीं थे।

भावना ने आगे कोई सवाल नहीं किया क्योंकि उसे अच्छी तरह से मालूम था कि मम्मी-पापा जो निर्णय ले चुके हैं, वह अब बदलने वाला नहीं है। एक लड़की का भावनात्मक शोषण उसके मम्मी-पापा भी करते हैं, इसमें कोई शक नहीं है। यह घर-घर की कहानी है।

भावना को शारदा ने जब देखा कि वह बुरा मान गई है तब वह चलकर उसके पास आई और कहने लगी–"बेटी अपने मम्मी-पापा की बातों को काटती नहीं है। वह तो ममता, त्याग, प्रेम की मूर्ति होने के साथ-साथ धरती की तरह उदार और सहनशील होती है। बेटी, क्या तुम अपने पापा की इच्छा को पूरा नहीं करोगी?"

भावना को अपनी मम्मी की बातें सुनकर बहुत ही आश्चर्य हुआ।

वह बोली–"मम्मी, ममता, त्याग, प्रेम, सहनशक्ति बेटी में ही नहीं, बल्कि बेटों में भी होती है। यह अलग बात है कि बेटे, बेटियों की तरह उदार, कोमल और गंभीर नहीं होते हैं, बेटियों की तरह वे ज़िम्मेदार और कर्तव्यनिष्ठ नहीं होते हैं। मम्मी, संतान तो संतान होती है। बेटा हो या बेटी मम्मी-पापा के लिए दोनों ही बराबर होते हैं। फिर मेरे साथ भेदभाव क्यों? मुझे पढ़ने-लिखने और करियर बनाने के लिए आप मौका क्यों नहीं देना चाहते?" भावना अपनी धुन में बोलती चली गई। उसको यह मालूम, आज पहली बार हुआ था कि उसके मम्मी-पापा बेटी और बेटा में भेदभाव करते हैं। शारदा भावना की नाराज़गी को महसूस करते ही काफी घबरा गई। वह भावना की कलाई

दबाते हुए बोली–"बेटी, तुम एक लड़की हो, वह भी जवान और ख़ूबसूरत हो। तुम्हारी शादी हो जाएगी तो हम निश्चिंत हो जाएँगे। बेटी, शादी के लिए मना न करो।"

लड़का और लड़की में यही तो अंतर होता है कि लड़का दूसरों की ख़ुशी के लिए या भले के लिए जल्दी त्याग नहीं करता है, लेकिन लड़की दूसरों की ख़ुशी के लिए त्याग हँसते-हँसते करने के लिए राज़ी हो जाती है। भावना अपनी माँ के बार-बार आग्रह करने पर या निवेदन करने पर शादी के लिए इस शर्त के साथ तैयार हो गई कि लड़के वाले आगे की पढ़ाई पूरी करने तथा मनपसंद जॉब करने की छूट देंगे। यहाँ भी एक लड़की का भावनात्मक शोषण हुआ और स्वयं उसकी माँ ने ही उसका शोषण किया।

विशेषज्ञों का कहना है कि महिलाओं का सबसे अधिक शोषण उसके घरवाले तथा रिश्तेदार ही करते हैं और बहुत ही हिसाब से करते हैं। लड़की को इस बात की पूरी अनुभूति होती है कि उसका शोषण हो रहा है, लेकिन वह इस मोह में कभी कुछ नहीं बोलती है या विरोध नहीं कर पाती है कि उसके अपने ही लोग उसका शोषण कर रहे हैं तो वह क्या बोले? यहीं पर तो बोलने की ज़रूरत होती है। आपका शोषण आपके अपने करें या पराए करें आपको चुप नहीं रहना है। शोषण के ख़िलाफ़ आवाज़ उठाना आवश्यक है। आप शोषण के ख़िलाफ़ कुछ बोलती नहीं हैं तो फिर आपका शोषण होता ही रहता है और आप अपने वजूद से हाथ धो बैठती हैं।

भावना, लेकिन ख़ामोश रहने के पक्ष में नहीं थी। इसीलिए तो वह इस शर्त पर शादी के लिए तैयार हुई थी कि वह आगे की पढ़ाई पूरी करेगी तथा जॉब भी करेगी।

शाम को भावना को देखने के लिए लड़के वाले आ गए। शारदा ने लड़के वालों का भव्य स्वागत किया। इसके बाद भावना और लड़के को ड्राइंग-रूम में बातचीत करने के लिए छोड़ दिया गया। भावना ने ही पहले पूछा–"क्या आप बेटा और बेटी में कोई फर्क महसूस करते हैं या स्त्री और पुरुष में अंतर करते हैं?"

लड़का बोला–"यह कैसा सवाल है? स्त्री और पुरुष में तथा बेटा और बेटी में अंतर तो होता ही है। आप मुझसे ऐसा सवाल क्यों पूछ रही हैं?" लड़का यह कहते-कहते आश्चर्य से भावना को देखने लगा।

भावना बोली–"आप हाँ या नहीं में जवाब दें।"

लड़का बोला–"कुदरत ने इनको अलग-अलग बनाया है, तो मुझे इनमें अंतर करने में संकोच भला क्यों होगा। हाँ, बेटा और बेटी तथा स्त्री और पुरुष में फर्क है। क्या आपको शक है?"

भावना समझ गई कि स्त्री और पुरुष के बीच जो दूरी है और उनमें जो अंतर है, वह इतनी आसानी से मिटने वाला नहीं है। भावना ने पूछा–"बेटा और बेटी में क्या अंतर है?"

लड़के ने कहा–"अंतर तो बहुत है, लेकिन मुझे तो बस इतना ही कहना है कि बेटा कुलदीपक होता है और ख़ानदान का उत्तराधिकारी होता है। बेटी तो मेहमान होती है। क्या यह अंतर कम है?" लड़के ने अपने शब्दों पर जोर देते हुए कहा।

भावना बोली–"लड़का भी किसी मेहमान से कम थोड़े ही होता है। विवाह के बाद वह भी तो अपनी पत्नी को लेकर दूसरे शहर में चला जाता है और घरवालों को घर पर ही छोड़ जाता है। फिर वह साल-दो-साल के बाद ही पाँच-दस दिन के लिए आता है। इस तरह से तो बेटा भी मेहमान होता है। मैं आपके साथ विवाह करने के लिए राज़ी तभी हो सकती हूँ जब आप मुझे बराबरी का दर्जा देते हुए मेरी आगे की पढ़ाई पूरी करा पाएँगे और मुझको जॉब करने की अनुमति देंगे। इसके साथ ही बेटा और बेटी को एक ही तराजू के दो पलड़े मानेंगे।" भावना एक साँस में ही बोल गई।

लड़का सुशिक्षित था। उसने बहुत सोचा, बहुत सिर मारा, फिर उसने कहा–"बेटी और बेटा या स्त्री और पुरुष के प्रति मेरी जो सोच है, उसमें बदलाव आना अभी तो संभव नहीं है, लेकिन आपकी अधूरी पढ़ाई पूरी करने और जॉब भी करने की छूट मेरी तरफ़ से है।" लड़का इतना कहते-कहते मुस्करा पड़ा, फिर धीमी आवाज़ में कहा–"आप एक निडर और स्पष्ट बोलने वाली लड़की हैं; यही कारण है कि आप मुझे अच्छी लगने लगी हैं और मैं आपको ज़रूरत से ज्यादा पसंद करने लगा हूँ।"

भावना ने लड़के की आँखों में देखा। वह थोड़ी देर में ही समझ गई कि यह लड़का ज़िद्दी नहीं, बल्कि समझदार है और समझदार लोगों में बदलाव की पर्याप्त गुंजाइश होती है। वह लड़के को धीरे-धीरे यह समझा सकती है कि बेटियाँ कुछ भी करवा सकती हैं। उनमें दम की कोई कमी नहीं है। बुद्धि और शक्ति का भी कोई अभाव नहीं है। अभिभावक बेटी की परवरिश ही कुछ इस तरह से करते हैं और उन पर इतनी बंदिशें तथा प्रतिबंध लगा देते हैं कि वे अपने आपको और अपनी शक्ति को न तो पहचान पाती हैं और न ही विकसित ही कर पाती हैं।

कोई भी व्यक्ति स्वयं को जब तक पहचानेगा नहीं तब तक उसका विकास नहीं होगा, यह प्रकृति का नियम है। इसीलिए कहा जाता है कि स्वयं को जानो, अपनी क्षमता और शक्ति को जानो। जो लोग अपनी क्षमता को, अपनी शक्ति को और अपने आपको नहीं जानते हैं, उनमें न तो कभी बदलाव होता है और न ही उनका विकास ही हो पाता है। महिलाओं का विकास, तभी तो अभी तक नहीं हो सका है। अभिभावक बेटी की परवरिश कुछ इस तरह से करते हैं कि वह मानसिक और शारीरिक रूप से बिलकुल ही कमज़ोर आजीवन स्वयं को मानती रहती है। भावना इन्हीं सब विचारों में खोई थी, इतने में लड़के ने टोक दिया–"आपने जवाब नहीं दिया?"

भावना बोली–"मैं आपसे विवाह करने के लिए तैयार हूँ।"

यहाँ पर यह सोचने वाली बात है कि भावना के मम्मी-पापा भावना का विवाह उससे अपना पिंड छुड़ाने के लिए करवाना चाहते हैं, लेकिन भावना के भाई संजय को पढ़ा-लिखाकर उसका भविष्य सँवारना चाहते हैं। उन्होंने भावना और संजय में अंतर कर दिया न। भावना की परवरिश उन्होंने संजय की परवरिश की तरह नहीं की न। बहुत बड़ा फर्क बेटा और बेटी में कर दिया, फिर लोग कैसे यह कह देते हैं कि बेटी, बेटे की तरह हर काम नहीं कर सकती? बेटे की तरह उसकी परवरिश तो पहले आप करें। बेटी, बेटे से भी अधिक ज़िम्मेदार, होशियार, समझदार, निष्ठावान और कर्तव्यनिष्ठ होती है।

बेटी पर अभिभावकों की रहमत बहुत ही कम बरसती है। उनकी सारी रहमत बेटे पर ही बरसती है। भावना विवाह करना नहीं चाहती थी, लेकिन जब उसने देखा कि मम्मी और पापा उसको बोझ समझने लगे हैं और उसने विवाह के लिए मना भी कर दिया, तो कोई भी लाभ नहीं होने वाला है और वे उसकी पढ़ाई छुड़वाकर घर में बिठा देंगे तो इस तरह से वह पिंजरे में कैद होकर रह जाएगी, तो उसने सोचा कि इससे अच्छा तो विवाह करना ही है। अधूरी पढ़ाई पूरी करने की इजाज़त तो मिल ही रही है।

दो माह के अंदर ही भावना की शादी हो गई। भावना विवाह कर ससुराल आ गई। मायके से ससुराल में आना एक लड़की के लिए कोई साधारण और सहज यात्रा नहीं होती है। यह यात्रा दुनिया की सबसे कठिन यात्रा होती है। बाल्यावस्था से युवावस्था तक घर के हर स्थान में टहलने, कूदने और नाचने वाली लड़की जब ससुराल में पहुँच जाती है तो मायके का हर स्थान सूना हो जाता है और ससुराल का हर कोना चहल-पहल से महक उठता है। भावना शादी के दो साल के भीतर ही एक बेटी की माँ बन गई। सास ने उस पर दबाव बनाते हुए कहा–"यह तो लड़की है, एक लड़का भी चाहिए?"

भावना ने कहा–"नहीं अम्मा, एक लड़की बहुत है। लड़के की कोई ज़रूरत नहीं है। लड़की लड़के से कम नहीं होती। हम उसे कमज़ोर बना देते हैं तो वह कमज़ोर बन जाती है। हम यदि लड़की की परवरिश लड़कों की तरह ही करें तो वह लड़कों को मात दे सकती है।"

सास चुप हो गई, लेकिन सोच नहीं बदली। यह सोच ही तो बहुत ख़तरनाक चीज़ है। सोच को जब तक आप नहीं बदलेंगे, तब तक ज़िंदगी में बदलाव आना नामुमकिन ही है। यह भी सच है कि किसी को भी एक-दो दिन में या अचानक बदला नहीं जा सकता है। किसी को भी बदलने के लिए समय की आवश्यकता होती है। भावना को इस बात का ज्ञान था।

भावना की पढ़ाई जब पूरी हो गई तो उसने अपने पति श्याम से कहा–"अम्मा जी, घर पर तो रहती ही हैं। हमारी बेटी मीना की भी देखभाल अम्मा बड़ी सहजता से कर लेंगी। तो मैं क्यों न अब जॉब के लिए आवेदन करूँ। तुम्हारा क्या कहना है?"

श्याम कुछ समय तक ख़ामोश रहा। फिर वह बोला—"हाँ तुम नौकरी के लिए कोशिश कर सकती हो।" श्याम को न चाहते हुए भी इजाज़त देनी पड़ी। वह मना भी नहीं कर सकता था।

भावना ने दो-तीन कंपनियों में आवेदन दिए। नौकरी मिल गई। समय यूँ ही बीतता रहा। एक दिन भावना की मम्मी शारदा का फोन आया। भावना ने पूछा—"मम्मी, कैसी हो? मैं तो तुमसे मिल ही नहीं पा रही। नौकरी करने लगी हूँ, जिससे समय ही नहीं मिल रहा है।"

शारदा ने लम्बी साँस लेते हुए कुछ कहना चाहा, लेकिन वह बोल नहीं सकी। भावना ने अपनी आवाज़ थोड़ी ऊँची और तेज़ करते हुए कहा—"हाँ-हाँ बोलो मम्मी, तुम कुछ कहना चाह रही हो और कह नहीं पा रही हो। बोलो न, क्या बात है?" भावना ने अपने एक-एक शब्द पर ज़ोर देते हुए कहा तो शारदा ने बड़ी मुश्किल से कहा—"बेटी, संजय अपनी बीबी के साथ भोपाल क्या गया, अब आने का नाम ही नहीं ले रहा है। तुम्हारे पापा बीमार रहने लगे हैं। मेरी भी तबियत पहले की तरह नहीं रहती है। हम दोनों ही वृद्धावस्था में आ गए हैं।"

भावना ने कहा—"मम्मी, संजय को फोन कर भाभी को बुला लो न।"

"तुम्हारी भाभी हमारे साथ रहने को राज़ी नहीं है। संजय को पता नहीं उसकी बीवी ने कौन-सी पढ़ाई पढ़ा दी है। वह तो फोन पर भी बात करने को राज़ी नहीं।" शारदा के इतना कहने पर भावना ने कहा—"मम्मी, संजय के पास तुम दोनों क्यों नहीं चले जाते? संजय भोपाल में नौकरी कर रहा है और उसकी पत्नी भी वहीं पर नौकरी कर रही है तो फिर वे वहीं पर तो रहेंगे। तुम पापा के साथ संजय के यहाँ भोपाल क्यों नहीं चली जाती हो?"

भावना के इतना कहने पर शारदा रूँधे गले से बोली—"बेटी, संजय की बीवी बहुत ही तेज़ है।"

भावना बोली—"संजय तो तेज़ नहीं है न? वह तो तुम्हारा बेटा है। मम्मी, जिस बेटे की एक आवाज़ पर तुम चरखी की तरह नाचने लगती थी, आज वह बेटा तुम्हारी एक 'आह' पर दौड़ा तुम्हारे पास क्यों नहीं आ रहा? संजय से तुम क्यों नहीं कहती कि वह तुम्हें आकर ले जाए?"

शारदा का गला रूँध गया। आवाज़ बड़ी मुश्किल से निकल पाई—"बेटी, उसने अपने यहाँ रखने से मना कर दिया है। हम बिलकुल ही अकेले पड़ गए हैं।" शारदा ने इतना कहकर फोन रख दिया।

भावना उस समय दफ़्तर में थी। उसका मूड ख़राब हो गया। उसने दोपहर का खाना भी नहीं खाया। बड़ी मुश्किल से दफ़्तर में दिन गुज़रा। उसकी एक महिला सहकर्मी ने

पूछा–"क्या बात है, तुम ऑफिस तो बहुत ही फ्रेश मूड में आई थीं? दोपहर होते-होते तुम्हारा मूड इतना ख़राब कैसे हो गया? मैं तुम्हारी सहेली भी हूँ।"

भावना की आँखें भर आईं। वह इधर-उधर ताकने के बाद बोली–"क्या बताऊँ बहन, मेरे भैया-भाभी भोपाल में शिफ्ट हो गए हैं। मम्मी-पापा पैतृक मकान में रह रहे हैं और काफी बूढ़े हो गए हैं। चल-फिर कर अपना काम करने में उनको दिक़्क़त हो रही है। उनकी देखभाल करने वाला एक आदमी तो उनके साथ होना ही चाहिए।" भावना अभी बोल ही रही थी, तभी सहकर्मी बोली–"इसमें दिक़्क़त ही क्या है। तुम्हारे भैया-भाभी उनको अपने साथ क्यों नहीं रख लेते? तुम अभी फोन करके अपने भैया से बात करो न।"

भावना ने संजय को फोन लगाया। संजय ने फोन उठाया और बहुत ही धीमी आवाज़ में उसने कहा–"हाँ, बोलो भावना, कैसी हो?"

"मैं तो ठीक हूँ भाई। मम्मी-पापा बूढ़े हो गए हैं। उनकी तबियत बिगड़ती रहती है। तुम उनको अपने साथ क्यों नहीं रखते?" भावना के इतना कहते ही संजय कुछ पलों तक ख़ामोश रहा। फिर उसने चुप्पी तोड़ते हुए कहा–"भावना, मम्मी-पापा से मैंने कई बार कहा कि पैतृक मकान को बेचकर वे लोग हमारे यहाँ आ जाएँ, लेकिन वे लोग हमारी सुनते ही नहीं हैं।"

भावना बोली–"पैतृक मकान बेचने की ज़रूरत ही क्या है। तुम मम्मी-पापा को अपने साथ रखो।" भावना के इतना कहते ही संजय गुस्सा हो गया और ऊँची आवाज़ में उसने कहा–"यह संभव नहीं है। मैं किराए के मकान में हूँ। पैतृक मकान बिक जाता तो मैं शहर में तीन कमरों वाला फ्लैट लेता। फिर मम्मी-पापा को रखने में दिक़्क़त नहीं होती।" संजय इतना कहते-कहते चुप हो गया।

"संजय, तुम पति और पत्नी दोनों ही अच्छी सैलरी वाली नौकरी कर रहे हो, इसके बाद भी मम्मी और पापा को रखने के लिए तुम लोगों के पास जगह का अभाव है। मम्मी और पापा तो पैतृक मकान बेचेंगे नहीं क्योंकि उस मकान से उनकी पुरानी यादें जुड़ी हुई हैं और हम सबका बचपन भी तो उस मकान में बिता है। भाई, तुम उस मकान को कैसे बेचने की बात कर सकते हो?" भावना ने इतना कहकर फोन रख दिया। वह समझ गई कि इन तिलों में तेल नहीं है या इस नींबू में रस नहीं है। व्यर्थ में ही वह अपना समय बर्बाद कर रही है।

सहकर्मी ने पूछा–"क्या कहा तुम्हारे भाई ने?"

"कहेगा क्या, वह उनको अपने साथ तब रखेगा, जब वे लोग अपना पैतृक मकान बेचकर उन पैसों से शहर में उसके लिए मकान खरीद देंगे।"

भावना के इतना कहते ही महिला सहकर्मी ने हिदायत दे डाली–"अपने पापा को समझा देना, कुछ भी हो जाए, वे पैतृक मकान नहीं बेचेंगे। पैतृक मकान बिक गया तो फिर वे लोग कहीं के भी नहीं रहेंगे।"

"लेकिन ऐसा क्यों कह रही हो?" भावना ने आश्चर्य से पूछा।

महिला सहकर्मी की आँखें नम हो गईं। वह ठंडी साँस लेते हुए बोली–"क्या बताऊँ, मेरे मम्मी-पापा की भी कहानी ऐसी ही है। मेरे दोनों भाई अपने-अपने बीवी-बच्चों के साथ दूसरे शहर में रह रहे हैं और मम्मी-पापा अकेले ही पैतृक मकान में अपना बाकी का जीवन गुज़ार रहे हैं। मैं हफ़्ते के अंत में उनके साथ ही रहती हूँ। अब मैंने निर्णय लिया है कि मम्मी-पापा के साथ ही रहूँ। मेरे पति बहुत ही उदार और अच्छे इनसान हैं। वह भी मेरे साथ मम्मी-पापा के यहाँ रहने के लिए तैयार हो गए हैं।" महिला सहकर्मी के इतना कहने पर भावना की आँखें आश्चर्य से फटी की फटी रह गईं।

भावना अब यह सोचकर परेशान थी कि लोग बेटे के लिए न जाने क्या-क्या करते हैं और बेटा जब जवान होता है तो वह उनकी परवाह भी नहीं करता है। शादी होने के बाद तो बिलकुल ही वह बदल जाता है, लेकिन बेटियाँ कभी भी बदलती नहीं हैं। वे छोटी हों, किशोरावस्था में हों, युवावस्था में हों या फिर वृद्धावस्था में हों, अपने मायके तथा मायके वालों के साथ उनका मन जुड़ा हुआ ही रहता है। फिर भी न जाने क्यों लोग बेटियों को कोई भाव ही नहीं देते हैं? भावना ने पल-भर में ही इतना कुछ सोच लिया। वह अपनी सीट से उठी और मुट्ठी भींचते हुए उसने भी निर्णय ले लिया कि मम्मी-पापा की देखभाल वह स्वयं करेगी और इसके लिए वह अपने पति और बच्चों के साथ मायके में शिफ्ट हो जाएगी। मम्मी-पापा का समय अच्छा बीत जाएगा।

अनुभवी और जानकार लोगों का भी कहना है कि औरतों में जितनी ममता, दया, उदारता और संवेदनशीलता होती है, पुरुषों में उतनी दया, उदारता और संवेदनशीलता नहीं होती है। भावना को अपने मम्मी-पापा पर दया आ गई, लेकिन बेटे को तनिक भी दया नहीं आई। करुणा की धारा एक स्त्री में जितनी होती है, उतनी करुणा की धारा संभवतः पुरुष में नहीं होती है।

बेटी अपने अभिभावकों के प्रति हमेशा ही ज़िम्मेदार होती है और जब देखती है कि मम्मी-पापा अकेले पड़ गए हैं, उनकी देखभाल करने वाला कोई नहीं है तो फिर उसे चिंता हो जाती है। जो बेटी सुशिक्षित होती है, नौकरी कर रही होती है, तो वह आर्थिक रूप से स्वतंत्र होती है और कोई भी निर्णय लेने के लिए सक्षम होती है। ऐसे में वह चुप नहीं रहती है और यथाशक्ति अपने मम्मी-पापा की देखभाल अवश्य ही करती है, इसमें कोई शक नहीं है। भावना ने अपनी अधूरी पढ़ाई ससुराल में आकर

पूरी की थी, फिर नौकरी भी पति के सहयोग से उसने शुरू की और जब उसको पता चला कि मम्मी-पापा को भाई ने उनके हाल पर छोड़ दिया है और वे परेशानी में हैं तो उससे बर्दाश्त नहीं हुआ और वह मम्मी और पापा के मकान में ही शिफ्ट हो गई ताकि उनकी देखभाल अच्छी तरह से कर सके, लेकिन उस बेटे ने उनके बारे में गलती से भी नहीं सोचा, जिसके लिए उन्होंने भावना के साथ भेदभाव पूर्ण व्यवहार किया।

समाज में, हर घर में रोज़ ही इस तरह की घटनाएँ घटती रहती हैं और लाख चोटें खाने के बाद भी पुरुष प्रधान समाज बदला नहीं है। अभी भी लड़की को लड़के से कम करके देखने का रिवाज है। इस मानसिकता को समाप्त करना कोई मामूली बात नहीं है। बेटी घर का चिराग़ नहीं है और बेटा घर का चिराग़ है, मैं तो इस बात से बिलकुल ही सहमत नहीं हूँ, क्योंकि बेटी भी बेटों जितना ही महत्त्वपूर्ण है और वह भी घर का चिराग़ है। वह भी वंश वृद्धि करती है। जब बेटे के सहयोग से उत्पन्न संतान घर का वारिस हो सकता है, तो बेटी के सहयोग से उत्पन्न संतान घर का वारिस क्यों नहीं हो सकता? यह तो समझने वाली बात है।

बेटी की परवरिश बेटे की तरह कोई भी अभिभावक नहीं करता है, इसीलिए तो बेटी हर काम में पिछड़ जाती है।

आप इस उदाहरण को पढ़ें और मेरी बात को समझें–

नीरा बारहवीं क्लास में थी और महेश बी.ए. प्रथम वर्ष में था। दोनों ही बच्चों में बस एक-डेढ़ साल का अंतर था। नीरा पढ़ने में महेश से अधिक होशियार ही नहीं थी, बल्कि परिस्थितियों और समय को समझने में भी महेश से अधिक निपुण थी, लेकिन उसके पापा को महेश पर ही अधिक भरोसा था और वह महेश को ही प्रिय संतान मानते थे।

नीरा आज सुबह स्कूल जाने के लिए उठी तो अपनी माँ को कहीं न देखकर काफी घबरा गई। वह दौड़कर बेडरूम में आई तो उसकी माँ बिस्तर पर बेसुध पड़ी थी। नीरा ने माँ के माथे पर हाथ रखा। माँ का माथा बुख़ार से तप रहा था। आँखों से आँसू निकल रहे थे। उसके पापा ऑफिस के काम से एक हफ़्ते के टूर पर थे। नीरा ने पापा को फोन लगाया, लेकिन फोन लगा नहीं। नीरा की माँ ने बेटी को परेशान देखकर कहा–"बेटी, मैं ठीक हूँ। बस थोड़ा बुख़ार है। मुझे एक कोरोसीन की गोली गुनगुने पानी के साथ दे दो। मैं थोड़ी देर में ठीक हो जाऊँगी।"

"अरे, फिर मेरा नाश्ता और लंच कौन बनाएगा? मैं कॉलेज के लिए पहले से ही लेट हूँ अब और लेट न करो।" महेश के इतना कहते ही नीरा तेज़ आवाज़ में बोली–"मम्मी को बुख़ार है और तुमको नाश्ता और लंच की पड़ी है। तुम कैसे इनसान हो?"

"तुम हो तो, डॉक्टर को दिखाओ। पूरे घर को सिर पर उठाने की क्या ज़रूरत है? मैं कॉलेज के लिए लेट हो रहा हूँ। मैं जा रहा हूँ।" इतना कहकर महेश दरवाज़े से होता हुआ बाहर निकल गया। नीरा ज़ोर से चिल्लाई–"भाई, माँ के लिए दुकान से दवा तो ला दो।" नीरा की आवाज़ आस-पास के वातावरण में गुंजायमान हो उठी, लेकिन महेश ने मुड़कर देखा तक भी नहीं।

माँ को बुख़ार था। वह ठंड से काँप रही थी, लेकिन पूरी तरह से वह होश में थी। उसने यह अच्छी तरह से जान लिया था कि बेटा और बेटी में से उसके प्रति कौन अधिक संवेदनशील और ईमानदार है। नीरा दौड़कर दरवाज़े से बाहर हुई और लम्बे-लम्बे डग भरते हुए सड़क पार कर मेडिकल स्टोर पर पहुँच गई और दवा लेकर पाँच मिनटों के अंदर ही माँ के पास आ गई। उसने गुनगुने पानी से माँ को दवाएँ दीं। फिर ठंडे पानी की पट्टी माथे पर रखने लगी। पैरों के तलवे मलने लगी और बीच-बीच में माँ से यह भी पूछने लगी कि माँ, तुम्हारी तबियत में अब कुछ सुधार है?

नीरा से घृणा करने वाली, ईर्ष्या करने वाली, गालियाँ निकालने वाली, बात-बात पर थप्पड़ चलाने वाली, उसको अपमानित करने वाली माँ की आँखों से आँसुओं की धाराएँ फूट पड़ीं, यह सोच कर कि जिस बेटी को कभी फूटी आँख से भी नहीं देखी, जिस बेटी को कभी भाव नहीं दिया और जिस बेटी के विकास और उन्नति को हमेशा रोकती रही, आज वही बेटी मेरे लिए एक पाँव पर खड़ी दौड़ रही है। मुझको आराम दिलाने के लिए जाने क्या-क्या उपाय कर रही है। मैं महेश को अपने जिगर का टुकड़ा मानकर अपना सारा प्यार उस पर बरसाती रही, बेटी को पीछे कर उसको सारी सुविधाएँ देती रही कि वह मेरा सहारा बनेगा, लेकिन महेश तो बड़ा ही निष्ठुर, क्रूर, मतलबी तथा स्वार्थी निकला। उसको माँ से कोई मतलब नहीं है, बल्कि माँ से मिलने वाली सुविधाओं से मतलब है। हे ईश्वर, मुझे माफ कर देना, मैंने जान-बूझकर बेटा और बेटी में फर्क किया। बेटी के साथ बेईमानी की और बेटी को पग-पग पर नीचा दिखाया। मुझे आज पता चला कि बेटियाँ माता-पिता की शान होती हैं। माँ सोचती जा रही थी और आँखों से आँसू बहते जा रहे थे।

नीरा अपनी कोमल उँगलियों से माँ के गालों पर आए आँसुओं को पोंछते हुए बोली–"माँ, तुम आँसू मत बहाओ। मैंने दवा दे दी है। तुम ठीक हो जाओगी।"

माँ नीरा के मुख से इतनी अच्छी सांत्वना सुनकर और भी अधिक रोने लगी। उसे आज अपने किए पर पछतावा हो रहा था कि मैंने क्यों नहीं समझा कि बेटियाँ अत्यंत ही कोमल विचारों वाली होती हैं और उनके मन में सबके लिए ही अच्छी भावना होती है। जो करता है उसके लिए भी और जो नहीं करता है उसके लिए भी उनके मन में अच्छी सोच ही होती है। मैंने नीरा के साथ हमेशा गलत व्यवहार किया और आज

वह सब भूल-भालकर कितने निश्छल मन से मेरी सेवा कर रही है। बेटा तो मुझको देखने तक भी नहीं आया कि माँ किस हाल में है। बेटियाँ, मम्मी-पापा के प्रति इतनी अच्छी सोच, अच्छी भावनाएँ और अच्छे विचार रखती हैं, फिर भी मम्मी-पापा उनकी परवरिश बेटे की परवरिश की तरह क्यों नहीं करते हैं? अब तो नीरा ही मेरे घर का दीपक है। इसकी परवरिश अब मैं बेटे से भी बढ़कर करूँगी। मैं इसकी उन्नति, प्रगति और विकास में अपना पूरा योगदान दूँगी। मेरी बेटी मेरी शान है।

यदि बेटियों की परवरिश पूरे उदार हृदय से की जाए और इनकी योग्यता, इनकी सोच, इनकी शक्ति और इनकी शारीरिक क्षमता पर कोई शक न किया जाए तो वास्तव में ही बेटियाँ परिवार की शान हो सकती हैं। पैदा होते ही लड़की को तरह-तरह की वर्जनाओं और प्रतिबंधों की जंजीरों से बाँध दिया जाता है। जिससे इनका मानसिक विकास ही नहीं, बल्कि शारीरिक विकास भी थम जाता है और लड़कियाँ अपनी शक्ति को कभी पहचान ही नहीं पाती हैं और बात-बात पर यह कहती हुई नहीं थकती हैं कि मैं तो लड़की हूँ। लड़कों का मुकाबला थोड़े ही कर सकती हूँ। बेटी के दिमाग से इस सोच को निकालने की ज़रूरत है कि वह लड़की है तो क्या हुआ, उसके अंदर भी लड़कों की तरह ही असीम क्षमताएँ हैं और वह भी सबकुछ कर सकती है।

अब नीरा की माँ की आँखें बंद हो गई थीं, लेकिन अभी तक आँखों के कोनों से आँसू रिस रहे थे। नीरा यह सोच-सोचकर दुखी थी कि माँ को ज्यादा ही तकलीफ है। वह कोई भी उपाय कर माँ की तकलीफ को हर लेना चाहती थी, लेकिन यह उसके वश में नहीं था।

एक घंटे के बाद माँ को कुछ आराम मिला तो उसने आँखें खोलीं। बुख़ार उतर गया था, लेकिन कमज़ोरी थी। माँ ने नीरा को अपने बेडरूम में बैठे हुए देखकर पूछा—"तुम स्कूल नहीं गई?"

"कैसे जाती, मम्मी। सुबह से तुम्हारी तबीयत इतनी ख़राब है। मैं स्कूल तुमको बीमारी की हालत में छोड़ कर भला कैसे चली जाती? पढ़ना तो रोज़ ही है। तुम्हारी देखभाल हर काम से ज़रूरी थी। मम्मी, मैं तुम्हारी बेटी हूँ और तुम मेरी माँ हो, मैं तुमको किसी भी कीमत पर नज़रअंदाज़ नहीं कर सकती। पहले तुम हो बाद में कोई भी है।" नीरा यह कहते-कहते काफी भावुक हो गई।

"लेकिन महेश ने तो तुम्हारी तरह नहीं सोचा, तुम्हारी तरह मेरी परवाह नहीं की, मुझको देखने तक भी नहीं आया और ऊपर से नाराज़ होकर भी चला गया कि मैंने नाश्ता और लंच क्यों नहीं बनाया? बेटी, मैं तुम्हारी दोषी हूँ। शुरू से ही मैंने तुमको महेश के आगे धूल की तरह समझा, लेकिन मेरे प्रति तुम्हारे लगाव में कोई कमी नहीं रही।" इतना कहते-कहते माँ ने नीरा को गले से लगा लिया। आज बेटी पर बड़ा ही लाड आ रहा था।

माँ ने नीरा के माथे को सहलाते हुए कहा–"बेटी, आज मैंने यह स्वीकार कर लिया कि बेटी में बेटे से कहीं अधिक भावनाएँ होती हैं और जीवंतता भी होती है। बेटी सबका ही मान रखती है, सबको ही साथ लेकर चलती है। मैं अब तुम्हारी परवरिश बेटे की तरह ही करूँगी। तुमको आज से वह सब करने की छूट मेरी तरफ़ से है, जो तुम करना चाहती हो।"

नीरा ने कहा–"माँ, मेरी हार्दिक इच्छा है कि मैं पायलट बनूँ और पहली उड़ान मैं अपनी माँ के साथ भरूँ।" नीरा अभी और कुछ कहती, इतने में उसके पापा अचानक ही बोल पड़े–"लेकिन यह तो लड़कों का काम है।"

"नहीं, तुम गलत हो। लड़के भले ही, लड़कियाँ जो काम करती हैं, नहीं कर सकें, लेकिन लड़कियाँ कोई भी काम कर सकती हैं। यह अभिभावकों की गलती है कि वे उनको उस काबिल नहीं बनाते हैं। हमारी बेटी सारे कार्य कर सकती है और मैं सच कहूँ तो कोई भी काम कोई भी कर सकता है। तुम पायलट ही बनोगी।" माँ ने मुहर लगा दी। उसके पापा हँसने लगे और यह भी कहने लगे कि–"आज मैं वास्तव में ही प्रसन्न हूँ कि नीरा को माँ का भी सहयोग मिलने लगा। मुझे तो मालूम है ही कि बेटियाँ सबकुछ कर सकती हैं और बेटों से कहीं अधिक अच्छी संतान साबित होती हैं।"

एक शोध की रिपोर्ट में कहा गया है कि स्त्रियों में सहनशक्ति, धैर्यशक्ति और त्याग की भावना जितनी प्रचुरमात्रा में होती है, उतनी प्रचुरमात्रा में पुरुषों में बिलकुल ही नहीं होती है। परिवार के बच्चे, किशोर, युवा, वृद्ध सबको ध्यान में रखना और उनके अनुकुल खाना बनाना, उनकी देखभाल करना, सबके कपड़े धोना, घर में झाड़ू-पोंछा लगाना कोई मामूली काम नहीं, पुरुष तो मात्र एक दिन में ही पछाड़ खाकर भाग खड़े होंगे, लेकिन महिलाएँ आजीवन प्रतिदिन ऐसे कार्य ख़ुशी-ख़ुशी करती हैं और यदि नौकरीशुदा होती हैं, तो इसके साथ ही नौकरी भी करती हैं। पुरुष घर के काम क्या करेगा, वह तो नौकरी करने में ही परेशान रहता है।

एक नौकरी के इंटरव्यू के दौरान कंपनी के डायरेक्टर ने महिला उम्मीदवार से पूछा–"आप विवाहित हैं या अविवाहित हैं?"

महिला उम्मीदवार बोली–"अविवाहित हूँ।"

डायरेक्टर ने दूसरा सवाल कर दिया–"आपके मम्मी-पापा ने क्या बाहर निकलकर नौकरी करने की इजाज़त दे दी है?" डायरेक्टर के इस सवाल पर महिला उम्मीदवार सोचने-विचारने लगी।

फिर उसने कहा–"मम्मी की तो इजाज़त नहीं है, लेकिन पापा की इजाज़त है।" महिला उम्मीदवार के इतना कहने पर डायरेक्टर को बहुत ही आश्चर्य हुआ। उसने

कहा–“कमाल है। आपकी मम्मी नहीं चाहती हैं कि आप नौकरी करें और आपके पापा चाहते हैं कि आप ख़ूब पढ़ें और अच्छी सैलरी वाली नौकरी करें। आपको किसकी सलाह अच्छी लगती है?”

“पापा की सलाह मुझे पसंद है।” महिला उम्मीदवार आगे बोली–“मैंने जब से होश सँभाला है, तब से एक बात नोट की है कि महिलाओं की उन्नति में पुरुषों से कहीं अधिक बाधक महिलाएँ ही होती हैं। लड़की के जन्म लेने पर पुरुषों से कहीं अधिक महिलाएँ नाराज़ होती हैं। बेटा और बेटी में भेदभाव माँ और दादी ही करती हैं। मैंने यह भी महसूस किया है कि लड़कियों यानी बेटियों के प्रति पुरुषों को भड़काने और बरगलाने का काम माँ, दादी, नानी ही ज्यादातर करती हैं, लेकिन आप मुझसे इस तरह के सवाल क्यों कर रहे हैं?” महिला उम्मीदवार ने जवाब देने के साथ-साथ सवाल भी कर दिया।

डायरेक्टर ने कहा–“मैं आपको ऐसे जॉब के लिए नियुक्त करना चाहता हूँ,जिसे हरफनमौला व्यक्ति ही कर सकता है। आप बेशक हरफनमौला हैं। मेरे विचार से आप पुरुष प्रधान समाज का सामना कर सकती हैं। मैं ऐसा इसलिए कह रहा हूँ, क्योंकि जिस जॉब के लिए आप इंटरव्यू दे रही हैं, वह जॉब केवल पुरुषों के लिए ही है। कंपनी ने आज तक एक भी महिला को उस जॉब के लिए नियुक्त नहीं किया है। लगता है आपकी परवरिश लड़कों की तरह ही हुई है। आप उस जॉब को बख़ूबी कर सकती हैं।” डायरेक्टर के इतना कहने पर महिला उम्मीदवार चौंकते हुए बोल पड़ी–“तो क्या जिस जॉब के लिए मैंने आवेदन किया है, उससे भिन्न कोई अन्य जॉब का इंटरव्यू आप ले रहे हैं?”

“नहीं, जॉब तो वही है, लेकिन हमने उस जॉब के अंतर्गत अन्य कई ज़िम्मेदारियाँ जोड़ दी हैं। दिन के अलावा रात को भी आपको काम करना पड़ेगा। आप यह नहीं कह सकती हैं कि मैं महिला हूँ, मुझको कुछ रियायत दी जाए या रात को मेरी ड्यूटी न लगाई जाए या मैं रात को दफ़्तर नहीं आऊँगी।”

डायरेक्टर ने स्पष्ट शब्दों में कहा तो महिला उम्मीदवार का चेहरा सहसा उतर गया। वह अब यह निर्णय नहीं ले पा रही थी कि क्या जवाब दे? वह यह सब सोच ही रही थी, तभी डायरेक्टर ने कहा–“मैडम, आप निर्णय लेने में जितनी ही देर करेंगी, यह एक लाख सैलरी वाली नौकरी आपके हाथ से उतनी ही शीघ्रता से फिसलती चली जाएगी। आपके इस फैसले से ही यह अनुमान लग जाएगा कि आप कितना बोल्ड और लड़कों से कितनी अधिक होनहार हैं।”

महिला उम्मीदवार ने कहा–“हाँ, मैं अपनी कोई भी मजबूरी या कमज़ोरी व्यक्त कर अपनी ज़िम्मेदारियों से नहीं भागूँगी।”

डायरेक्टर ने महिला उम्मीदवार की तरफ़ गर्व से देखा फिर नियुक्ति पत्र पर साइन कर उसे थमा दिया–"आप का कंपनी में स्वागत है।" महिला उम्मीदवार के चेहरे पर जीत की ख़ुशी थी।

मैं देखता हूँ कि महिलाओं के साथ एक बहुत बड़ी प्रॉब्लम यह है कि वे कितनी भी शिक्षित, कितनी भी बोल्ड और कितनी ही होशियार क्यों न हों, जब कोई महत्त्वपूर्ण निर्णय स्वयं के बारे में लेना पड़ता है, तो वे खुद नहीं ले पाती हैं। पति, ससुर या सास उनसे संबंधित निर्णय लेते हैं। उनकी उन्नति में यह सोच बाधक ही है। जब तक वे स्वयं के बारे में या स्वयं से संबंधित कोई भी निर्णय खुद नहीं लेंगी, तब तक उनका उत्थान हरगिज़ नहीं होगा और वे पुरुषों के बराबर में कभी भी खड़ी न हो सकेंगी। मैं कहूँ कि महिलाएँ अपनी उन्नति में बाधा स्वयं उत्पन्न करती हैं, तो कोई गलत नहीं होगा।

किसी भी प्राणी की प्रगति तभी हो पाती है जब वह निर्णय लेने के लिए पूर्णतः स्वतंत्र होता है। पुरुष स्वयं से संबंधित निर्णय जब स्वयं लेने के लिए स्वतंत्र है, तो फिर स्त्री भी स्वयं से संबंधित निर्णय लेने के लिए स्वतंत्र है। जब तक स्त्रियाँ हर मामले में आत्मनिर्भर न होंगी, तब तक वह अपने वजूद को यूँ ही खोती रहेंगी। उस महिला उम्मीदवार ने स्वयं से संबंधित निर्णय स्वयं लेकर यह बता दिया कि वह कोई भी निर्णय लेने के लिए स्वतंत्र है। उसकी वजह से कंपनी का कोई भी काम नहीं रुकेगा। महिलाओं को ज़िम्मेदारी वाला काम जल्दी नहीं मिलता है या बहुत-सी कंपनियाँ महिलाओं को ज़िम्मेदारी वाले पदों पर नियुक्त नहीं करती हैं केवल यह सोचकर कि पति या सास ने रोक लिया तो कंपनी का काम अधूरा ही रह जाएगा और ऐसा सोचना गलत भी नहीं है। महिलाएँ कितनी भी अच्छी सैलरी वाली नौकरी क्यों न करें, घर वाले उन्हें कोई महत्त्व देते ही नहीं हैं और पुरुषों को पूरी छूट मिलती है तथा उनके काम का मूल्यांकन भी होता है। कामकाजी महिलाओं के साथ अकसर यह भेदभाव होता है और यह गलत है।

जब तक कामकाजी महिलाओं को घर में पुरुषों के समान ही महत्त्व नहीं दिया जाएगा तब तक बेटा और बेटी में जो भेदभाव है, कभी नहीं खत्म हो सकेगा।

बेटे को बाल्यावस्था से ही अभिभावक कोई भी निर्णय लेने के लिए छूट दे देते हैं, लेकिन लड़कियों को इस तरह की छूट नहीं मिलती है, ऊपर से तरह-तरह की बंदिशें थोप दी जाती हैं। बंदिशें लड़कियों के दिमाग पर बुरा प्रभाव डालती हैं और उनका मानसिक विकास थम जाता है। सभी अभिभावकों से आग्रह है कि वे बेटी को एक बार बेटे की तरह पाल-पोस कर तो देखें। बेटी, बेटे को कई गुना पीछे न छोड़ दे तो कहना। बेटी, बेटे से हर मामले में बेहतर होती है।

बेटी को, बेटे जितनी सुविधाएँ इसलिए अभिभावक नहीं देते हैं क्योंकि उन्हें पता होता है कि इसको पराए घर जाना है। पढ़-लिखकर करेंगी ही क्या, चौका-बरतन के अतिरिक्त ससुराल में करना भी क्या है। शिक्षा को नौकरी से, काम से जोड़कर शिक्षा को लोगों ने महत्त्वहीन बना दिया है। पढ़ा जाता है ज्ञान के लिए और एक ज्ञानी व्यक्ति ही उन्नति कर सकता है। लड़कियों को पुरुषों ने शुरू से ही शिक्षा से दूर कर दिया। उनको चौका-बरतन तक ही सीमित कर दिया और उनको तरह-तरह की उपाधियों से नवाज़कर उनकी सोच को ही कुंद कर दिया कि औरत घर का शृंगार होती हैं, ममता की मूर्ति होती हैं, त्याग की देवी होती हैं, क्षमाशील होती हैं। ऐसे शब्दों का इस्तेमाल कर उनको आगे बढ़ने ही नहीं दिया। कभी किसी ने सोचा ही नहीं कि औरतों को शिक्षा से दूर कर दिया जाएगा तो घर, समाज और देश की उन्नति ही सदा के लिए रुक जाएगी। जिस देश की नारी शिक्षित होती है, उस देश का विकास बिजली की गति-सा होता है। बच्चे शिक्षित, मेधावी और ज्ञानी होते हैं और उनका चौतरफा विकास भी होता है।

बेटी को पढ़ाएँ, बेटे की तरह उसकी सोच को आज़ादी दें, उसको सारी सुविधाएँ मुहैया करवाएँ, उसकी इच्छाओं को महत्त्व दें, उसे यह कभी भी महसूस न करवाएँ कि वह पराई है, पराए घर की अमानत है या उसको पराए घर जाना है, तो मैं क्यों उसको पढ़ाऊँ। यह भी कभी न कहें कि वह पढ़-लिखकर क्या करेगी, करना तो उसे चौका-बरतन ही है। इससे बेटी का मनोबल टूटता है। मेरा कहने का आशय है कि बेटी अपने माता-पिता से अलग कभी भी नहीं हो पाती है और माता-पिता जितना ही उसको पराई अमानत कहकर स्वयं से अलग करना चाहते हैं, वह उतना ही उनके पास होती है। बेटे की तरह ही, बल्कि उससे भी अधिक वह आपका वजूद है और आपकी पहचान है।

2

बेटों से अधिक परवाह करती हैं बेटियाँ

जी हाँ, इसमें कोई शक नहीं कि बेटों से अधिक चिंता बेटियों को अपने मम्मी-पापा की होती है। शादी के बाद भी और शादी के पहले भी बेटियों की सोच मम्मी-पापा के लिए कभी भी बदली नहीं है। वे उम्र की किसी भी अवस्था में क्यों न हों, मम्मी-पापा के प्रति उनके मन में सकारात्मक सोच ही होती है, लेकिन बेटों की सोच शादी के बाद मम्मी-पापा के प्रति बदल जाती है और धीरे-धीरे इतना बदल जाती है कि एक दिन वे मम्मी-पापा के प्रति बिलकुल ही निष्ठुर और क्रूर होते चले जाते हैं।

विवाह सलाहकार के दफ़्तर में पचास वर्षीय दंपत्ति लड़ते-झगड़ते हुए पहुँचे तो तल्ख आवाज़ में विवाह सलाहकार ने कहा–"आप दोनों ही इतने परिपक्व और सयाने हैं। क्या आप दोनों का इस तरह से झगड़ते हुए दफ़्तर में आना शोभा देता है?"

पत्नी बोली–"सर, मेरे से थोड़ी-सी भी गलती हो जाती है तो जनाब मेरे मम्मी-पापा को गालियाँ देने लगते हैं और कभी तो इतनी फूहड़ और गंदी गालियाँ देते हैं कि मूड ही ख़राब हो जाता है और मन करता है कि इनसे सारे रिश्ते-नाते तोड़कर मायके चली जाऊँ।" पत्नी अभी बोल ही रही थी तभी पति कहने लगा–"सर, यह भी तो मेरी बातें सुनती नहीं है। कोई-न-कोई गलती कर ही देती है और मेरे मम्मी-पापा को भी तो सुना देती है।"

पत्नी बोली–"मैं तुम्हारे मम्मी-पापा को गालियाँ नहीं देती हूँ। मैं ज्यादा व्यस्त रहती हूँ और वे ज़रा-सा भी हाथ-पैर नहीं चलाते हैं, तो मुँह से अपशब्द निकल जाते हैं। वैसे मैं उनके साथ कोई भी अमर्यादित व्यवहार नहीं करती हूँ। आप चाहें तो फोन करके पूछ सकते हैं।"

विवाह सलाहकार बोला–"देखिए जनाब, आप अपना वैवाहिक जीवन सही-सलामत और ख़ुशहाल रखना चाहते हैं तो पत्नी के मम्मी-पापा को गालियाँ गलती से भी मत

दें। पत्नी को आप बुरा-भला कितना भी सुना देंगे वह बर्दाश्त कर लेगी, लेकिन उसके मम्मी-पापा को गालियाँ देने लगेंगे तो वह बर्दाश्त नहीं करेगी। मैं भी शादीशुदा हूँ और मुझे मालूम है कि पत्नी अपने मायके के साथ दिल से जुड़ी हुई होती है। पति का अपने मम्मी-पापा से जुड़ाव समय के साथ-साथ कम होता चला जाता है। पत्नी कितनी भी गालियाँ पति के मम्मी-पापा को देती है, पति चुपचाप सुन लेता है। वह कोई प्रतिक्रिया नहीं व्यक्त करता है। मैं सच कह रहा हूँ न?" विवाह सलाहकार ने पति की ओर देखते हुए कहा तो पति ने हाँ में सिर हिला दिया।

यह सौ प्रतिशत सच है कि पत्नियाँ पतियों के मम्मी-पापा को बुरा-भला सुनाती हैं तो पति कोई प्रतिक्रिया व्यक्त नहीं करते हैं और कोई बुरा भी नहीं मानते हैं, लेकिन पत्नियाँ अपने मम्मी-पापा की बेइज़्ज़ती बर्दाश्त नहीं करती हैं। पति ज़रा-सी भी माँ को गाली देता है तो वह चेतावनी दे देती हैं कि अब गालियाँ निकालीं तो मुझसे बुरा कोई नहीं होगा। मैं तो आपको इतना बताना चाहता हूँ कि जिन बेटों के लिए माता-पिता बेटियों के साथ बेईमानी करते हैं, भेदभाव भरा व्यवहार करते हैं और जिनके लिए आजीवन कोल्हू के बैल की तरह हाड़-तोड़ मेहनत करते हैं, वे बेटे एक समय ऐसा आता है कि अपने माँ-बाप की इज़्ज़त करना बंद कर देते हैं, लेकिन बेटियाँ उनको बराबर चाहती हैं, उनके साथ जुड़ी रहती हैं और वे रहें या न रहें उनकी बेइज़्ज़ती होती है, तो तनिक-सा भी बर्दाश्त नहीं करती हैं।

यह उदाहरण पढ़ें और बेटियाँ अपने मम्मी-पापा को कितना चाहती हैं, यह जानें—

जयंत बरामदे में जैसे ही आए रतना ने काँपती आवाज़ में कहा—"विनोद को फोन कब करोगे?"

विनोद को जयंत ने कई बार फोन किया था। पूरी घंटी गई थी, लेकिन विनोद ने फोन नहीं उठाया था। जयंत यह बात बताकर रतना के मन को आहत करना नहीं चाहते थे। उन्होंने कहा—"अभी ठंड है। उसके बच्चे छोटे-छोटे हैं। उसको यहाँ बुलाना क्या ठीक रहेगा? बच्चों को सफ़र में ठंड लग गई तो लेने के देने पड़ जाएँगे।"

रतना ने कहा—"विनोद के बच्चों को या उसकी बीवी को कौन बुला रहा है। मैं तो केवल विनोद को बुला रही हूँ। मुझ दमा की मरीज़ की साँस कब थम जाए कुछ कहा नहीं जा सकता। विनोद में मेरी जान अटकी पड़ी है। एक बार आ जाता तो सुकून से प्राण निकलता। तुम फोन लगाकर मुझको क्यों नहीं देते? मैं उससे बात करूँगी। तुम्हें क्या यह बताने में शरम आती है कि माँ बात करना चाहती है।" रतना इतना बोलते-बोलते ढबढबा गई। उनकी आँखों के कोने लाल पड़ गए। जयंत रतना को यह बताकर दुखी नहीं करना चाहते थे कि विनोद शादी के बाद बहुत बदल गया है और हमारे प्रति उसके मन में कोई भी कोमल भाव नहीं है।

रतना ने जब दोबारा विनोद को फोन लगाने को कहा तो वह ख़ामोश रह न सके और फोन लगाकर रतना को दे दिया। विनोद ने तेज़ और शुष्क आवाज़ में कहा–"पापा, आपको भी चैन नहीं है। मैं यहाँ कितना व्यस्त हूँ आपको पता नहीं है। क्यों बार-बार फोन कर मेरा माथा गरम कर रहे हैं। मैंने जब एक बार कह दिया है कि मेरे पास आप लोगों के लिए समय नहीं है, तो फिर क्यों आप बार-बार फोन कर मेरे ख़ून को जलाते हैं?" विनोद अभी बोल ही रहा था, तभी बीच में ही रतना बोल पड़ी–"बेटा, फोन पर पापा नहीं मैं हूँ, तेरी माँ। तेरे को क्या हो गया है? तू इतना चिड़चिड़ा और गुस्सैल कैसे हो गया? बेटा, तुझसे मिलने का बड़ा ही मन कर रहा है। बच्चों के साथ तू नहीं आ सकता है तो कोई बात नहीं। तू ही आकर घूम जा। मैं दमा की रोगी हूँ। उम्र भी अस्सी के लगभग हो गई है। पता नहीं कब प्राण पखेरू पिंजरे से उड़ जाएँ। बोल, कब आ रहा है?" रतना इतना कहते-कहते खाँसने लगी। उनका दम वास्तव में ही कभी कभार घुटने लगता था।

विनोद ने माँ की बातें इस कान से सुनकर उस कान से निकाल दीं, फिर बहुत ही शुष्क लहजे में बोला–"मम्मी, मैं नहीं आ सकता। आपकी तो उम्र हो गई है। आपने अपनी ज़िंदगी जीली है। आप मर भी गईं तो क्या दिक़्क़त है? मैं वहाँ आकर या आपसे मिलकर ही क्या कर लूँगा?" इतना कहकर विनोद ने फोन काट दिया। रतना ने कई बार फोन लगाना चाहा, लेकिन फोन नहीं लगा। वह छटपटा कर उठी और जयंत की तरफ़ देखते हुए कहने लगी–"तुमने बताया क्यों नहीं विनोद ने हमसे संबंध विच्छेद कर लिया है? वह हमसे मिलना नहीं चाहता है? तुम कैसे हमदर्द हो कि अकेले ही संतान से अलग होने के दर्द को सह रहे हो और उस दर्द को मेरे साथ बाँटना नहीं चाहते हो।"

"तुम्हें जो कहना है, कह लो, लेकिन मुझको तो तुम्हारी चिंता है। तुम माँ हो। माँ अपनी संतान की बदतमीजियाँ बर्दाश्त कर लेती है, लेकिन उसके हाथों अपमानित होने पर खुद को सँभाल नहीं पाती है। विनोद की पत्नी ने विनोद को बदतमीज़ और गुस्सैल प्रवृत्ति का बना दिया है। उसको अब हमसे कोई लगाव नहीं है तो उसको भूल जाओ न।" जयंत ने बड़ी मुश्किल से कहा। क्योंकि कोई अपनी संतान को भला भुला पाता है, हाँ, संतान माता-पिता को भूल जाती है। जयंत यह कहते-कहते वहाँ से उठकर बेडरूम में आ गए। उनकी आँखें भर आई थीं।

लेकिन रतना की आँखों में अब आँसू नहीं थे। उन्होंने ऊँची आवाज़ में कहा–"जयंत, भावना को ज़रा फोन लगाओ। उससे बात किए महीनों बीत गए।"

बेडरूम से ही जयंत ने कहा–"बेटा ने अंगूठा दिखा दिया तो बेटी से कैसी उम्मीद? भावना से कल बात कर लेंगे। भावना ने विनोद की ही भाषा में बात कर दी, तो आहत

मन और भी आहत हो जाएगा।" जयंत ने इतना कहते-कहते मोबाइल टेबल पर धर दिया और पलंग पर चुपचाप लेट गए। उनकी आँखें अभी बंद ही हुई थीं, तभी भावना का फोन आ गया। उन्होंने हाथ बढ़ाकर मोबाइल उठाया और जैसे हेलो कहा उधर से भावना ने पूछा–"पापा, आप कैसे हैं? मेरी मम्मी कैसी हैं? मैं इस बीच फोन नहीं कर पाई क्योंकि मैं स्वयं बीमार थी। मुझे कोरोना की शिकायत हो गई थी। मैं मरते-मरते बची हूँ। आप दोनों बिलकुल ठीक हैं न?" भावना इतना कहते-कहते भावनाओं में बहती चली गई। वह बिलकुल ही अपने नाम के अनुरूप सहज और सरल थी।

जयंत ने कहा–"हम दोनों ही ठीक हैं। तुम्हारी माँ को दमे की शिकायत है, जिससे ठंड के मौसम में इनको काफी दिक़्क़त हो जाती है। तुम तो बिलकुल ठीक हो न? बच्चे भी ठीक हैं न?"

"हाँ पापा, आप मम्मी से बात कराओ।" भावना ने कहा।

इतने में रतना धीरे-धीरे चलकर आ गई और कहने लगी–"भावना का फोन है क्या?"

"हाँ लो, तुम याद कर रही थीं। देखो, उसने फोन कर ही दिया। इसे कहते हैं दिली लगाव। तुमने भावना से बात करने के बारे में सोचा और उसका फोन आ गया।" इतना कहकर जयंत ने रतना को मोबाइल दे दिया।

रतना ने खाँसते हुए कहा–"कैसी हो बेटी। तुमसे बात करने का और मिलने का मन कर रहा है, लेकिन तुमसे भला मैं कैसे मिल सकूँगी? तुम बहुत दूर हो न? जब बेटे पर कोई दबाव आने के लिए नहीं डाल सकती तो फिर बेटी पर कैसे दबाव डाल सकती हूँ। वह तो मेहमान की तरह होती है।" रतना इतना कहते-कहते अचानक ही चुप हो गई।

भावना ने कहा–"ऐसा क्यों कह रही हो माँ? बेटी न तो पराई होती है, न ही मेहमान होती है और न ही पराए की अमानत होती है। बेटी बेटे की तरह ही महत्त्वपूर्ण होती है। मैं कल सुबह तुमसे मिलने के लिए ट्रेन पकड़ रही हूँ। मेरे पति बच्चों का ध्यान मुझसे कहीं बेहतर ढंग से रखते हैं। मैं तुम्हारी बेटी हूँ और मैं तुम्हारा ही अंश हूँ माँ।" इतना कहकर भावना ने फोन काट दिया।

रतना आश्चर्य से जयंत को अपलक निहारने लगी। जयंत ने पूछा–"क्या कहा भावना ने कि तुम सुन्न-सी पड़ गई?"

रतना बोली–"मेरे पास शब्द नहीं हैं, कुछ भी कहने के लिए। विनोद की तरह यदि परवरिश हमने भावना की भी की होती तो आज वह कितनी अच्छी नौकरी कर रही होती। हमने उसके साथ बेईमानी की। हमसे लड़-लड़कर तो उसने अपनी पढ़ाई पूरी की। आज मुझको लग रहा है कि बेटा और बेटी में कोई अंतर नहीं है और बेटी

जैसा संवेदनशील, बेटा हरगिज़ नहीं हो सकता है। देखो, फोन पर मैंने खाँसा क्या, वह अकेली ही हमसे मिलने के लिए घर से निकल पड़ी।"

जयंत ने कहा–"हाँ, तुम ठीक कह रही हो। हम इनसान भी न जाने किस मिट्टी के बने हैं। हम सदियों से यह देखते आ रहे हैं कि बेटी हर दृष्टि से बेटे से अधिक अच्छी, संवेदनशील और उदार, माता-पिता के लिए होती है और सबके प्रति ही ज़िम्मेदार होती है, फिर भी हम उसको आगे बढ़ाने की बजाय बेटे के पीछे ताउम्र भागते रहते हैं और अंत में बेमौत मारे जाते हैं। अब हमें ही देख लो विनोद के पीछे हम भागते रहे, उसको पढ़ाया-लिखाया, उसकी शादी की और उसके लिए धन जोड़ा और उसकी दृष्टि में हमारी कोई इज़्ज़त नहीं है। वह हमसे मिलने के लिए भी राज़ी नहीं है। हमसे बात करना भी पसंद नहीं करता है। भावना को देखो, बिना बुलाए ही दौड़ी चली आ रही है। हमने उसको पढ़ने से कितना रोका, वह तो उसके दादा जी थे, जिन्होंने उसको पढ़ाया और समय-समय पर प्रोत्साहित किया। देखो न, हमारी बेटी का मन कितना उज्ज्वल है। हमने उस पर कितनी बंदिशें लगाईं और वह उन सब पर मिट्टी डालकर हमसे मिलने आ रही है।" जयंत बोलते-बोलते चुप हो गए।

"हम दोनों ही उससे क्षमा माँगकर अपनी गलती और भूल का प्रायश्चित कर लेंगे।" रतना इतना कहते-कहते मुस्करा पड़ी।

यह सत्य है ज्यादातर अभिभावक बेटी के प्रति उदासीन रहते हैं और उनका व्यवहार उसके प्रति बड़ा ही रूखा होता है। सबसे बड़ी बात तो यह है कि अभिभावक बेटी के मन को समय-समय पर आहत करने से बाज नहीं आते हैं। यह लड़की है, पढ़कर क्या करेगी? इसको आख़िर घर में रहकर खाना ही तो बनाना है, ऐसे शब्द बेटी को कहीं भीतर तक आहत कर देते हैं, लेकिन वह अपनी इस पीड़ा का ज़िक्र तक भी किसी से न कर, उसे आत्मसात कर लेती है क्योंकि उसमें किसी भी दर्द या गम को धारण करने की जबरदस्त शक्ति जो है।

विशेषज्ञों का कहना है कि लड़कियों के साथ जितना भेदभावपूर्ण व्यवहार अभिभावक करते हैं, उसका चौथाई हिस्सा भी लड़कों के साथ यदि किया जाए, तो वे जीना ही छोड़ देंगे, क्योंकि लड़कों में बर्दाश्त करने की क्षमता लड़कियों की तुलना में बहुत ही कम होती है। लड़कियाँ जल्दी हीनभावना की शिकार भी नहीं हो पाती हैं, तभी तो समाज, परिवार और माता-पिता की उपेक्षाओं और तिरस्कारों की मार सहने के बाद भी अपनी इच्छाओं को पूरा करने में सफल रहती हैं। मैं ऐसी बहुत-सी महिलाओं को जानता हूँ, जिन्होंने विपरीत परिस्थितियों में भी अपने लक्ष्यों को प्राप्त किया।

परिवार, समाज और राष्ट्र की उन्नति तभी हो सकती है, जब बेटियों को बेटों की तरह ही पढ़ाया जाए, बेटों की तरह ही खेलने-कूदने और भागने दिया जाए।

चिकित्सा-विज्ञान से जुड़े विशेषज्ञों का कहना है कि मेहनत वाले कार्य करने–दौड़ने, तैरने, नाचने, खेलने, कूदने से शरीर का न सिर्फ़ विकास होता है, बल्कि शरीर मजबूत और शक्तिशाली भी होता है। लड़कियों को लड़कों की तरह ही शारीरिक और मानसिक गतिविधियों में भाग लेने के लिए प्रोत्साहित करें। लड़की डर वश या संकोच वश या समाज के प्रतिबंधों के कारण यदि विभिन्न शारीरिक गतिविधियों में भाग लेने में संकोच करती है, तो आप उसके संकोच और शंकाओं का निवारण कर उसको प्रोत्साहित करें। बेटी के करियर, भविष्य और जीवन को सँवारने में आपकी भूमिका अत्यंत ही महत्त्व रखती है।

बेटी के प्रति आज भी अधिकतर परिवारों में भेदभावपूर्ण व्यवहार किया जाता है। बेटे को जो भोजन दिया जाता है, वह भोजन बेटी को नहीं दिया जाता है। इसके पीछे की कहानी बड़ी ही अजीबो-गरीब है। आइए आप भी उस कहानी को जानें–

बिन्दु ने रवि को पोषक तत्त्वों से भरपूर नाश्ता दिया और गीता को केवल रोटी और सब्जी नाश्ते में दिया, तो गीता ने रवि की थाली में झाँकते हुए कहा–"मम्मी, खाने-पीने की चीज़ों में भेदभावपूर्ण व्यवहार करना क्या ज़रूरी है? मैं यह सूखी रोटी सूखी सब्जी के साथ नहीं खाऊँगी। मुझको भी आमलेट वाले पराठे चाहिए। इसके साथ ही एक गिलास कॉफी भी चाहिए।" गीता इतना कहते-कहते काफी नाराज़ हो गई। गीता जब तक बच्ची थी, छल-कपट से अनजान थी और भेदभाव की नीति को नहीं जानती थी, तब तक ठीक था, लेकिन अब जब वह सयानी हो गई थी तो एक ही स्थान पर दो तरह के व्यवहार भला कैसे चलते?

बिन्दु ने कहा–"आमलेट वाले पराठे और दूध केवल रवि के लिए ही हैं।" गीता ने आश्चर्य से बिन्दु को देखते हुए कहा–"क्यों आमलेट वाले पराठे और दूध केवल रवि के लिए हैं और मेरे लिए नहीं हैं?"

बिन्दु ने बताया–"तुम लड़की हो। लड़की पोषक तत्त्वों से भरपूर भोजन नहीं करती है।" गीता ने सवाल कर दिया–"क्यों नहीं करती है? क्या लड़की शारीरिक रूप से मजबूत और शक्तिशाली नहीं होनी चाहिए? क्या लड़की को खेलना-कूदना नहीं चाहिए? क्या लड़की को पढ़ना-लिखना नहीं चाहिए? कैसी बात करती हो, मम्मी? जो काम रवि कर सकता है, वह काम मैं भी कर सकती हूँ। बस आपका सहयोग मिलना चाहिए। लड़कियाँ लड़कों से पीछे इसलिए रह जाती हैं, क्योंकि अभिभावकों का सहयोग उन्हें नहीं मिलता है। आप मुझे प्रोत्साहित करके देखें।"

गीता ने अपनी मम्मी का मुँह बंद कर दिया। बिन्दु पढ़ी-लिखी महिला थी। वह अनपढ़ या गँवार नहीं थी, लेकिन लड़का और लड़की में अंतर करने के मामले में वह अनपढ़ों की तरह ही थी। बिन्दु ही नहीं, बल्कि अधिकतर महिलाएँ पढ़ी-लिखी

होकर भी लड़का और लड़की में अंतर करती हैं। यह कहना गलत न होगा कि पुरुषों से अधिक महिलाएँ लड़का और लड़की में भेद करती हैं। ससुर बहू से कभी नहीं लड़ता है, लेकिन सास और बहू में ठनती ही रहती है।

आज भी बहुत से परिवारों में लड़कियों को पोषक तत्त्वों से भरपूर भोजन इसलिए नहीं दिया जाता है कि वे जल्दी जवान हो जाएँगी और विवाह जल्दी करना पड़ जाएगा। बेटी के लिए विवाह करना उतना ज़रूरी नहीं है, जितना ज़रूरी उसको पढ़ाना है और उसके अच्छे और उज्ज्वल भविष्य के लिए प्रयास करना है। बेटी को बेहतर स्वास्थ्य दें, बेहतर सोच दें, बेहतर शिक्षा दें, बेहतर करियर दें ताकि बेटी समाज का समृद्ध और सम्पन्न हिस्सा बन सके। उसे अबला बनाकर न रखें। उसे एक कमज़ोर और दीन-हीन स्त्री बनाकर न छोड़ें। उसे बोल्ड बनाएँ, मजबूत बनाएँ, शक्तिशाली बनाएँ, उसको अच्छी सोच दें और कभी भी उसको अन्याय और शोषण के सामने झुकने या समझौता करने की सलाह न दें।

स्त्री स्वभाव से कोमल, भावुक, दयालु और उदार होती है। उसको प्रेम से जीता जा सकता है। कठोरता और तल्खी से स्त्री को कभी भी नहीं जीता जा सकता है। बेटी को प्रेम से समझाएँ। वह कोई गलती करती भी है तो हाथ न उठाएँ। हाथ उठाने से बात नहीं बनती है। आजकल लड़कियाँ घर के बाहर प्यार की तलाश करती हैं, इसलिए क्योंकि घर में उन्हें दुत्कार, तिरस्कार और वर्जनाओं के अतिरिक्त अन्य कुछ भी नहीं मिलता है। इन सबके अतिरिक्त भेदभाव वाली नीतियाँ भी बेटी को गुमराह कर देती हैं, भटका देती हैं, और गलत रास्ते पर लेकर चली जाती हैं।

मनोचिकित्सकों का भी कहना है कि स्त्रियाँ पुरुषों की तुलना में कहीं अधिक भावुक होती हैं और करुणा तथा ममता का सागर इनके हृदय में हिलोरें मारता है। इनसे जितना ही प्रेम से बात की जाती है, इनको जितना ही सम्मान और आदर दिया जाता है, उतना ही इनसे प्रेम प्राप्त होता है। समाज को, परिवार को, राष्ट्र को नारी अपना सर्वस्व देकर खुद अकेली और खाली हो जाती है। नारी का उत्थान तभी हो सकता है, जब बेटी के रूप में इसका स्वागत होगा, इसको उच्च शिक्षा दिलाई जाएगी और विवाह कर इनसे पीछा छुड़ाने की मानसिकता का त्याग कर इनके भविष्य और करियर के बारे में सोचा जाएगा। अब तक तो यही होता रहा है कि बेटी अभी जवान हुई नहीं कि उसकी शादी कर दी जाती है। वह इनसान है, उसकी भी कोई सोच है, उसकी भी कोई पसंद है, उसके भी कुछ सपने हैं, उसकी भी कुछ अपनी इच्छाएँ हैं और बेटे की तरह उसको भी पढ़-लिखकर अपना करियर बनाना है, इतना सब तो अभिभावक सोचते ही नहीं हैं।

आप किसी बड़े बूढ़े को प्रणाम करके देखिए, वह आशीर्वाद 'दूधो नहाओ पूतो फलो' का ही देगा। यह गलती से भी नहीं कहेगा कि पढ़ो-लिखो और बड़े आदमी बनो।

लड़कियों के प्रति अब माता-पिता, समाज और लोगों का सोचने का ढंग बदल रहा है। जहाँ लोग यह मानकर चलते थे कि पुरुष जो करते हैं, वह लड़कियों से नहीं हो सकता, वे अब यह सब मानने लगे हैं कि लड़कियाँ जो करती हैं, वह लड़कों से नहीं होगा, लेकिन लड़कियाँ लड़कों वाले काम आसानी से कर सकती हैं। यह बात आजमाई हुई है कि लड़की या स्त्री के साथ तभी तक कोई ज्यादाती करता है, जब तक कोई उसकी मजबूरी होती है या वह डरी-सहमी हुई होती है। जब डर और संकोच उसके मन से निकल जाते हैं तब उसको स्वतः ही अपनी शक्ति का भान हो जाता है, फिर वह किसी का भी सामना करने में स्वयं को पूर्णतः सक्षम मानती है।

लड़की जब पैदा होती है, तब से ही उसको यह अहसास कराया जाने लगता है कि तुम लड़की हो और लड़कों की तरह शरीर तथा मन से मजबूत नहीं हो, जबकि सच्चाई यह है कि लड़की लड़के से कमज़ोर नहीं होती है, यदि उसकी परवरिश लड़कों की तरह होती है, तो दुख की बात यह है कि लड़कियों की परवरिश लड़कों की तरह होती ही नहीं है, उन्हें भोजन भी लड़कों की तरह पौष्टिक नहीं मिलता है। वैसे अब आधुनिक और पढ़े-लिखे परिवारों में लड़की के प्रति सोच बदली है। उनको लड़के का दर्जा मिलने लगा है। उनको लड़कों की तरह ही आज़ादी मिलने लगी है। उनको लड़कों की तरह ही पढ़ाया-लिखाया जाने लगा है और उनकी सुविधा और असुविधा का ध्यान भी रखा जाने लगा है। उनका विवाह भी तब किया जाने लगा है, जब उनकी पढ़ाई पूरी हो जाती है या अपने लक्ष्य को जब प्राप्त कर लेती हैं। पहले शादी उनके जीवन का आधार थी, लेकिन अब करियर उनके जीवन का आधार है। अभिभावक और लड़कियाँ भी यह कहने लगी हैं कि पहले करियर बाद में विवाह। पहले लड़कियों की शादी बारह-तेरह साल की उम्र में ही हो जाती थी, लेकिन अब लगभग पच्चीस-तीस की उम्र में होती है। जमाना बदला है तो लोगों की सोच भी बदली है और महिलाओं को आर्थिक, पारिवारिक, सामाजिक स्तरों पर आज़ादी भी मिली है। वे अपनी इच्छा के अनुकूल कोई भी निर्णय ले सकती हैं, कोई भी जॉब कर सकती हैं और विवाह संबंधी निर्णय भी स्वयं ही ले सकती हैं। पहले लड़की को स्वयं के बारे में एक शब्द भी निकालने की अनुमति नहीं थी। अभिभावक जिस किसी से भी लड़की की शादी कर देते थे, लड़की उफ् तक नहीं करती थी। अभिभावक लड़की से इतना भी नहीं पूछते थे कि लड़का पसंद है या नहीं? तुम शादी अभी करना चाहती हो या नहीं? पहले लड़की के लिए हर सामाजिक और सांस्कृतिक कार्य वर्जित था। लड़की अगर गीत गाना, नाचना, कोई खेल खेलना, स्कूल पढ़ने के लिए जाना चाहती थी, तो इसे धर्म के विरुद्ध बताकर उनकी आवाज़ बंद कर दी जाती थी।

लड़की की शादी मान लें बारह साल की उम्र में हुई और एक साल या दो साल के भीतर ही अचानक पति का देहांत हो गया तो लड़की का जीवन बड़ा ही उपेक्षित और कष्टप्रद हो जाएगा। मात्र पन्द्रह-सोलह साल की उम्र से ही बिना जीवनसाथी के एक विधवा का जीवन ताउम्र जीना कोई बच्चों का खेल तो होगा नहीं। विधवा का जीवन पहले, आज जितना आसान भी नहीं था। आग के अंगारों पर चलने के समान ही पीड़ादायक विधवा का जीवन हुआ करता था। एक विधवा किसी भी तरह के सामाजिक गतिविधियों में भाग नहीं लेती थी और न ही मांगलिक कार्यों में ही उसको भाग लेने की अनुमति थी। पूरा जीवन रो-रो कर ही बिताना पड़ता था।

आज विधवा की शादी करने की इजाज़त समाज ने दे दी है। वह शादी नहीं भी करती है तो समाज और परिवार में रहकर एक सामान्य जीवन आराम से जीती है और मांगलिक तथा धार्मिक कार्यों में भी भाग लेती है। कहने का आशय है कि आज की नारी अबला नहीं रह गई है। वह सबला बन गई है और पुरुष उसको बेवजह प्रताड़ित नहीं कर सकता है। कानून का भरपूर साथ भी उसको मिला हुआ है। आज का कानून महिला प्रधान है और सबसे पहले कानून महिलाओं की ही सुनता है और सच के आधार पर निर्णय लेता है।

यह उदाहरण पढ़ें और मैं क्या कहना चाहता हूँ, उसको बख़ूबी समझें। बेटियाँ अपने मम्मी-पापा को किस हद तक जान सकती हैं, इसका अनुमान लगाना मुश्किल है-

प्रभा को जितना पढ़ना था, उतना पढ़ लिया था। अब वह कोई अच्छी सैलरी वाली नौकरी के लिए कोशिश कर रही थी। अनेक कंपनियों में उसने आवेदन जमा किए थे। वह पहले नौकरी कर कुछ पैसे जोड़ना चाहती थी, फिर विवाह करना चाहती थी, लेकिन उसके पापा ऐसा नहीं चाहते थे और उनका कहना था कि मैं विवाह कर देता हूँ। पति से अनुमति लेकर जो भी करना हो, करना, लेकिन प्रभा पापा की बातों से बिलकुल ही सहमत नहीं थी। उसकी नज़र में विवाह से अधिक करियर महत्त्व रखता था।

मम्मी और पापा से उसकी रोज़ ही एक बार मीठी झड़प विवाह को लेकर हो जाती थी। वे लोग लड़का पसंद करते थे और प्रभा उन्हें नापसंद कर देती थी, लेकिन उसकी मम्मी आज अड़ियल टट्टू की तरह अपनी बात पर अड़ गई थी। वह माधव से कह रही थी-"प्रभा अब कोई दूधमुँही बच्ची नहीं है। इसकी शादी में अब देर न करो। जवान लड़की मायके में अच्छी नहीं लगती है।"

माधव एक सुशिक्षित व्यक्ति थे। वह धीमी आवाज़ में बोले-"तुम्हें हो क्या गया है? प्रभा की उम्र अभी उतनी ज्यादा नहीं है। लोगों की सोच बदली है और मान्यताएँ भी बदल गई हैं। शादी से कहीं अधिक ज़रूरी करियर है। स्त्री को आर्थिक आज़ादी

जब तक नहीं मिलेगी तब तक उसको अन्य किसी भी तरह की आज़ादी नहीं मिलने वाली है। मेरी दिली तमन्ना है कि प्रभा पाँच-छः साल जॉब कर ले इसके बाद मैं उसकी शादी करूँ? क्या मेरा ऐसा चाहना गलत है?"

माधव के इतना कहते ही प्रभा की माँ ऊँची आवाज़ में पूछ बैठी–"तुम ऐसा क्यों चाहते हो? लड़की को बिलकुल ही बूढ़ी करके शादी करना है क्या? तुम कैसे पिता हो? लड़की का विवाह कर ज़िम्मेदारी से मुक्त होना क्या तुमको अच्छा नहीं लगता?" प्रभा की माँ इतना कहते-कहते गुस्सा हो गई क्योंकि वह आज भी इस मामले में पुराने ही विचारों की थी। प्रभा की मम्मी ही नहीं, बल्कि इस आधुनिक जमाने में सत्तर प्रतिशत अभिभावक ऐसी ही सोच वाले हैं। वे लड़की को बोझ ही मानते हैं।

प्रभा की माँ के इतना कहने पर प्रभा से चुप रहा न गया और बेडरूम में हाथ पर हाथ रखकर बैठा भी रहा नहीं गया। वह बेडरूम से बाहर निकल आई और कहने लगी–"मम्मी, मैं मात्र पाँच-छः साल में क्या बूढ़ी हो जाऊँगी? आप व्यर्थ में ही रोज मेरे विवाह को लेकर पापा से बहस किया करती हैं। विवाह मुझको करना है और तनाव तथा दबाव में आप दिन-रात रहती हैं। क्या यह आपकी सेहत के लिए ठीक है। मैं देख रही हूँ, मेरी शादी हो या न हो, लेकिन आप अपनी तबीयत ज़रूर ख़राब कर लेंगी। पापा हम सबसे ही प्यार करते हैं और इनको मेरी चिंता अवश्य ही है।" प्रभा इतना कहते-कहते शरमा गई। वह जोश में आकर इतना सब बोल गई थी।?

माधव को अपनी बेटी प्रभा से गहरा लगाव था। प्रभा की मम्मी भी प्रभा से बेहद प्यार करती थी। उसकी माँ एक स्त्री थी और उसे मालूम था कि एक स्त्री के जीवन में विवाह का कितना महत्त्व होता है। माधव नाश्ता कर दफ़्तर चले गए तो प्रभा की माँ ने कहा–"प्रभा, स्त्री का भला उसी में है कि उसका विवाह सही उम्र में हो जाए। विवाह ही उसका सबकुछ होता है।" यह कहना गलत नहीं होगा कि प्रभा की माँ पुराने विचारों से अभी भी काफी प्रभावित थी। उसकी सोच का अभी तक नवीनीकरण नहीं हुआ था, लेकिन माधव की सोच का नवीनीकरण हो गया था और उनके पूरे वजूद का आधुनिकीकरण भी हो गया था।

प्रभा ने माँ से कहा–"मम्मी, विवाह स्त्री के ही जीवन में नहीं, बल्कि पुरुष के जीवन में भी महत्त्व रखता है, लेकिन इस आधुनिक जमाने में विवाह से कहीं ज्यादा महत्त्वपूर्ण करियर है। जानती हो क्यों? क्योंकि करियर ही विवाह को जीवंत बनाता है, समृद्ध बनाता है और सफल बनाता है। मम्मी, आज के समय में आदमी की अवश्यकताएँ बहुत हैं, चीज़ें महँगी हैं, बेहतर जॉब से विवाह में स्थिरता आ जाती है और तलाक जैसी समस्या जल्दी उत्पन्न नहीं होती है। मुझको विवाह में न उलझाओ। मुझे जॉब करने की इजाज़त दो और मेरे विवाह को लेकर पापा से झगड़ो मत।" प्रभा यह कहकर तैयार होने लगी क्योंकि आज उसको इन्टरव्यू के लिए जाना था।

प्रभा एक टैलेंटेड और अत्यंत ही होशियार युवती थी। उसको एक नामी कंपनी में जॉब मिल गई। वह बहुत ही प्रसन्न थी और ईश्वर को उसने अनेक बार धन्यवाद दिया। आदमी की ज़रूरतें पूरी हो जाती हैं तो वह सबसे पहले सर्वशक्तिमान ईश्वर के प्रति ही अपनी आस्था और निष्ठा व्यक्त करता है। प्रभा अपने पापा की पीड़ा और मजबूरी को अच्छी तरह से जानती थी। उसके पापा माधव उसकी शादी खाते-पीते परिवार में करना चाहते थे और इसके लिए मोटे दहेज की ज़रूरत थी। माधव की दिली तमन्ना थी कि प्रभा आकर्षक सैलरी वाली नौकरी कर पैसा जोड़े। यह केवल एक प्रभा का अनुमान था। माधव ने कभी भी उससे ऐसा कुछ भी नहीं कहा था।

प्रभा शाम को घर आई तो सबसे पहले उसकी नज़र पापा पर ही पड़ी। उसने पापा को बताया–"पापा, मुझको मनपसंद जॉब मिल गई।" इतना कहते-कहते प्रभा मुस्करा पड़ी। माधव के भी चेहरे पर ख़ुशी की लहर दौड़ पड़ी। माधव के मुँह से अचानक ही निकल गया–"मनपसंद जॉब! सैलरी कितनी है?" माधव ने अगले पल ही सवाल कर दिया। उनके चेहरे पर असीम ख़ुशी थी। प्रभा बोली–"पूरे तीस हज़ार....." इसके आगे वह बोल न सकी।

माधव ने कहा–"बेटी, तुमने मेरे मन पर जो बोझ था, उसको हलका कर दिया। अब मैं तुम्हारी शादी धूमधाम से सम्पन्न परिवार में कर सकूँगा।" बेटी को शिक्षा दिलाने का इतना बेहतर परिणाम सामने था। माधव ने यदि प्रभा को आम लड़कियों की तरह शो-पीस की गुड़िया बनाकर घर में रहने दिया होता तो आज वह तीस हज़ार की सैलरी वाली नौकरी नहीं करती। वह भी आम लड़कियों की तरह पिता पर निर्भर रहती। बेटी को उच्च शिक्षा दिलाने का एक बेहतर परिणाम माधव के सामने था।

लेकिन प्रभा की माँ प्रसन्न नहीं थी। वह माधव को अपलक घूर रही थी, फिर अचानक बोलने लगी–"तुमको लाज आनी चाहिए। बेटी की कमाई से उसका विवाह करना चाहते हो। तुम कैसे पिता हो कि तुम्हारे पास बेटी की शादी के लिए भी पैसा नहीं है?" प्रभा की माँ ने ताने मारने के साथ-साथ तीखा कटाक्ष भी कर दिया।

माधव का चेहरा पल-भर के लिए उतर गया। प्रभा ने अपने पापा को देखा, फिर अपनी माँ को देखा, इसके बाद कहा–"मम्मी, तुम कुछ भी बोलती रहती हो! पापा को अपमानित करने में क्या तुमको मजा आता है? मैं अपने पापा की बेटी हूँ तो क्या मुझसे इनकी कोई अपेक्षा नहीं हो सकती? मैं इस काबिल हूँ और मेरे पापा ने मुझको इतना पढ़ाया-लिखाया है, तभी तो पापा मुझसे ऐसी उम्मीद रखते हैं और इसमें बुरा ही क्या है? बेटी की कमाई पर पिता का भी पूरा हक बनता है।" प्रभा इतना कहकर पापा को देखने लगी। माधव की आँखों में कुछ-कुछ शर्मिंदगी के भाव थे। प्रभा ने मुस्कराते हुए कहा–"पापा, मम्मी की बातों से स्वयं को अपमानित महसूस न करो। मम्मी सबसे

यही कहती फिरती है कि वह बेटा और बेटी में कोई फर्क नहीं करती, लेकिन सबसे ज्यादा फर्क मम्मी ही करती है।" प्रभा अभी और कुछ कहती तभी उसकी माँ बीच में बोल पड़ी–"वह तो मैं अभी भी कह रही हूँ।"

"मम्मा, केवल कहने से बात नहीं बनती है। सामाजिक और व्यावहारिकतौर पर भी मानना पड़ता है। जब बेटे से माता-पिता हर तरह की उम्मीद रखते हैं। उसकी कमाई को घर की उन्नति या घर के कामों में बेहिचक लगाते हैं, फिर बेटी की कमाई बेटी की शादी में क्यों नहीं लग सकती है? तुम पापा को शर्मिंदा क्यों कर रही हो? बेटा जब पिता की आर्थिक सहायता कर सकता है तो फिर बेटी भी कर सकती है। पापा ने धनाभाव होने पर भी मुझे पढ़ाया। अपनी ज़रूरतों को कम करके मुझको अच्छी शिक्षा दिलाई। मुझको इस काबिल बनाया कि आज मैं उनकी मदद करने में सक्षम हूँ। जिस पिता ने अपना महत्त्वपूर्ण समय, अपनी कमाई और अपना प्यार अपनी बेटी के भविष्य और जीवन को सँवारने में लगा दिया, उस पिता के प्रति बेटी का भी तो फर्ज़ बनता है। मम्मी, मैं आपकी बेटी हूँ और अपनों के लिए कोई भी काम करना मेरे लिए गर्व की बात होगी। आप मुझे इस पुण्य कार्य को करने से रोक नहीं सकती हैं। मैं पापा की ऋणी हूँ। पिता के ऋण से उऋण होना सबके वश की बात नहीं।" प्रभा यह कहते-कहते माँ के गले से लग गई।

प्रभा की मम्मी लाजवाब रह गईं। माधव आज तनावमुक्त दिख रहे थे। उनके माथे पर चिंता की सिलवटें नहीं थीं। प्रभा यह सोचकर ख़ुश थी कि वह पापा के किसी काम तो आ सकी। प्रभा अपने कमरे में जाने लगी तो माधव उसे टोकते हुए बोले–"बेटी, मुझे क्षमा कर देना। मैं एक काबिल और समर्थवान पिता नहीं हूँ।"

"पापा, आप अपने मन से इस हीन भावना को निकाल बाहर करें। आप एक अत्यंत सक्षम और योग्य पिता हैं। आपसे यह किसने कह दिया कि आप एक योग्य पिता नहीं हैं? आप योग्य पिता हैं और समर्थवान पिता भी हैं तभी तो मुझे एक काबिल बेटी बनाया है। आपके चलते ही आज मैं तीस हज़ार प्रतिमाह कमाने की योग्यता और क्षमता रखती हूँ, और फिर इसमें आपकी कोई खुदगर्जी भी नहीं है। आप मेरी कमाई को मुझपर ही तो मेरी बेहतरी के लिए इस्तेमाल करना चाहते हैं। पापा, इसमें आपका तो कोई व्यक्तिगत लाभ भी नहीं है।"

माधव ने कोई जवाब नहीं दिया। प्रभा अपने कमरे में आ गई। उसने अपनी उम्र से ज्यादा बात कह दी थी। माता-पिता अपने बच्चों को किसी-न-किसी रूप में कुछ-न-कुछ अच्छा ही देने की कोशिश करते हैं। संतान अभिभावकों की इस भावना को नहीं समझती है, यही अफसोस की बात है, लेकिन प्रभा एक अत्यंत ही संवेदनशील और समझदार संतान थी। प्रभा चाहती तो इस बात को दूसरे ढंग से भी तो सोच सकती

थी कि पापा मेरा विवाह मेरी कमाई के पैसे से करेंगे। किन्तु प्रभा ने ऐसा नहीं सोचा क्योंकि उसे मालूम था कि पापा के पास पैसा जमा नहीं है और उनकी यह दिली इच्छा है कि मेरी शादी किसी अच्छे परिवार में हो। उनकी यह सोच प्रभा के लिए बहुत ही महत्त्व रखती थी। माधव के प्रति प्रभा की सोच को इन चंद शब्दों ने बिलकुल ही बदल दिया था। जब उसके पापा उसके लिए इतनी अच्छी सोच रख सकते हैं, तो वह क्यों नहीं पापा के बारे में ऐसा सोच सकती है? इतना एक बेटी ही सोच सकती है क्योंकि वह अपने माता-पिता के प्रति बहुत ही ज्यादा संवेदनशील होती है। सभी तो नहीं, लेकिन साठ प्रतिशत बेटे एक उम्र में आकर माता-पिता के प्रति कठोर, संवेदनहीन और लापरवाह हो ही जाते हैं, लेकिन बेटियाँ दाम्पत्य जीवन में प्रवेश करने के बाद भी माता-पिता के प्रति दिल से जुड़ी हुई होती हैं और वृद्धावस्था तक माता-पिता के प्रति उनकी श्रद्धा यथावत बनी रहती है।

चार-पाँच वर्षों में ही प्रभा ने लगभग पाँच लाख रुपए जोड़ लिए। माधव ने भी कुछ रुपए जमा कर रखे थे। माधव यह सोचकर प्रसन्न थे कि बेटी का विवाह मनपसंद घर-परिवार में ले-देकर हो जाएगा। किन्तु प्रभा माधव के इस फैसले से काफी डिस्टर्ब थी। वह जमा पैसों को अपने मम्मी-पापा के बुढ़ापे के लिए रखना चाहती थी। माधव ने उन्हीं दिनों एक लड़का प्रभा के लिए पसंद किया। उसकी माँ भी काफी ख़ुश थी। माँ के लिए तो बेटी की शादी सबसे बड़ी ख़ुशी की बात होती है, लेकिन माँ यह सोचकर परेशान भी थी कि बेटी अब जीवन-भर के लिए अलग हो जाएगी। प्रभा ख़ुश नहीं थी क्योंकि वह उस शादी को शादी नहीं मानती थी, जो पैसों की होली पर संपन्न होती है। उसके जाने के बाद मम्मी-पापा का कोई भी तो सहारा नहीं था। वह ऐसे किसी भी परिवार में ब्याहकर जाना पसंद नहीं करती थी, जो बिना दहेज के रिश्ता करने में विश्वास करता हो।

शाम को लड़का अपने मम्मी-पापा के साथ प्रभा को देखने आया। देखने में वह बहुत ही धीर-गंभीर और सख़्त लगा। उसके मम्मी-पापा भी काफी धीर-गंभीर दिखे। चाय-नाश्ता हो जाने के बाद लड़के के पापा ने कहा—"लड़की कहाँ है? हम उससे दो-चार बातें कर अब चलेंगे।"

प्रभा अपनी माँ के साथ ड्राइंग-रूम में आई तो सभी लोग दूसरे कमरे में चले गए। लड़का उसको देखते हुए बोला—"तुम्हें कुछ कहना हो तो कह सकती हो।"

प्रभा ने कहा—"मेरे पापा के पास उतने रुपए नहीं हैं कि वह मुँह माँगा दहेज दे सकते हैं। पूरी ज़िंदगी की कमाई यदि वह विवाह पर खर्च कर देंगे तो बुढ़ापे में उनको तकलीफ ही होगी, क्योंकि मेहनत करके पैसा कमाने की क्षमता तो अब उनमें पहले जैसी बिलकुल ही नहीं है।" प्रभा इतना कहते-कहते चुप हो गई। उसके चेहरे पर गंभीरता थी।

लेकिन लड़के के चेहरे पर न तो कोई शिकन थी और न ही कुछ खोने का मलाल था। लड़का मंद-मंद मुस्कराते हुए बोला–"आपको अपने पापा की इतनी चिंता है, तो वह मेरे भी तो पापा लगेंगे। मैं अपने मम्मी-पापा को मनाने का पूरा प्रयास करूँगा। मुझे जहाँ तक उम्मीद है, मेरे मम्मी-पापा मान जाएँगे क्योंकि वे अंदर से अत्यंत ही कोमल हैं। वे लोग नहीं भी मानेंगे तो मैं आपके मम्मी-पापा के लिए हूँ न, आप हैं न। हम उन्हें कभी भी अकेला नहीं छोड़ेंगे।" इतना कहकर लड़के ने प्रभा के माथे को चूमा, फिर ड्राइंग रूम से बाहर आ गया। यह सब इतनी जल्दी हुआ कि जादू-सा लगा।

कहने का आशय है कि बेटियाँ मरते दम तक अपने मम्मी-पापा की चिंता करती हैं, उनके बारे में सोचती हैं और कोई भी असुविधा होती है तो तुरंत ही आकर खड़ी हो जाती हैं। अब प्रभा को ही लें, उसको अपने पापा की इतनी चिंता है कि वह अपना विवाह तय होने से पहले उनकी वृद्धावस्था को सुरक्षित करना चाहती है। क्या बेटे भी ऐसी सोच अपने माता-पिता के प्रति रखते हैं? ज्यादातर बेटों की संख्या ऐसी ही है, जो आर्थिक और सामाजिक रूप से आत्मनिर्भर होते ही मम्मी-पापा के प्रति कठोर हो जाते हैं। बेटियों में कठोरता का अभाव होता है। उनका हृदय बहुत ही कोमल होता है और करुणा की धारा उनके मन में पल-पल बहती रहती है, तभी तो उनको ममता की मूर्ति कहा गया है।

ऐसा भी नहीं है कि बेटे मम्मी-पापा के प्रति लापरवाह और निष्ठुर होते हैं। हाँ, यह सच है कि बेटियों की तरह उनके दिल में मम्मी-पापा के प्रति सोच नहीं होती है। बेटियों के प्रति सोच बदलने की ज़रूरत है। उनकी परवरिश बेटों की तरह ही करने की ज़रूरत है और बात-बात पर यह कहने की भी ज़रूरत नहीं है कि 'बेटियाँ तो किसी की अमानत होती हैं। बेटियाँ एक नहीं, बल्कि दो घरों को जीती हैं और दोनों के ही साथ संतुलन बनाकर चलती हैं। जब भी कभी आप उनके सामने यह कहते हैं कि बेटी तो पराई होती है, आज है और कल को ब्याह कर ससुराल चली जाएगी तो उसको मानसिक चोट पहुँचती है। शादी के बाद भी बेटी पराई नहीं होती है। इस तरह से देखा जाए तो बेटा भी शादी के बाद पराया हो जाता है। शादी के बाद वह भी तो काम-धंधे के सिलसिले में घर से दूर किसी दूसरे शहर में जाकर रहने लगता है, फिर पीछे से उसकी पत्नी भी वहीं पहुँच जाती है। आप बच्चों के साथ-साथ कहाँ-कहाँ रहेंगे? आप इस तरह से अकेले पड़ जाते हैं। मेरा कहने का आशय है कि बेटा और बेटी दोनों के साथ समान व्यवहार करें।

3

बेटी बचाओ, बेटी पढ़ाओ

'बेटी बचाओ, बेटी पढ़ाओ' यह आज का सर्वाधिक महत्त्वपूर्ण नारा है। आज भी कोख में ही पता चलने पर लोग गर्भपात करवा देते हैं। 'कन्या भ्रूण हत्या' एक समय चरम पर थी, जब सोनोग्राफी की मदद से लिंग का पता लगाकर लोग गर्भपात करवा दिया करते थे। देश में लड़कियों की संख्या दिन-प्रतिदिन कम होने लगी तब 'लिंग परीक्षण' पर सरकार ने रोक लगा दी और कन्या भ्रूण हत्या को ग़ैरक़ानूनी घोषित करने के साथ-साथ इसे जघन्य अपराध की श्रेणी में रख दिया।

चोरी छिपे आज भी लिंग परीक्षण होता है और बड़ी बेरहमी के साथ 'कन्या भ्रूण' की हत्या वह स्त्री ही करवा देती है, जिसकी कोख में वह पल-बढ़ रहा होता है। संसार में आने से पहले ही किसी की हत्या कर देना मेरे विचार से सबसे बड़ा अपराध है। इससे बड़ा कोई अन्य अपराध हो ही नहीं सकता है। वह स्त्री कितनी क्रूर होती होगी, जो अपनी ही कोख में पल रही अपनी ही कन्या की हत्या करवाने के लिए हॉस्पिटल के बेड तक चलकर जाती है।

मैं यदि कहूँ कि नारी की सबसे बड़ी दुश्मन कोई है, तो वह नारी ही है, यह कहना कुछ गलत नहीं होगा। आप इतिहास के पन्नों को पलटकर ध्यान से देखेंगे तो आपको मेरी यह बात अक्षरशः सही लगेगी। किसी स्त्री का विरोध अक्सर स्त्रियों ने ही किया है। पुरुष स्त्री का विरोध बहुत ही कम करता है। उसको विरोध करने के लिए मजबूर स्त्री ही करवाती है। अनेक उदाहरण घर-घर में उपलब्ध हैं, बस देखने और परखने वाली आँखों की ज़रूरत है। ननद एक स्त्री ही होती है और ज्यादातर ननदें अपनी भाभियों को मानसिक और शारीरिक रूप से प्रताड़ित करती हैं, कहीं सास बहू को परेशान करती है, तो कहीं बहू सास को परेशान करती है, माँ अपनी ही बेटी के साथ सौतेला व्यवहार करती है और तरह-तरह की यातनाएँ भी देती है।

लेकिन शिक्षा ने नई सोच जब दी, तब से महिलाओं की सोच बेटियों के प्रति धीरे-धीरे बदलने लगी और इतनी बदल गई कि आज बेटी को भी बेटे की तरह ही महत्त्व दिया जाने लगा है। उसको पढ़ाया-लिखाया जाने लगा है, पहनने, खाने, घूमने, बोलने, नाचने, हँसने, दौड़ने की पूरी आज़ादी मिल गई है, ये सब सुविधाएँ पहले बेटी को प्राप्त नहीं थीं। पहले का समाज बेटियों को पढ़ाने-लिखाने के पक्ष में नहीं था। पुरुष प्रधान समाज में पहले नारी की भूमिका एक सीमित दायरे में ही थी और आज भी है। जिन घरों में उच्च शिक्षा है, उन घरों में आज स्त्री की भी और बेटी की भी स्थिति काफी अच्छी है।

बेटी को बेटे की तरह ही मान दिया जा रहा है, पढ़ाया जा रहा है, खाना खिलाया जा रहा है, ड्रेस पहनाई जा रही है और उनकी इच्छाओं की पूर्ति भी की जा रही है। ऐसे में बेटी का शारीरिक और मानसिक विकास बेटे की तरह ही हो रहा है, जिससे वे उन सभी कार्यों को भी करने में सक्षम हैं, जो कार्य बेटे भी करने में स्वयं को सक्षम नहीं समझते हैं। कहने का आशय है कि पढ़े-लिखे समाज में नारी को हर तरह की छूट मिली हुई है, इसीलिए वह हर क्षेत्र में पुरुषों की तरह ही काम कर रही है।

विशेषज्ञों का कहना है कि बेटी को पढ़ाया जाए, बेटों की तरह ही बेटी को महत्त्व दिया जाए, उसको स्वेच्छा से आगे बढ़ने दिया जाए, उसकी ड्रेस लड़कों की तरह ही रखी जाए, उसको खेलों में भाग लेने के लिए प्रेरित किया जाए और संकोच करने पर, शरमाने पर उसको यह समझाया जाए कि लड़कों की तरह ही कुदरत ने तुम्हारे अंदर भी असीम क्षमताएँ और ताकत दी हैं। चाहने पर एक लड़की भी वे सभी काम कर सकती है, जो लड़के कतई नहीं कर सकते हैं। एक लड़की नौकरी भी करती है, घर आने पर घरेलू कार्यों को भी करती है और बच्चों से लेकर वृद्धों के काम भी करती है। क्या एक लड़का इतने सारे काम कर सकता है या करता है? हरगीज़ नहीं करता है, तो फिर लड़की से अधिक वह शक्तिशाली कैसे हो गया?

स्त्री को शक्तिस्वरूपा कहा गया है, शक्तिदायिनी कहा गया है और वास्तव में ही पुरुषों को शक्ति स्त्री से ही प्राप्त होती है। उससे अधिक समर्थवान और क्षमतावान भला पुरुष कैसे हो सकता है, जब वह स्वयं अपनी कोख में पुरुष को धारण कर नौ माह के बाद इस संसार में रहने लायक बना डालती है! यह सोचने-विचारने वाली बात है। स्त्री को जननी होने की उपाधि प्राप्त है। वह दुनिया को ख़ुश, संतुष्ट और तृप्त रख सकती है, यह बताने की ज़रूरत नहीं है। जिन घरों में स्त्रियाँ नहीं हैं, उन घरों में जाकर उनकी हालत तो आप देखें, फिर आपको बताना नहीं पड़ेगा। आप खुद ही यह स्वीकार कर लेंगे, ईश्वर की ख़ूबसूरत रचनाओं में सबसे अधिक हसीन और ख़ूबसूरत रचना नारी ही है।

मैं एक उदाहरण का उल्लेख कर यह बताने का प्रयास कर रहा हूँ कि 'लड़की बचाओ लड़की पढ़ाओ' का नारा देश, समाज, परिवार आदि के लिए क्या महत्त्व रखता है और लड़की की रक्षा करना तथा उसको पढ़ाना क्यों महत्त्वपूर्ण है–

नम्रता एक पढ़ी-लिखी और समझदार युवती थी। उसकी सोच कहने के लिए आधुनिक थी, वैसे वास्तव में वह पुराने विचारों वाली ही थी। पुराने विचार उसको अपनी माँ से विरासत में मिले थे। नम्रता की शादी एक साधारण परिवार में हुई थी। नम्रता के विवाह को जब छः माह हो गए तो उसने अपनी सास से कहा–"मैं नौकरी करना चाहती हूँ ताकि आर्थिक रूप से हम बिलकुल ही सम्पन्न रहें।" नम्रता के इतना कहने पर सास ने मुस्कराकर उसको देखा, फिर नम्रता की कलाई पकड़ते हुए कहा–"बहू, तुम्हारी सोच बहुत ही आधुनिक है और समय की माँग के अनुकूल भी है। तुम जब पढ़ी-लिखी हो तो उसका लाभ उठाने में कोई हर्ज नहीं है।" सास ने इजाज़त दे दी, लेकिन नम्रता इस बात को लेकर परेशान थी कि घर के काम कौन करेगा? सास ने नम्रता के मन में बन रहे सवाल को अगले पल ही पढ़ लिया, फिर जवाब में कहा–"बहू, तुम्हें घर के काम को लेकर परेशान होने की ज़रूरत नहीं है, मैं हूँ न। मैं अभी बिलकुल ही स्वस्थ और सेहतमंद हूँ। किचन के काम मैं कर लूँगी। तुम बाहर जाकर शौक से नौकरी करो।" सास के इतना कहने पर नम्रता काफी प्रसन्न हो गई।

नम्रता अब सोच रही थी कि 'सास पचास की हैं, लेकिन इनकी सोच आधुनिक है। सास तो बहुत ही अच्छी सोच वाली मुझे मिल गईं। मैं इत्मीनान से नौकरी कर सकती हूँ।'

नम्रता ने दो-तीन कंपनियों में आवेदन दिए और दौड़-भाग की तो एक माह के भीतर ही उसको नौकरी मिल गई। नम्रता का पति रोहन नम्रता के नौकरी करने से ख़ुश नहीं था। उसका कहना था कि नौकरी करने वाली स्त्रियाँ शाम को थकी हारी घर लौटती हैं तो वे न तो घर के किसी काम में रुचि लेती हैं और न ही पति को प्रसन्न करने के काबिल रहती हैं। शादी के शुरुआती दिन सही-सही निकल जाते हैं, लेकिन जब एक बच्चा हो जाता है या शादी के दो-तीन साल हो जाते हैं तो कामकाजी महिलाएँ बहुत ही शुष्क और रूखी हो जाती हैं।"

नम्रता रोहन के इन विचारों से सहमत नहीं थी। उसका कहना था कि संबंधों में खटास धन के अभाव में आती है और व्यवहार में कठोरता की वजह से भी संबंध ख़राब होते हैं, लेकिन काम की थकान या भाग-दौड़ की वजह से कभी भी संबंध ख़राब नहीं होते हैं।

तीनों के विचार अलग-अलग थे। सास की सोच नम्रता की सोच से काफी हद तक मिलती थी, लेकिन रोहन की सोच न तो नम्रता से मिलती थी और न ही माँ से

ही मिलती थी, फिर भी तीनों साथ-साथ रह रहे थे। उनका समय थोड़े-बहुत मतभेद के साथ अच्छा गुज़र रहा था।

नम्रता की दोस्ती ऑफिस में काम करने वाली सुविधा से हो गई। सुविधा उसके साथ ही काम करती थी और लंच भी वे दोनों ही साथ-साथ करती थीं। एक दिन सुविधा बहुत ही उदास और डरी-डरी-सी नज़र आई तो नम्रता ने सवाल कर दिया–"क्या बात है?" सुविधा ने कोई जवाब नहीं दिया तो नम्रता ने दोबारा वही सवाल कर दिया। सुविधा ने नम्रता की आँखों में देखा, फिर बहुत ही धीमी आवाज़ में बोली–"क्या बताऊँ नम्रता, शादी के चार सालों के बाद मैं गर्भवती बड़ी मुश्किल से हुई हूँ। पति और सास दोनों ही लिंग परीक्षण करवाने के लिए कह रहे हैं। मैं इसके पक्ष में बिलकुल ही नहीं हूँ। लड़का हो या लड़की इससे क्या फर्क पड़ता है?"

नम्रता बोली–"हाँ, तुम्हारे पति तो काफी शिक्षित हैं। पता नहीं सास पढ़ी-लिखी हैं या नहीं। अनपढ़ लोग लड़का और लड़की में बहुत ज्यादा फर्क करते हैं।"

सुविधा बोली–"कोई ज़रूरी नहीं है। लड़का और लड़की में भेदभाव शिक्षित और अशिक्षित दोनों ही करते हैं। मेरी दादी दोनों भाइयों से अधिक लड़कियों की इज़्ज़त करती थी और मुझको तो लाडो कहा करती थी और दोनों भाइयों से अधिक मुझसे प्यार करती थी। माँ मुझे जरा भी प्यार नहीं करती थी, लेकिन दादी ने माँ को समझाया तो वह तैयार हो गई। मेरी दादी चाहती थी कि मैं पुलिस इंस्पेक्टर बनूँ। मैं भी इसके लिए तैयार थी, लेकिन मेरे मम्मी-पापा इसके लिए राज़ी ही नहीं हुए। अब तुम्हीं बताओ दादी अनपढ़ और पुराने विचारों की थी तब भी बेटियों को पढ़ाने, घर से बाहर निकल कर नौकरी करने, और विभिन्न खेलों में भाग लेने के पक्ष में थी। उनका कहना था कि बेटियाँ बेटों से अधिक वफ़ादार, दयालु, उदार और कर्मठ होती हैं। पुरुष प्रधान समाज जब तक रहेगा बेटियों के साथ न्याय नहीं हो सकेगा? जिस दिन आप बेटियों का बेटों की तरह पालन-पोषण शुरू कर देंगे उस दिन ही आपको बेटियों की वफ़ादारी का बोध हो जाएगा।" सुविधा एक साँस में ही बोल गई।

नम्रता ने कहा–"तुमने बताया नहीं कि तुम्हारी सास शिक्षित हैं या अशिक्षित?" नम्रता के पूछने पर सुविधा बोली–"मेरी सास उस जमाने की बारहवीं पास हैं और सांस्कृतिक कार्यों में भी भाग लिया करती थीं। फिर भी लड़की से उनको गहरी चिढ़ है।"

"तो फिर अपने पति को विश्वास में क्यों नहीं लेती और उन्हें यह क्यों नहीं समझाती कि बेटी बेटे से कहीं अधिक संवेदनशील, आज्ञाकारी तथा दयालु प्रवृत्ति की होती है और उसमें बाँटने की प्रवृत्ति भी बेटे से कहीं अधिक होती है। विवाह के बाद बेटा भी साथ में कहाँ रहता है। एक ऐसा भी समय आता है जब माता-पिता के साथ न तो बेटी रहती है और न ही बेटा रहता है, फिर बेटी के साथ इतना अन्यायपूर्ण

व्यवहार क्यों? आश्चर्य की बात है कि बेटी के जन्म पर शोक माँ और दादी ही मनाती है यानी महिलाओं का विरोध महिलाएँ ही करती हैं।" नम्रता ने दुनिया-भर की बातें पल-भर में ही कह डालीं।

सुविधा का आत्मबल अब काफी बढ़ गया था। उसने मन-ही-मन प्रण ले लिया कि कुछ भी हो जाए वह अपनी कोख में पल रहे भ्रूण का लिंग परीक्षण नहीं होने देगी।

शाम को सुविधा घर पहुँची तो सास ने भी और पति ने भी भ्रूण परीक्षण कराने को कहा। इस बार उसने दोनों का विरोध करते हुए कहा-"मेरी कोख में बेटा है या बेटी यह मैं किसी को भी जानने नहीं दूँगी। मैं भी एक बेटी हूँ, एक माँ इतनी क्रूर, बर्बर और निर्दयी कतई नहीं हो सकती है। माँ जी, आप तो दादी हैं और आप भी तो पिता हैं, क्या बेटी के प्रति दादी, पिता, माँ का ऐसा ही व्यवहार होता है, वह भी आने वाली बेटी के प्रति? माँ जी, आप भी तो किसी की बेटी ही हैं और मैं भी तो किसी की बेटी ही हूँ। क्या बेटी इतनी बुरी होती है कि उसके आने से पहले माता-पिता उसकी जान के दुश्मन बन जाते हैं? क्यों माँ जी, आप स्त्री होकर बेटी के प्रति इतनी क्रूर क्यों हैं? आप औरत होकर औरत का विनाश क्यों करना चाहती हैं?" सुविधा ने तेज़ आवाज़ में, लेकिन नम्रतापूर्वक अपनी बातों को व्यक्त किया।

उसकी बातों का असर सास और पति दोनों पर ही हुआ। बुराइयों का विरोध डटकर करना ज़रूरी होता है। लोग स्वयं के साथ अन्याय होते देखते रहते हैं, लेकिन एक शब्द भी उसके विरोध में नहीं निकालते हैं, इसी वजह से बुराइयों का अंत कभी हो ही नहीं पाता है। यदि प्रत्येक माँ डटकर इस बात का विरोध करना शुरू कर दे तो 'कन्या भ्रूण हत्या' करने के बारे में कोई सोचेगा ही नहीं। सुविधा ने भ्रूण परीक्षण का विरोध किया और अपने पति तथा सास को समझाया तो उनका हृदय परिवर्तन धीरे-धीरे हो गया। इसी तरह से जो कन्या के विरोध में हो उसको समझाएँ। वह न माने तो कानून की मदद लें, लेकिन किसी भी कीमत पर 'कन्याभ्रूण' को नष्ट करने के लिए तैयार न हों। बेटी के साथ अन्याय भी न होने दें और उसके हक और अधिकारों के लिए हर-पल सावधान तथा सजग रहें।

समय यूँ ही बीतता रहा। नम्रता भी गर्भवती हो गई। उसकी भी सास और पति कहने लगे कि भ्रूण परीक्षण करवा कर देख लेते हैं कि तुम्हारे गर्भ में लड़का है या लड़की। जब सुविधा है तो जाँच करवाने में क्या दिक़्क़त है।

नम्रता ने पति की ओर देखा तो पति ने कहा-"इसमें बुरा ही क्या है?" सास ने भी समर्थन किया-"हाँ, इसमें कुछ भी दोष नहीं है।"

नम्रता ने पूछा-"मेरी कोख में यदि लड़की हुई तो फिर उसके साथ आप दोनों का बर्ताव कैसा होगा?"

सास बोली–"बहू, हम मध्यमवर्गीय लोग हैं। लड़की नहीं हो तो हमारे लिए अच्छा रहेगा। एक लड़की निर्धन परिवार की आर्थिक विकास को रोक देती है। आजकल दहेज का चलन कितना बढ़ गया है, यह तो किसी से छुपा नहीं है। देखो बहू, मैं तो तुम दोनों के भले के लिए ही 'भ्रूण परीक्षण' की सलाह दे रही हूँ। मेरा क्या, मैं तो आज हूँ कल का कोई भरोसा नहीं। झेलना तो आप दोनों को ही पड़ेगा। मेरी मानो भ्रूण परीक्षण करवा लो। लड़की हुई तो अभी समय है आराम से गर्भपात हो जाएगा।" सास ने समझाया।

नम्रता असमंजस की स्थिति में थी। उसकी समझ में नहीं आ रहा था कि उसके लिए सही क्या है? नम्रता ने कहा–"माँ जी, सरिता दीदी, आपका कितना ध्यान रखती हैं। रोज़ फोन कर आपके बारे में पूछती रहती हैं। पिछले साल उनके यहाँ ही रहकर आपने अपनी आँखों का ऑपरेशन करवाया और इलाज का सारा ख़र्च सरिता दीदी ने ही किया। हमारे पास तो उतने पैसे भी नहीं थे। सरिता दीदी ही तो बता रही थीं कि ऑपरेशन होने में अगर एक माह भी देर होती तो आँखों की ज्योति जाने का डर था। माँ जी, सरिता दीदी भी तो एक बेटी ही हैं और वह भी आपकी बेटी हैं। आज आपकी आँखों में जो ज्योति है। वह सिर्फ सरिता दीदी की वजह से ही है। यदि आपने पैदा होते ही या पैदा होने से पहले ही उनको मार दिया होता तो आज आपकी स्थिति क्या होती? आपके बेटे के पास तो पैसे ही नहीं थे। माँ जी, ठंडे दिमाग से सोचें, सब अपने हिस्से का खाते हैं और जो भी पैदा होता है, उसके साथ उसका अपना भाग्य होता है। मेरी कोख में लड़का है या लड़की इस सवाल में न उलझकर मुझे गर्भ में पल रहे शिशु के स्वास्थ्य और सौंदर्य को कायम रखने के लिए समय-समय पर परीक्षण करवाते रहना आवश्यक है।" नम्रता इतना बोलकर चुप हो गई।

सास को भी पता था कि उसकी बेटी सरिता ने उसकी आँखों का इलाज नहीं करवाया होता तो आज वह इस संसार को अपनी आँखों से देखने के काबिल नहीं रहती। सास की आँखें सहसा ही भर आईं और कई बूँदे आँसुओं की उसके घुटनों पर टपक पड़ीं। नम्रता ने सास की दुखती रग पर हाथ रख दिया था। सास धीरे-धीरे चलकर नम्रता के पास आई और उसके पेट पर प्यार से अपनी स्नेहसिक्त हथेली फेरते हुए कहने लगी–"बहू, तुमने मेरी आँखें खोल दीं। ज्ञान किसी को भी मिल सकता है, एक बच्चे से भी और तुम तो एक पढ़ी-लिखी समझदार स्त्री हो। भला तुम्हारी बातों का विरोध मैं कैसे कर सकती हूँ। यह सच है कि सरिता के पैदा होने पर मैंने बहुत मातम मनाया था, लेकिन जब सरिता कुछ बड़ी हो गई तो मुझे अच्छी लगने लगी और जब अपने भाई से भी अधिक मेरी परवाह करने लगी, मेरी छोटी-छोटी बातें मानने लगी, मेरे दर्द को समझने लगी तो मुझको उससे बेपनाह प्यार हो गया। फिर मैंने उसको

कभी रोका-टोका नहीं और उसकी प्रगति तथा उन्नति के रास्ते में रुकावट भी कभी नहीं बनी, इसके साथ ही उसके रास्ते में किसी बाधा को भी उत्पन्न नहीं होने दिया। बहू, मैं समाज के बहकावे में आ गई थी। तुम्हारी कोख में कन्या है या लड़का है, इसको जानने का अधिकार प्रकृति ने किसी को भी नहीं दिया है और यह सृष्टि के नियमों के विरुद्ध भी है। तुम लड़के की माँ बनोगी तब भी और कन्या की माँ बनोगी तब भी ठीक है। मैं तो कहती हूँ कि लड़की ही हो, क्योंकि लड़कियाँ लड़कों से किसी भी मामले में पीछे, कल भी नहीं थीं और आज भी नहीं हैं। यह अलग बात है कि अभिभावकों की भेदभावपूर्ण नीति के कारण वे लड़कों से पीछे रह जाती हैं।" सास ने यह कहते-कहते नम्रता के माथे को चूम लिया। कुछ ही दूरी पर खड़े नम्रता के पति ने कहा—"हाँ नम्रता, माँ ठीक कह रही हैं। माँ की वजह से मैं ख़ामोश था और माँ की बातों का विरोध नहीं कर पा रहा था।"

सास ने कहा—"बेटा, मैं माँ हूँ तो क्या हुआ, जो बात गलत हो, उसका विरोध तो करना ही चाहिए। बेटा, ऐसी कोई भी बात जो तुमको पसंद न आए तो उसका विरोध कड़ाई के साथ करो। यह कोई ज़रूरी नहीं कि जो बड़ा है, वह हर समय सही ही होता है।"

यह सच भी है कि हमेशा बड़ा और बुजुर्ग आदमी सही नहीं होता है, वह गलत भी हो सकता है। जब भी आपको लगे कि आपकी मम्मी या आपके पापा या आपका कोई मित्र या आपका कोई सहकर्मी गलत बोल रहा है, तो आप तुरंत ही उसका विरोध करें। इसका लाभ यह होगा कि गलत बात को बल और समर्थन मिलना बंद हो जाएगा और किसी का भी नुकसान नहीं होगा।

आप लड़की को महत्त्व देते हैं, उसके स्वाभिमान का मान रखते हैं, उसकी इच्छाओं को बढ़ावा देते हैं, उसको लड़कों की तरह शिक्षा दिलाते हैं, खेल में भाग लेने की अनुमति देते हैं, उसको लड़कों की तरह दौड़ने-भागने देते हैं और चूड़ी-बिंदी के बंधन में बँधने नहीं देते हैं तो मेरी इस बात की गारंटी है कि आपकी बेटी जीवन में कभी भी पीछे नहीं रहेगी, कोई भी उसका मानसिक शोषण नहीं कर सकेगा, शारीरिक शोषण नहीं कर सकेगा और आर्थिक शोषण भी नहीं कर सकेगा।

लोग कहते हैं कि लड़कियाँ या महिलाएँ भावुक होती हैं और कोई भी उनकी भावनाओं के साथ आसानी से खेल सकता है, यह गलत है। लड़कियों को कमज़ोर उनके माता-पिता बनाते हैं। बाल्यावस्था से ही उनको पल-पल यह अहसास कराने लगते हैं कि तुम एक लड़की हो। एक लड़की को क्रूर और बर्बर न होकर दयालु तथा उदार होना चाहिए। माता-पिता यह कभी सिखाते या बताते ही नहीं हैं कि पुरुष प्रधान समाज में एक नारी की स्थिति क्या है और उसको स्वयं को स्थापित करने के लिए

शिक्षा की कितनी ज़रूरत है। आप लड़कों को जो पाठ पढ़ाते हैं, वही लड़कियों को भी पढ़ाएँ। आप माता-पिता हैं, सम व्यवहार दोनों के ही साथ करें। चीज़ें, खिलौने, खाने-पीने की वस्तुएँ आपस में बाँटने की आदत लड़का और लड़की दोनों में ही डालें। वैसे लड़कियों में बाँटने की प्रवृत्ति जन्म से ही होती है, जबकि लड़कों में बाँटने की प्रवृत्ति बहुत ही कम होती है।

एक महिला लेडी डॉक्टर से मिली और उसने उसको बताया कि वह गर्भपात करवाना चाहती है। लेडी डॉक्टर ने आश्चर्य से उस महिला को देखा। उसकी उम्र यही कोई बाइस-तेइस की थी। उसकी पोशाक और हेयर स्टाइल को देखकर साफ पता चल गया कि यह महिला काफी पढ़ी-लिखी और आधुनिक विचारों वाली है। लेडी डॉक्टर ने कहा–"आपके कितने बच्चे हैं?"

वह महिला बोली–"एक भी नहीं।"

"आपने कहाँ तक पढ़ाई की है?" लेडी डॉक्टर ने पूछा।

"एम.ए. हिंदी से किया है।" वह महिला बोली।

"आपकी शादी को कितने वर्ष हो गए?" लेडी डॉक्टर ने पूछा।

वह महिला बोली–"हमारी शादी को तीन साल होने वाले हैं।"

"फिर आप गर्भपात करवाना क्यों चाहती हैं? पहला बच्चा है, इसे पैदा होने दीजिए। आपका गर्भ भी चार माह का होने वाला है। मैं गर्भपात करवाने की सलाह नहीं दूँगी। इससे आपके शारीरिक और मानसिक स्वास्थ्य पर निश्चित रूप से बुरा प्रभाव पड़ेगा।" लेडी डॉक्टर ने समझाया।

वह महिला थोड़ा नाराज़ होते हुए बोली–"आप डॉक्टर हैं। आपका काम है इलाज करना। आपको आपके काम का आपकी उम्मीद से भी ज्यादा पैसा मिल जाएगा। आप अब कोई सवाल नहीं करेंगी।"

लेडी डॉक्टर एक अनुभवी महिला थी। उसने कहा–"आप उम्मीद से भी ज्यादा पैसा देंगी, इसका मतलब आप मुझसे गलत काम करवाना चाहती हैं? मैं गर्भपात नहीं करूँगी। आप जा सकती हैं।"

लेडी डॉक्टर के इतना कहने पर उस महिला के तेवर ठंडे पड़ गए।

लेडी डॉक्टर ने कहा–"मैडम, मैं गर्भपात उसी स्थिति में करती हूँ, जब गर्भस्थ शिशु गर्भ में बढ़ रहा न हो या उसको ऐसी कोई बीमारी लग गई हो, जो ठीक न होने वाली हो। मैंने आपका चेकअप ठीक से कर लिया है। गर्भस्थ शिशु बिलकुल ही स्वस्थ है। आप भी स्वस्थ हैं, फिर दिक़्क़त कहाँ है कि आप गर्भपात करवाना चाहती हैं?"

महिला के मुँह से सच निकल ही गया–"मेरे गर्भ में कन्या है। मैं नहीं चाहती कि मेरी पहली संतान एक कन्या हो। मेरा सपना है कि मैं एक बेटे की माँ बनूँ।"

"आश्चर्य है कि आप एक पढ़ी-लिखी महिला होकर भी कन्या के विरोध में बोल रही हैं और उसकी हत्या करने के लिए उतावली हो रही हैं। क्यों आपको ऐसा लगता है कि कन्या की माँ बनना ठीक नहीं है और लड़के की माँ बनना ठीक है? देखिए, जब आप जैसी पढ़ी-लिखी, आधुनिक विचारों वाली और नये जमाने की महिला 'कन्या भ्रूण' की हत्या करेगी तो फिर आपका पढ़ना-लिखना किस काम का? मेरी सलाह है कि आप गर्भपात न करवाएँ और मेरा कहना मानकर बेटी की माँ बनकर देखें। यह लाभ का फैसला रहेगा। प्लीज, मेरी सलाह को हलके में न लें। मेरे क्लीनिक में जो भी महिलाएँ 'कन्या भ्रूण' को नष्ट करने के लिए आती हैं, तो मैं उनको समझा-बुझाकर वापस लौटा देती हूँ। मैं भी तो किसी की कन्या ही हूँ। फिर एक गर्भ में पल रही कन्या की हत्या कैसे कर सकती हूँ।" लेडी डॉक्टर ने कुछ इस तरह से समझाया कि वह महिला पूर्णतः संतुष्ट होकर क्लीनिक से वापस घर आ गई।

कन्या भ्रूण को नष्ट करने से डॉक्टर मना कर दें, गर्भपात करवाने आई महिला और उसके घरवालों को अच्छी तरह से समझा दें, तो कन्या भ्रूण की हत्या में निश्चित रूप से कमी आ सकती है। किन्तु डॉक्टर मनमाना पैसा लेकर गर्भपात कर देते हैं। यह कितनी शरम की बात है कि इक्कसवीं सदी के लोग और डॉक्टर लड़का और लड़की में भेद करते हैं। सबकुछ बदल गया, लेकिन लड़की और लड़कों में जो अंतर पहले था, वह अंतर आज भी बना हुआ है, तो मैं कैसे मानूँ कि लड़की के प्रति लोगों की सोच बदल गई है और वे बेटे की तरह ही उसको महत्त्व देने लगे हैं?

हाँ, शिक्षा ने लोगों में लड़की के प्रति सहानुभूति और नयी सोच उत्पन्न अवश्य की है। पहले भी और आज भी बेटी और बेटे में सबसे अधिक अंतर महिलाएँ ही करती थीं और बेटियों को मारने के तरह-तरह के उपाय महिलाएँ ही करती थीं और आज भी महिलाएँ ही सबसे पहले 'भ्रूण जाँच' की चाह व्यक्त करती हैं।

पहले की तुलना में कन्याभ्रूण की हत्या बहुत ही कम हो गई है, लेकिन बिलकुल ही बंद नहीं हुई है। जिस दिन कन्याभ्रूण हत्या बिलकुल ही बन्द हो जाएगी, उस दिन यह धरती वास्तव में ही जन्नत बन जाएगी। मैंने उन शिक्षित स्त्री-पुरुषों में बेटी और बेटा के प्रति भेदभावपूर्ण व्यवहार देखा है, जो सार्वजनिक स्थानों में या लोगों के बीच में 'बेटी बचाओ, बेटी पढ़ाओ' का नारा बुलंद करते थकते नहीं हैं। उनकी सोच का अभी आधुनिकीकरण ठीक से नहीं हुआ है। उन्होंने उच्च शिक्षा प्राप्त तो कर ली है, लेकिन सोच वहीं-की-वहीं रह गई है, तभी तो बेटा और बेटी के लिए अलग-अलग तरह का व्यवहार उनके पास है।

पचीस सालों के बाद उसी महिला ने जब लेडी डॉक्टर को फोन मिलाया तो बड़ी-हैरानी के साथ वह बोली–"मैं आपको बिलकुल ही पहचान नहीं रही हूँ। आप अपना पूरा परिचय दीजिए।" वह लेडी डॉक्टर बूढ़ी हो गई थी, लेकिन इस अवस्था में भी मरीज़ का इलाज किया करती थी। उस महिला ने कहा–"डॉक्टर, मैं वही महिला हूँ, जिसको आपने 'कन्या भ्रूण हत्या' जैसा जघन्य अपराध करने से रोका था। डॉक्टर, मैं आजकल उसी कन्या के साथ रह रही हूँ। आपने उस दिन गर्भपात कर दिया होता तो आज न जाने मेरी क्या दुर्दशा होती।"

लेडी डॉक्टर ने पूछा–"हाँ, मैं आपको पहचान गई। उस कन्या के बाद और कोई संतान आपको नहीं हुई क्या?"

"एक बेटा है न। उसको पढ़ाया-लिखाया, शादी की और अब वह बहू के साथ ससुराल में जाकर रह रहा है। मेरी कोई भी ख़ोज-ख़बर वह नहीं लेता है। बहू के कहने में आकर वह तो मुझसे बात भी नहीं करता है। मुझे जब लकवा मार गया तो बेटी ने मेरा उपचार करवाया और बेटी के यहाँ ही मैं अब रह रही हूँ। मेरे सामने जब मेरी बेटी आती है तो मुझे आपकी बातें और आपका चेहरा याद आ जाता है। मैं अपनी क्रूर और निष्ठुर सोच पर शर्मिंदा हो जाती हूँ। डॉक्टर मैडम, आपने मुझ जैसी कितनी ही महिलाओं को 'कन्याभ्रूण हत्या' करने से रोका होगा। आप वास्तव में हम सब के लिए ही देवी तुल्य हैं।" वह महिला यह कहते-कहते रो पड़ी। लेडी डॉक्टर ने कहा–"मैं स्वयं तीन बेटों की माँ होकर बेटी के साथ रह रही हूँ। बेटे तब तक ही बेटे बनकर रहे, जब तक उनकी शादी नहीं हुई थी। शादी होते ही वे अपनी-अपनी पत्नी को लेकर जहाँ काम करते हैं, वहाँ चले गए। मैं जब बिलकुल ही अकेली पड़ गई और बीमार रहने लगी तब मेरी बेटी अपना तबादला करवाकर मेरे पास आ गई। बेटी का कोई न तो जवाब है, न ही कोई तोड़ है और न ही कोई विकल्प है। आप अपना ध्यान रखिएगा।" लेडी डॉक्टर ने इतना कहकर फोन रख दिया।

बेटी अपना तबादला करवाकर अपनी माँ के साथ रहने के लिए आ गई, लेकिन बेटे-बहुओं में से किसी ने भी माँ के लिए त्याग करना उचित नहीं समझा। मैं यह नहीं कह रहा हूँ या यह साबित करना नहीं चाहता हूँ कि सभी बेटे नालायक होते हैं। हाँ, यह अवश्य ही है कि अधिकतर बेटे आर्थिक रूप से आत्मनिर्भर होने के बाद मम्मी-पापा से एक दूरी बना लेते हैं और जब शादी हो जाती है तब यह दूरी धीरे-धीरे बढ़ती ही चली जाती है, फिर एक दिन इतनी बढ़ जाती है कि माता-पिता अकेले पड़ जाते हैं। यही अधिकतर परिवारों का सच है।

आज जो पढ़ी-लिखी, जॉब करने वाली आधुनिक लड़कियाँ हैं, वे विवाह होने के बाद मम्मी-पापा से मिलती रहती हैं और ज़रूरत पड़ने पर उनके साथ रहने भी लगती हैं, या फिर उनको अपने साथ रख भी लेती हैं।

यह उदाहरण आप पढ़ें, मेरी बात अच्छी तरह से आपकी समझ में आ जाएगी–

गंगा बारहवीं की अध्यापिका थी। वह अंग्रेजी पढ़ाती थी। छात्र और छात्राएँ उससे ट्यूशन भी पढ़ने आते थे। गंगा के पास समय का अभाव था। खाने-पीने का समय भी बड़ी मुश्किल से उसको मिल पाता था। गंगा के पति सोहन अक्सर ही कहा करते थे कि 'हम दोनों के पास ही समय का अभाव है। हम पैसा तो कमाते हैं, लेकिन ढंग से खाना नहीं बना पाते हैं। क्यों न हम कोई खाना बनाने वाली रख लें?'

गंगा नौकरानी रखना पसंद नहीं करती थी। उसने एक दिन सोहन से कहा–"क्यों न मैं अम्मा को यहाँ पर हमेशा के लिए बुला लूँ। तुम्हारा क्या कहना है?" सोहन ने जवाब में कहा–"अम्मा पापा के बिना यहाँ नहीं रह सकती हैं और पापा शहर में रहने के नाम से ही भड़क जाते हैं। हम उन्हें अपने साथ नहीं रख सकते हैं।" सोहन ने जो सच था वह कह दिया। यह सही भी है कि वृद्धावस्था में पति को अकेला छोड़कर कहीं दूर रहना बहुत ही कठिन है। वृद्धावस्था में मम्मी और पापा को एक-दूसरे से अलग करना नैतिकता के भी ख़िलाफ़ है।

गंगा ने कुछ नहीं कहा क्योंकि उसको भी सोहन की सलाह काफी जँची। इसके अगले दिन फोन आया। गंगा ने दौड़कर देखा तो हैरान रह गई। यह उसकी माँ नयना देवी का फोन था। उसने लपक कर झट से फोन उठाया और ऊँची आवाज़ में किन्तु बड़ी नम्रता से कहा–"हलो माँ, तुम स्वस्थ तो हो?" नयना देवी का गला रुँध गया। वह काँपती आवाज़ में कहने लगीं–"कैसी हो बेटी, तुमको देखे सालों हो गए।"

"मैं तो बिलकुल ठीक हूँ मम्मी। तुम अपना बताओ।" गंगा यह कहते-कहते सुबक पड़ी।

"क्या बात है, गंगा, तुम बोलते-बोलते रोने क्यों लगीं?" नयना देवी के इतना पूछने पर गंगा ने कहा–"मम्मी, ये आँसू तो तुमसे फोन पर बात करने के उपलक्ष्यस्वरूप आ गए हैं। ये ख़ुशी के आँसू हैं। तुम आनंद से हो न?"

"बेटी, तुम्हारे पापा का निधन क्या हुआ मानों मेरे जीवन से सारी खुशियाँ, सारे आनंद और सभी तरह के मजे चले गए हों। मैं बहुत ही अकेली पड़ गई हूँ, बेटी। मुझको अचानक ही कुछ हो जाएगा तो किसी को कुछ पता भी नहीं चलेगा।" नयना के इतना कहते ही, उसकी आवाज़ काँप गई।

फिर फोन सहसा ही कट गया। गंगा 'हलो-हलो' कहती रह गई, लेकिन नयना ने फोन नहीं उठाया।

गंगा को अब चैन कहाँ था। उसने पति से फोन पर बात की तो पति ने इस बात की अनुमति दे दी कि तुम अपनी मम्मी को जाकर यहीं ले आओ। गंगा पति की इजाज़त मिलते ही ख़ुश हो गई और उसी शाम को उसने ट्रेन पकड़ ली। यही कोई चार घंटे का

सफ़र था। गंगा रात के ग्यारह बजे मायके पहुँच गई। नयना देवी उस समय सोने की तैयारी कर रही थीं। गंगा को अचानक ही अपने कमरे में देखकर नयना देवी का मुरझाया चेहरा फूल की तरह खिल गया। वह दौड़कर बेटी के गले से लग गई। गंगा ने कहा–"मम्मी, तुमने अपनी यह क्या हालत बना रखी है? मैं तो समझ रही थी कि तुम भैया और भाभी के साथ भोपाल चली गई हो। इसीलिए मैंने कभी फोन नहीं किया।"

नयना देवी रुँधे गले से बोलीं–"बेटी, मैंने कई बार फोन करना चाहा, लेकिन यह सोचकर फोन नहीं किया कि जिस तरह से मेरे बेटा-बहू मुझको अपने साथ रखना नहीं चाहते हैं, उसी तरह से गंगा का पति भी शायद मुझ बुढ़िया को अपने साथ रखना पसंद न करे। बेटी, जब बेटा-बहू सारी संपत्ति लेने के बाद भी मेरी देखभाल करने के लिए राज़ी नहीं हैं तो फिर बेटी और दामाद को तो मैंने कुछ भी नहीं दिया है। उन पर तो मेरा कोई हक नहीं बनता है।"

नयना देवी इतना कहते-कहते काफी डिस्टर्ब हो गईं। वृद्धावस्था एक ऐसी अवस्था है, जो बड़े-बड़ों की भी हिम्मत तोड़ देती है, यदि बच्चों का साथ नहीं मिलता है तो। नयना देवी के बेटा-बहू ने उनको दूध में पड़ी मक्खी की तरह निकाल कर फेंक दिया था। पैतृक मकान में वह एक लाश की तरह ही थीं। एक समय था जब वह चहल-पहल में रहती थीं और उनके पति से लेकर उनके बच्चे उनके आगे-पीछे डोलते फिरते थे। आज उनके आगे-पीछे कोई भी डोलने वाला नहीं था। वह ब्याह कर जब ससुराल आई थीं तो पति और उनके सास-ससुर भी थे। फिर वे दो बच्चों की माँ बनीं तो उनकी ज़िंदगी और भी ज्यादा व्यस्त हो गई। बच्चे बड़े हो गए तो उनका ब्याह हो गया और वे जहाँ नौकरी मिली, वहीं पर शिफ्ट हो गए। फिर सास-ससुर का देहांत हो गया। उसके बाद पति का निधन हो गया। इस तरह से वह कब नितांत अकेली हो गईं, इसकी भनक तक भी न लगी।

वह अभी और सोचतीं तभी गंगा ने टोकते हुए कहा–"मम्मी, ज्यादा मत सोचो। ज्यादा सोचने से सेहत और दिमाग बिगड़ते हैं। मैं तुमको अपने साथ ले जाने के लिए आई हूँ। कल शाम की गाड़ी से हम यहाँ से निकल चलेंगे।"

नयना देवी को गंगा की बातों पर विश्वास नहीं हुआ। वह अपनी आँखें भींचते हुए बोलीं–"बेटी, मैं कोई सपना तो नहीं देख रही हूँ?"

गंगा बोली–"नहीं मम्मी, यह सपना नहीं हकीकत है।"

"बेटी, दामाद जी से पूछा है? क्या उनसे पूछ कर तुमने यह निर्णय लिया है?" नयना देवी ने जानना चाहा।

"हाँ, माँ, तुम इसकी चिंता बिलकुल ही न करो। हमें तुम्हारा साथ मिल जाएगा और तुम्हें हमारा साथ मिल जाएगा। हमारे बच्चों को नानी मिल जाएगी।"

गंगा इतना कहते-कहते नयना देवी को अपलक देखने लगी क्योंकि उसे पता था कि मम्मी बहुत ही ज्यादा स्वाभिमानी हैं। आसानी से साथ चलने के लिए तैयार नहीं होंगी।

उसका सोचना सही निकला। नयना देवी ने थमती आवाज़ में कहा–"बेटी, दामाद जी भले ही कुछ न कहें, लेकिन उनके मम्मी-पापा क्या सोचेंगे? मैं बेटी के घर अपना बुढ़ापा बिताऊँ, यह मुझे मंजूर नहीं।"

"माँ, मैंने अपने सास और ससुर से बात कर ली है। उन दोनों ने ही कहा है कि यह तो तुम्हारा सौभाग्य है कि माँ की सेवा करने का मौका तुमको मिल रहा है। तुम शौक से अपनी माँ को रख सकती हो। हम पुण्य के काम में रुकावट बनकर पाप के भागी बनना नहीं चाहते। बहू, तुम अपनी माँ की वजह से ही इस संसार में हो। माँ और बेटी के बीच भला हम कैसे आ सकते हैं?" गंगा ने अपने सास-ससुर के विचार ज्यों के त्यों सुना दिए। फिर भी नयना देवी यह सोचकर तैयार नहीं हो रही थीं कि बेटी के यहाँ रहूँगी तो लोग क्या कहेंगे?

गंगा ने समझाया–"माँ, लोगों का तो काम है कहना। तुम यहाँ अकेली रह रही हो, क्या लोग तुम्हारी सहायता करने कभी आए? लोग जब अच्छे-बुरे के साथी नहीं हैं, तो फिर उनकी परवाह क्या करना? तुम ज्यादा मत सोचो। मैं तुम्हारा सामान पैक कर रही हूँ।" इतना कहकर गंगा सोफे से उठी और नयना देवी के कपड़े और अन्य आवश्यक सामान उठाकर बैग में रखने लगी।

नयना देवी ख़ामोश पड़ी थीं। उनको बड़ा ही अजीब-सा लग रहा था। जीवन के महत्त्वपूर्ण लम्हें इसी मकान में गुज़रे थे। उनके पति ने बड़े प्यार से इस मकान को बनवाया था। गंगा को पता था कि माँ इस समय बुत की तरह खड़ी क्या सोच रही है। गंगा को भी माँ को इस पैतृक मकान से निकालकर दूसरे शहर में ले जाना बुरा लग रहा था, लेकिन दूसरा कोई उपाय ही नहीं था। नयना देवी के पास बेटी के साथ रहने के अतिरिक्त और कोई विकल्प ही नहीं था। आज वह यह भी सोच रही थी कि बेटी न होती तो मैं आज कहाँ जाती? मैं तो गंगा को पढ़ने देना भी नहीं चाहती थी। उसके पापा ने मेरी बातों को दबा कर गंगा को पढ़ाया। गंगा आज पढ़ी-लिखी न होती तो फिर मुझको अपने साथ कैसे रखती? गंगा के पापा ने गंगा को उच्च शिक्षा दिलाई ताकि गंगा किसी के रहमोकरम पर न रहे। वह किसी पर बोझ न बने और बुरे दिनों में भी उसके पास कुछ हो या न हो, लेकिन पैसा अवश्य ही रहे।

विद्या धन को शास्त्रों में सबसे बड़ा धन माना गया है। इसको न तो चोर चुरा सकता है और न ही कोई बाँट सकता है। इस धन की कोई कीमत नहीं है। यह तो अनमोल है। बेटियों को यदि आप विद्या धन दिला देते हैं तो फिर उनको जीवन में कोई भी पछाड़ नहीं सकता है। वे जहाँ जाएँगी पूरे आत्मविश्वास के साथ जाएँगी। विद्या

धन से सुशोभित व्यक्ति किसी से भी डरता नहीं है और उसका आत्मबल बहुत ही प्रबल होता है। क्योंकि उसको पता होता है कि वह जब चाहेगा पैसा कमा सकता है।

पिता ऑफिस से रात के आठ बजे घर आया तो उसने दरवाज़े से ही आवाज़ लगाई–"अमन बेटा, मैं आ गया। देखो तुम्हारे लिए क्या लाया हूँ।" पिता ने एक बार और आवाज़ लगाई, लेकिन अमन नहीं आया। इतने में चार वर्षीय बेटी मधु गिलास में पानी लेकर आ गई और बहुत ही भोलेपन से उसने कहा–"पापा, आपके लिए ताज़ा पानी।"

"अरे, हमारी बेटी अभी तक जागी है?" इतना कहकर पिता ने गिलास अपने हाथ में ले लिया, फिर पानी पीने के बाद बोला–"कमाल है। चार वर्ष की मधु जाग रही है और आठ वर्ष का अमन जब आता हूँ सोया हुआ ही मिलता है।" इतना कहकर पिता ने अपनी पत्नी जया को एक पैकेट थमा दिया। छोटी मधु ने पूछा–"मम्मी, इसमें क्या है?"

"तुम्हारे काम की चीज़ नहीं है। तुमने पापा को पानी दे दिया न। चलो अब जाकर सो जाओ। रात काफी हो गई है।" जया ने चार वर्षीय बेटी को यह बताना ज़रूरी न समझा कि इस पैकेट में चॉकलेट है। पिता ने भी यह ज़रूरी नहीं समझा कि रोज़ पानी पिलाने वाली बेटी को चॉकलेट पैकेट से निकालकर दे दें।

यह तो बहुत ही आश्चर्य की बात है कि माता-पिता दोनों ही अपनी ही सगी बेटी के साथ घोर अन्याय कर रहे थे। वह भी उस बच्ची के साथ जो मात्र चार साल की थी और उसके मन में कोई छल-कपट नहीं था। पिता के ऑफिस से घर आने की राह वह लगभग तब से देखने लगी थी जब देव को उसने पिता के रूप में जाना था। देव उस बेटे के लिए रोज़ कुछ-न-कुछ खाने की चीज़ लाया करता था, जो उसके घर आने से पहले ही सो जाता था और कभी उसके आने का इंतजार नहीं करता था।

देव अगले दिन रात के नौ बजे आया तो रोज़ की तरह उसने आज भी अमन को आवाज़ लगाकर बुलाया, लेकिन उसके स्थान पर मधु पानी का गिलास हाथ में लिए आ खड़ी हुई। मधु ने भोलेपन से देखते हुए कहा–"पापा, क्यों आप मेरे लिए कुछ नहीं लाते? मैं तो आपको रोज़ पानी भी पिलाती हूँ और भैया तो आपको कभी पानी भी नहीं पिलाता है। आज भी आप अमन के लिए ही चीज़ लाए हो।" रोज़ ख़ामोश रहकर पानी पिलाने वाली नन्हीं मधु ने आज सवाल कर पिता को लजवाब कर दिया था।

विशेषज्ञों का कहना है कि सकारात्मक व्यवहार जब आप दूसरों के साथ रोज़ ही करने लगते हैं तो धीरे-धीरे दूसरों का व्यवहार भी आपके प्रति सकारात्मक हो जाता है। इसमें कोई शक नहीं है क्योंकि यह नियम है कि किसी को बदलना आप चाहते हैं, तो सबसे पहले स्वयं को बदलें। आप जब बदल जाते हैं, तो दूसरों को बदलने में देरी नहीं लगती है।

देव और जया भी तो इनसान ही थे, वह भी मम्मी-पापा के ही बच्चे थे। अमन से उनका दिली लगाव था क्योंकि वे अमन को वंश चलाने वाला, सेवा करने वाला,

और कुल का दीपक मानते थे और मधु को पराया धन मानकर उससे एक विशेष दूरी बना रखी थी। उनको कोई भी यह समझाने वाला नहीं था कि बेटा और बेटी में कोई फर्क नहीं होता। फर्क तब होता है, जब माता-पिता फर्क करते हैं। यदि माता-पिता बेटा और बेटी को एक नज़र से देखें और बेटा और बेटी को कम और ज्यादा मानकर न चलें तो कोई दिक़्क़त घर में या समाज में उत्पन्न ही न हो।

देव ने मधु को जवाब नहीं दिया। वह चुपचाप अपने बेडरूम में आ गया। फिर जब मधु सो गई तो जया से कहा–"मधु और अमन की सोच और स्वभाव में बड़ा ही अंतर है। मधु मेरा रोज़ इंतजार करती है और बिना किसी स्वार्थ के मुझे पानी पिलाती है। मधु भी तो हमारा अंश ही है। हम दोनों के ही प्यार का प्रतिफल है। अमन में ऐसी क्या बात है, जो मधु में नहीं है या अमन हमें जीवन में कौन-सा ऐसा सुख दे सकता है, जो मधु नहीं दे सकती है।"

जया बोली–"अमन हमारा बेटा है। इस खानदान का चिराग़ है।" देव ने कहा–"तो क्या मधु हमारी बेटी नहीं है? क्या वह इस खानदान का चिराग़ नहीं है? यदि हम अपनी सोच को बदलकर देखेंगे तो मधु और अमन में हमें कोई फर्क नहीं दिखेगा और अमन से कहीं अच्छी मधु ही लगेगी।" देव ने आगे कहा–"जया, मैं मधु के सवाल का जवाब नहीं दे पाया हूँ। उसका सवाल अभी भी मेरा पीछा कर रहा है। अमन ने तो कभी मेरा घर आने का इंतजार किया नहीं। मेरे लिए कभी रात के आठ बजे तक जागा नहीं, और मुझको पानी भी कभी नहीं पिलाया। मधु ने इस उम्र में ही संतान होने का फर्ज़ निभा दिया। यह सच है बेटी की तरह बेटा नहीं होता है। बेटी माता और पिता की परवाह करती है, लेकिन माता-पिता बेटों की परवाह करते हैं। बेटी इतनी अच्छी होती है कि भाइयों की चिंता करती है और आजीवन उसका प्यार उनके लिए कम नहीं होता है। मैंने फैसला किया है कि मधु को इतना पढ़ाऊँगा कि किसी की दया की मोहताज नहीं रहेगी। वह हमारी लाडली है।" देव इतना कहते-कहते काफी भावुक हो गया। जया की भी सोच अब काफी बदल गई थी। उसने कहा–"तुम बिलकुल ठीक कह रहे हो। हम भाग्यशाली हैं कि हमारे घर लड़की का जन्म हुआ है। बेटियाँ वास्तव में ही अपने माता-पिता, भाई, भतीजा आदि की परवाह करती हैं और रिश्तों को बख़ूबी जीती हैं।" जया इतना कहते-कहते मुस्करा पड़ी।

देव के विचार और सोच को यदि किसी ने बदला, तो उसकी बेटी मधु ने बदला। बेटियों में इतना दम होता है कि वे ठान लें तो परिस्थितियों को भी बदल दें। उनके पास अतुलनीय ख़ूबसूरती, कोमलता, संवेदनशीलता, उदारता, करुणा, दया आदि ख़ूबियाँ होती हैं, जो बेटों के पास भी होती हैं, लेकिन न के बराबर ही होती हैं। माता-पिता गलती से भी यह गलती न करें कि बेटी बोझ होती है। बेटी जब अपनी माँ से प्रेम करती है तो माँ का दर्द ओढ़ लेती है, वह पिता से प्रेम करती है तो पिता का बोझ

अपने ऊपर ले लेती है और पति से प्रेम करती है तो घर और बाहर दोनों जगहों की जिम्मदारियाँ अपने कंधों पर ले लेती है। मैं हवा में नहीं बोल रहा हूँ। आपके सामने उदाहरण है। बस आपके पास वह नज़र चाहिए, जो मेरे पास है।

बेटी ब्याह कर ससुराल जाती है और जब देखती है कि इनकी आर्थिक स्थिति नाज़ुक है तो वह घर से निकलकर नौकरी करने लगती है और ऑफिस से घर आने पर बिना किसी शिकायत के घर के काम भी करने लगती है। फिर भी लोग जाने क्यों लड़कियों को संसार में आने देना ही नहीं चाहते हैं। गर्भ में उत्पन्न होते ही सबसे पहले उसके माता-पिता ही दुश्मन हो जाते हैं, यदि किसी तरह से वह पैदा हो जाती है तो घर में मातम-सा छा जाता है। कुछ बड़ी होती है तो घर वाले उसके साथ भेदभाव करने लगते हैं। कहने का आशय है कि समाज बहुत शिक्षित और आधुनिक हो गया है तो क्या है, बेटी के प्रति और स्त्री के भी प्रति अभी सोच उतनी साफ सुथरी नहीं हुई है। अभी बहुत बदलाव की ज़रूरत है।

एक इंटरव्यू के दौरान कंपनी के डायरेक्टर ने पूछा–"आप तो एक लड़की हैं। अभी आपकी शादी नहीं हुई है। फिर आप पढ़ाई करने के साथ-साथ नौकरी क्यों करना चाहती हैं?"

युवती ने बड़े ही गंभीर शब्दों में कहा–"सर, मेरे पिता के अलावा घर में कमाने वाला कोई नहीं है। मेरी माँ हाउसवाइफ हैं। मुझसे छोटे दो भाई-बहन हैं। किराए के मकान में हम सब रहते हैं। बहन-भाई में सबसे बड़ी मैं ही हूँ। मैं अपने पिता का आर्थिक सहयोग करना चाहती हूँ ताकि उन्हें तनाव का सामना न करना पड़े और अतिरिक्त मेहनत भी न करनी पड़े।"

डायरेक्टर ने तालियाँ ठोकीं और प्रशंसात्मक नज़रों से लड़की को देखते हुए कहा–"कौन कहता है कि बेटियाँ बोझ होती हैं। बेटियाँ तो बोझ को हलका करने वाली होती हैं। बेटे इतना संवेदनशील और परवाह करने वाले कहाँ होते हैं। मैं आपको ही इस नौकरी पर रखूँगा।" इतना कहते-कहते डायरेक्टर चुप हो गया।

यह महज एक कल्पना नहीं है, बल्कि सच्चाई है। अनगिनत बेटियाँ पढ़ भी रही हैं और नौकरी भी कर रही हैं, सिर्फ़ इसीलिए कि घर की आर्थिक स्थिति सही सलामत रहे। आप बेटी को पढ़ाएँ, मजबूत बनाएँ, उसके आत्मविश्वास को बढ़ाएँ और उसकी इच्छाओं को कभी भी दबाएँ नहीं।

4

बेटी को कराएँ सामाजिक बातों का ज्ञान

इसमें कोई शक नहीं कि यह समाज पुरुष प्रधान अभी भी हैं और ज्यादातर नियम, व्यवस्थाएँ और प्रथाएँ पुरुषों के समर्थन में ही हैं। जितने भी प्रतिबंध, बंदिशें और रस्में हैं, वे सब महिलाओं के लिए हैं। पुरुष प्रतिबंधों और बंदिशों से मुक्त है। उस पर कोई भी प्रतिबंध लागू नहीं होता है। राह चलते, गाड़ी में सफ़र करते या घर में रहते या ऑफिस में काम करते कहीं भी महिलाओं के साथ अश्लील हरकतें पुरुष करते रहते हैं। इतने से भी मन नहीं भरता तो सामूहिक बलात्कार भी करते हैं।

महिलाओं के साथ ज्यादती कौन करता है? उनके सगे-संबंधी, रिश्तेदार, दोस्त और सहकर्मी ही तो करते हैं, जिन पर वे आँखें बंदकर विश्वास करती हैं, वे ही तो उनके साथ छल से बलात्कार करते हैं। आज का जो समय है, वह बहुत ही महँगाई वाला है। चीज़ों का दाम रोज़ ही बढ़ जाता है। महँगाई के साथ-साथ व्यक्ति की ज़रूरतें भी पल-पल बढ़ती रहती हैं। ऐसे में व्यक्ति दिन-रात काम करता है।

आज का हर अभिभावक बहुत ही व्यस्त है। उसके पास एक पल का भी समय नहीं है। जो माता-पिता हमेशा व्यस्त रहते हैं, वे अपने बच्चों पर पर्याप्त ध्यान नहीं दे पाते हैं। आज के समय में लड़का और लड़की दोनों ही पर पैनी नज़र रखने की ज़रूरत है।

नैतिक और सामाजिक ज्ञान बच्चों को पर्याप्त मात्रा में नहीं मिलता है तो वे निश्चित रूप से भटक जाते हैं और कोई-कोई बच्चा इतना भटक जाता है कि उसका जीवन ही ख़राब हो जाता है।

अभिभावकों की ज़िम्मेदारी आज के समय में पहले की अपेक्षा काफी बढ़ गई है क्योंकि घर का भी और बाहर का भी माहौल काफी बिगड़ गया है। इतना बिगड़ गया है कि बच्चों पर ध्यान न दिया गया तो कोई भी अनहोनी हो सकती है। अख़बारों में

अक्सर ही कुछ ऐसी ख़बरें पढ़ने को मिल जाती हैं कि उन पर विश्वास ही नहीं होता है, जो वास्तव में बिलकुल ही सच्ची होती हैं। जैसे भाई ने बहन को प्रेग्नेंट किया, देवर के साथ भाभी ने विवाह कर लिया, ससुर के साथ बहू ने संबंध बनाया, सास दामाद के साथ भाग गई आदि ख़बरें घर के अंदर की हैं। आप इससे अनुमान लगा सकते हैं जब घर के अंदर का इतना बुरा हाल है तो फिर घर के बाहर का माहौल कितना बुरा है।

घर के अंदर के माहौल को सही रखना आपके हाथ में तो है ही। आप पति और पत्नी दोनों ही सबसे पहले घर के माहौल को बिगड़ने न दें, इसके साथ ही इस बात का पता लगाते रहें कि बच्चों का आपस में कैसा संबंध है और उनका एक-दूसरे के साथ कैसा व्यवहार है। नज़र रखने पर गड़बड़ी होने की संभावना न के ही बराबर होती है। बेटी पर तो विशेष रूप से ध्यान देने की ज़रूतर है। रिश्तों के संबंध में बच्चों को अवगत कराएँ, उनको रिश्तों की पवित्रता के बारे में बताएँ और हर रिश्ते की एक मर्यादा होती है, इसकी भी जानकारी समय-समय पर उन्हें देते रहें। मैंने महसूस किया है, किस रिश्ते की क्या मर्यादा है और उसको कैसे निभाया जा सकता है, इस संबंध में अभिभावक गलती से भी बात नहीं करते हैं और बच्चों को कभी भी समझाने की कोशिश नहीं करते हैं।

पैसा खर्च करने से, नई और महँगी ड्रेस खरीदने से और ज़रूरतों को पूरा करने से बच्चों में रिश्तों के संबंध में अच्छी समझ उत्पन्न नहीं होती है। यह उदाहरण पढ़ें और मेरी बात को अच्छी तरह से समझें–

नेहा दफ़्तर से आई और सोफे पर धम्म से बैठ गई। इतने में उसकी बारह वर्षीय बेटी पिंकी ने उससे कहा–"मम्मी, राहुल मुझको नंगी फोटो दिखा रहा था।"

राहुल यही कोई सोलह वर्षीय लड़का था। नेहा आश्चर्य से पिंकी को देखते हुए बोली–"राहुल के पास नंगी फोटो कहाँ से आई?" नेहा यह पूछते-पूछते काफी परेशान हो गई और ऊँची आवाज़ में चिल्लाने लगी–"राहुल, तुम कहाँ हो?"

राहुल उस समय अपने बेडरूम में बैठा फेसबुक देख रहा था। राहुल बेडरूम से निकलते हुए ऊँची आवाज़ में बोला–"अभी आया, मम्मी। मैं ऑनलाइन क्लास ले रहा था।"

राहुल फेसबुक में व्यस्त था और अपनी माँ से कह रहा था कि वह ऑनलाइन क्लास ले रहा था, क्या यह सही है?

आजकल बच्चे अभिभावकों के प्रति ईमानदार बहुत ही कम हैं। बात-बात पर झूठ बोलने की आदत आजकल बच्चों में स्वाभाविक रूप से विकसित हो रही है। राहुल जब नेहा के पास आया तो नेहा ने कहा–"मोबाइल कहाँ है?"

"बेडरूम में है।" राहुल यह कहते-कहते पसीने से तर-बतर हो गया।

"जाकर मोबाइल ले आओ।" नेहा ने तल्ख आवाज़ में कहा।

राहुल दौड़कर मोबाइल ले आया। नेहा ने पूछा–"तुम्हारे पास नंगी फोटो कहाँ से आई है?"

"कैसी नंगी फोटो? आपसे किसने कहा?" राहुल अनजान बनते हुए बोला।

"मुझसे तुम्हारी बहन पिंकी ने कहा कि तुम उसको नंगी फोटो दिखाते हो।"

नेहा इतना कहते-कहते गुस्सा हो गई, फिर आगे बोली–"तुमको मालूम है पिंकी से तुम्हारा क्या रिश्ता है या पिंकी तुम्हारी क्या लगती है?"

राहुल बोला–"मम्मी, पिंकी मेरी बहन है।"

"तो क्या किसी ने तुमको बताया नहीं कि भाई और बहन के बीच कैसा रिश्ता होता है। क्या तुमको मालूम नहीं है कि भाई और बहन के बीच कुछ मर्यादा होती है, कुछ तहज़ीब होती है और कुछ परदा होता है?" नेहा ने पलक झपकते ही इतने सारे सवाल कर दिए।

राहुल थमती-थमती आवाज़ में बोला–"मम्मी, आपने कभी हमारे साथ बैठकर बताया ही नहीं कि भाई और बहन के साथ कैसा रिश्ता होता है।" राहुल के इतना कहते ही नेहा का चेहरा उतर गया। अगले पल ही वह यह सोचने पर मजबूर हो गई कि, गलती मेरी ही है। मैंने कभी बच्चों के साथ बैठकर उनसे बात ही नहीं की। उनकी बातों को कभी सुना ही नहीं। हमेशा व्यस्त रही। आज उसी का नतीजा है कि राहुल को इस बात का ज्ञान नहीं है कि बहन के साथ भाई को कैसा व्यवहार करना चाहिए। मुझे इनके साथ बैठकर नैतिक ज्ञान की बातें करनी चाहिए और किस रिश्ते के साथ कैसा व्यवहार करना चाहिए इसका भी बोध कराना ज़रूरी है।

इतना सोचते-सोचते नेहा का गुस्सा शांत हो गया और वह राहुल से बोली–"बेटा, पिंकी तुम्हारी बहन है। तुम उससे बड़े हो। तुम्हें इस बात का ज्ञान होना चाहिए कि बहन के साथ मर्यादित आचरण भाई करता है। भाई बहन की अस्मिता की रक्षा करता है, और बहन को नंगी फोटो नहीं दिखाता है। भाई बहन के साथ अश्लील बातें नहीं करता है। बहन की इज़्ज़त की रक्षा हर कीमत पर करता है।"

"मम्मी, नंगी फोटो मुझको कहीं से मिली नहीं है। मोबाइल में ऐसी फोटो पहले से हैं।" राहुल ने कहा।

"हाँ बेटा, मोबाइल में अच्छी और बुरी दोनों ही बातें हैं। अच्छी और ख़राब दोनों ही फोटो हैं। बेटा, यह तुम्हारे ऊपर निर्भर है कि तुम क्या देखना चाहते हो। बेटा, अच्छी चीज़ें देखोगे, तो अच्छा आदमी बनोगे और अश्लील और फूहड़ चीज़ देखोगे तो बुरा

आदमी बनोगे। बेटी पिंकी, ये बातें तुम्हारे लिए भी हैं। तुम राहुल को राखी बाँधती हो। राहुल तुम्हारा भाई है। बहन और भाई का रिश्ता अत्यंत ही पवित्र होता है।" नेहा के इतना समझाने पर पिंकी अचानक ही बोल पड़ी–"मम्मी, तुमने इतने प्यार और विस्तार से कभी भाई और बहन के रिश्ते के संबंध में बताया ही नहीं। मम्मी, आज से हम भाई और बहन एक-दूसरे के साथ मर्यादित व्यवहार करेंगे।" पिंकी के इतना कहकर चुप होते ही राहुल बोल पड़ा–"हाँ मम्मी, आपको अब कभी शिकायत का मौका हम नहीं देंगे।" राहुल ने अपनी माँ को विश्वास दिलाते हुए कहा। नेहा को अब कहीं जाकर शांति मिली। एक कामकाजी महिला के सामने सबसे बड़ी समस्या तो यही होती है कि उसकी ग़ैरहाज़िरी में अबोध, मासूम और अनुभवहीन बच्चे एक-दूसरे के साथ गलत व्यवहार करेंगे तो क्या होगा? यह कोई छोटी-मोटी समस्या नहीं है। इस समस्या से निजात पाने के लिए यह ज़रूरी है कि हर कामकाजी महिला अपने बढ़ रहे लड़के और लड़कियों के साथ ज्यादा नहीं तो दस-पन्द्रह मिनट तो अवश्य ही बैठकर बात करें। उनको वे बातें अवश्य ही बताया करे, जो नैतिकता का पाठ पढ़ा सकें।

दिक़्क़त आज इस बात की है कि स्कूल में या घर में या आस-पड़ोस में नैतिकता की जानकारी बच्चों को बिलकुल ही नहीं दी जाती है। मर्यादा की बात नहीं की जाती है और श्लील तथा अच्छे शब्द भी आपस में बोले नहीं जाते हैं। समय का अभाव सबके पास ही है, जिससे व्यक्ति एक-दूसरे के साथ बैठकर बातचीत नहीं कर पाता है। ज्यादातर विशेषज्ञों की सलाह है कि हफ़्ते में दो-तीन दिन यदि परिवार के सारे लोग एक साथ बैठकर खाना खाते हैं और बच्चों की शिकायतों को ध्यान से सुनते हैं तथा उनका समाधान भी ढूँढ़ निकालते हैं तो परिवार में ऊर्जावान माहौल बना रहता है और बच्चे अच्छी बातें ही सीखते हैं। फूहड़ और गंदी बातें वे गलती से भी नहीं सीख पाते हैं।

आजकल अधिकतर परिवारों में नैतिकता का कहीं नामोनिशान तक भी नहीं है। मैं एक बात यहाँ बता दूँ कि बच्चे गंदी बातें जल्दी पकड़ते हैं और अच्छी बातें जल्दी नहीं पकड़ते हैं। अच्छी आदतें जल्दी नहीं पड़ती हैं, लेकिन गंदी आदतें तुरंत ही व्यवहार में शामिल हो जाती हैं। इसलिए शास्त्रों में कहा गया है कि अच्छे लोगों के साथ रहें, अच्छे कार्य करें और अच्छी बात करें।

विशेष रूप से बेटी को आगे बढ़ाना आज बहुत ही आवश्यक है। बेटी को आगे बढ़ाने के बारे में आप तभी सोच सकते हैं जब बेटा के प्रति आपका अनावश्यक रूप से जो झुकाव है वह कम हो जाए। बेटे के प्रति जो झुकाव है, उसको कम करना बहुत ही कठिन है क्योंकि बेटे को कुलदीपक कहा गया है। कुल का नायक कहा गया है। स्त्री और पुरुष दोनों ही बेटे में जाने ऐसी क्या चीज़ देखते हैं, जो उनको बेटी में

दिखाई नहीं देता है। दोनों आपके प्यार के ही प्रतिफल हैं। बेटी बेटे से कहीं अधिक प्यारी, आज्ञाकारी और ज़िम्मेदार होती है।

बेटी बेटे से कहीं अधिक संवेदनशील होती है और मम्मी-पापा की चिंता वह जितना करती है, उतना बेटा नहीं करता है। यह बात समझ में तब आती है जब बेटा की शादी हो जाती है। बहुत से लोगों के मन में भ्रम होता है कि लड़कियाँ लड़कों वाले काम नहीं कर सकती हैं, लेकिन लड़कियाँ इस समय हर महकमे में बख़ूबी काम कर रही हैं और पुरुषों से दो कदम आगे ही हैं। आप आँखों को दौड़ाकर देखेंगे तो आपको हर जगह लड़कियाँ कुशलतापूर्वक काम करते हुए नज़र आ जाएँगी। लड़कियाँ लड़कों की अपेक्षा अधिक व्यवहार कुशल होती हैं, अपने काम के प्रति जवाबदेह तथा ज़िम्मेदार भी होती हैं और गुटबंदी में रुचि कम लेती हैं तथा अधिक-से-अधिक काम करने में विश्वास करती हैं।

आपके लिए एक ऐसा उदाहरण प्रस्तुत है, जिसे पढ़ने के बाद आप मेरी बातों को बख़ूबी समझ सकते हैं–

पिता अपनी पन्द्रह वर्षीय बेटी को लेकर साइकोलॉजिस्ट के क्लीनिक में पहुँचा। साइकोलॉजिस्ट की अनुभवी आँखों ने लड़की को ध्यान से देखा, फिर लड़की से ही पूछा–"बेटी, तुम्हें क्या दिक़्क़त है?"

लड़की के चेहरे पर हलकी मुस्कान फैल गई। अपने लिए बेटी शब्द का इस्तेमाल होते देख लड़की के दिल को बड़ा ही सुकून मिला। लड़की कोई अबोध बालिका नहीं थी। वह पन्द्रह साल की थी और आज के दौर में पन्द्रह साल की लड़की को सबकुछ पता होता है। कौन उसके साथ कैसा व्यवहार करता है, इतना तो उसको पता होता ही है।

लड़की कुछ कहना तो चाह रही थी, लेकिन बोल नहीं पा रही थी, कभी पिता को देख रही थी तो कभी साइकोलॉजिस्ट को देख रही थी।

साइकोलॉजिस्ट समझ गया कि लड़की कुछ कहना तो चाह रही है, लेकिन पिता के डर से बोल नहीं पा रही है। साइकोलॉजिस्ट ने लड़की के पिता से कहा–"आप ज़रा बाहर रखी बेंच पर जाकर बैठ जाएँ। मैं लड़की से अकेले में कुछ पूछना चाह रहा हूँ।"

पिता के बाहर चले जाने पर लड़की बोली–"सर, मैं प्यार के दो बोल सुनने के लिए तरस गयी हूँ। आपने जब मुझे बेटी कहा तो मन को बड़ा ही सुकून मिला। मेरी माँ गाली से ही बात करती है और पिता तो मुझसे बात करते ही नहीं हैं। मेरे दोनों भाई मुझसे छोटे हैं। उनको सारी सुविधाएँ प्राप्त हैं। उनको उनकी पसंद की चीज़ें मिलती रहती हैं और मेरे हिस्से में माँ की गालियाँ आती हैं और घर के जूठे बरतन आते हैं, घर की साफ़-सफाई आती है। भाइयों को पढ़ाने के लिए घर पर ट्यूटर आता

है और भाई प्राइवेट स्कूल में हैं और मैं सरकारी स्कूल में हूँ। स्कूल से आने के बाद माँ मुझको घरेलू कार्यों में लगा देती हैं और भाई टी.वी. के आगे बैठकर कार्टून देखने लगते हैं। पापा भाइयों से ख़ूब प्यार से बोलते हैं। जब भी कहीं बाहर से या दफ़्तर से पापा घर आते हैं तो दोनों भाइयों को आवाज़ देकर बुलाते हैं और उनके लिए ही खाने-पीने की चीज़ें लाते हैं। मुझे तो तब कोई चीज़ मिलती है, जब भाई छोड़ देते हैं। मैं मम्मी-पापा का अपने प्रति व्यवहार देखकर खुद से कभी-कभी सवाल कर बैठती हूँ कि क्या लड़कियाँ इतनी बुरी होती हैं?" लड़की इतना बोलते-बोलते सुबकने लगी।

उसकी पीड़ा असहनीय थी। साइकोलॉजिस्ट बोला–"नहीं, लड़कियाँ इतनी बुरी नहीं होती हैं। लड़कियों के अभिभावक इतने बुरे होते हैं कि उन्हें लड़कियों की अच्छाइयाँ दिखती ही नहीं हैं। आपको यहाँ इलाज के लिए लाया गया है, लेकिन मुझे तो तुममें कोई भी मानसिक रोग नज़र नहीं आ रहा है। तुम में हीन भावना का स्तर काफी बढ़ गया है, जो बर्दाश्त के बाहर है। तुम स्वयं को असुरक्षित भी महसूस करती हो, जिससे तुम डरी-डरी सी रहती हो। इससे तुम्हारा बौद्धिक विकास थम गया है। तुम बाहर जाकर बैठो। मैं तुम्हारे पापा को अब अंदर बुलाऊँगा क्योंकि तुम्हें मानसिक रूप से बीमार और हीनभावना का शिकार तुम्हारे मम्मी-पापा ने ही तो बनाया है। मैं उनको बताऊँगा कि आपकी बेटी के मानसिक रूप से डिस्टर्ब रहने का कारण क्या है।" साइकोलॉजिस्ट के इतना कहने पर वह लड़की बाहर आकर बेंच पर बैठ गई और अपने पापा को अंदर भेज दिया।

साइकोलॉजिस्ट ने कहा–"सर, मैंने आपकी बेटी से बात की तो मुझे पता चला कि वह अपने मम्मी-पापा की वजह से मानसिक रूप से डिस्टर्ब है। जी हाँ, आप पति और पत्नी अपनी बेटी की इस हालत के लिए ज़िम्मेदार हैं। आप ज़रा सोचिए, एक ही खाने की मेज पर दो तरह के भोजन परोसे जाएँ और दो तरह के व्यवहार किए जाएँ तो क्या यह भेदभावपूर्ण व्यवहार वहाँ बैठे लोगों को दो गुटों में बाँटकर उनमें ईर्ष्या, जलन और बदले की भावना उत्पन्न नहीं कर देगा। भेदभाव करना, किसी के स्वाभिमान को ठेस पहुँचाना, जिस थाली में खाना खाना उसी थाली में छेद करना और भरी महफिल में बदनाम करना विद्रोह को उत्पन्न करता है। जिस परिवार के बुज़ुर्ग ऐसी नीतियाँ अपनाते हैं और ऐसे व्यवहार करते हैं, उस परिवार के सदस्य आपस में लड़ते-झगड़ते रहते हैं, सदस्यों के अलग-अलग गुट बन जाते हैं और वह परिवार जल्दी ही कई टुकड़ों में विभाजित भी हो जाता है। आपकी बेटी इस बात को लेकर गुस्सा है कि भाई ऐसा क्या करेगा कि मैं नहीं कर सकती? आप दोनों ही बेटी के साथ अच्छा व्यवहार नहीं करते हैं। आप दोनों ही बेटे को ही महत्त्व देते हैं और कहीं से भी आते हैं तो बेटे को ही आवाज़ देते हैं जैसे आपको एक ही बेटा है, बेटी तो है ही नहीं। बेटा और बेटी

एक ही मम्मी-पापा की औलाद हैं तो यह भेदभाव क्यों? आप पति और पत्नी दोनों ही लड़की को कोई भाव नहीं देते हैं। उसको ऐसा लगता है जैसे वह घर में रहती ही नहीं है और आप दोनों की नज़र में घर में बस एक ही बच्चा है और वह है उसका भाई। आपकी बेटी आपके लाड़, प्यार और अपनापन की भूखी है। वह चाहती है कि भाई की तरह ही मम्मी-पापा उसको भी महत्त्व दें।"

पिता ने कहा–"यह संभव नहीं है क्योंकि वह लड़की है। लड़की कभी भी लड़का नहीं बन सकती, इसलिए उसके साथ लड़कों जैसा व्यवहार नहीं किया जा सकता है।"

साइकोलॉजिस्ट ने कहा–"यही तो सोचने वाली बात है। लड़के जो कार्य करते हैं, क्या लड़की वह कार्य नहीं कर रही है? हाँ या नहीं में जवाब दीजिए।"

"हाँ, लड़कियाँ लड़कों वाले सारे कार्य कर रही हैं।" पिता ने कहा।

"तो फिर उनके साथ बेटे जैसा व्यवहार करने में क्या हर्ज है? लड़का और लड़की में कोई अंतर नहीं है। आप अपनी मैडम को भी समझाएँ और खुद भी समझें। लड़कियाँ सब कार्य कर सकती हैं, बस आप उनकी परवरिश लड़कों की तरह ही कर दें।" साइकोलॉजिस्ट इतना समझाने के बाद आगे बोला–"मेरे दिमाग में एक बात, जो आज तक नहीं समझ आ सकी है कि लड़कियाँ शादी के बाद ससुराल चली जाती हैं तो लड़के भी तो शादी के बाद जहाँ नौकरी करते हैं, वहाँ अपनी पत्नी को लेकर चले जाते हैं और माता-पिता पैतृक मकान में ही रह जाते हैं, फिर माता-पिता लड़का और लड़की में भेदभाव क्यों करते हैं? उन्हें तो निःस्वार्थ भाव से बेटा और बेटी की परवरिश करनी चाहिए। बेटी को यदि बेटे जैसा काबिल, सुशिक्षित और आत्मनिर्भर बना दिया जाए तो वह भी माता-पिता की आजीवन देखभाल कर सकती है।

एक सर्वे की रिपोर्ट में कहा गया है कि महिलाएँ आर्थिक रूप से स्वतंत्र नहीं होती हैं, शिक्षित भी नहीं होती हैं, जिससे शादी के बाद पति के सामने वे अपने अधिकारों के लिए स्पष्ट शब्दों में बोल नहीं पाती हैं। उन्हें शिक्षित करना ज़रूरी है। वे शिक्षित होंगी, तभी आर्थिक स्वतंत्रता उन्हें मिल पाएगी, क्योंकि एक शिक्षित स्त्री ही आकर्षक वेतन वाली नौकरी कर सकती है या अन्य कोई भी कार्य कर सकती है, इसके साथ ही अपने अधिकारों के लिए भी जागरूक हो सकती है। अशिक्षित स्त्री चाहकर भी आर्थिक रूप से स्वतंत्र कभी भी नहीं हो पाती है, इसलिए बेटी को पढ़ाएँ। बेटी पढ़ेगी तभी होशियार बनेगी।

बेटी की परवरिश कुछ इस तरह से करें कि उसकी और सेहत सौंदर्य सुरक्षित रहने के साथ-साथ उसकी अस्मिता भी सुरक्षित रहे। लड़की स्वभाव से कोमल और भावुक होती है, इस लिए उसका शोषण होता रहा है। उसकी कोमलता और भावुकता का इस्तेमाल पुरुष प्रधान समाज बड़ी चतुराई से करता है। कभी ममता की मूर्ति बनाकर,

कभी बहन बनाकर, कभी पत्नी बनाकर, कभी मित्र बनाकर तो कभी हमदर्द बनकर स्त्री को पुरुष सदियों से इस्तेमाल करता आ रहा है। बार-बार इस्तेमाल होने के बाद भी स्त्री इस्तेमाल हो रही है, क्योंकि अभिभावक आज भी बेटियों को पढ़ाना-लिखाना पसंद नहीं करते हैं। वैसे बदलते समय के साथ-साथ महिलाओं के बारे में पुरुषों की सोच में भी बदलाव आया है और आजकल माँ-बाप बेटा के साथ बेटी को भी शिक्षित कर रहे हैं। अब उनके भेजे में यह बात घर कर गई है कि बेटी को भी पढ़ाना आवश्यक है क्योंकि पढ़ी-लिखी और अच्छी सैलरी पाने वाली स्त्री ही ज़रूरत पड़ने पर अपने माता-पिता या अपने मायके वालों को किसी भी तरह की सहायता दे सकती है। लोग कहते हैं कि लड़कियों के वश में कुछ भी नहीं है। जबकि सच्चाई यह है कि लड़कियों को आप लड़कों की तरह पाल-पोस कर देखें, वे कठिन से कठिन कार्य भी कर सकती हैं और उफ् तक भी नहीं करेंगी।

आज लड़कियाँ हर क्षेत्र में हैं, लेकिन उनकी संख्या बहुत ही कम है। अभी भी ऐसे परिवार हैं, जो लड़की को कितना पढ़ाना है, निश्चित है। इससे आगे कुछ भी हो जाए, वे पढ़ाना पसंद नहीं करते हैं।

आज भी अधिकतर अभिभावक बेटी को सामाजिक जानकारी नहीं देते हैं। यही कारण है कि बेटियाँ उन लोगों पर विश्वास कर धोखा खा जाती हैं, जो लोग दूसरों को केवल टोपी पहनाने में ही रुचि लेते हैं, मेहनत करके खाना उनको अच्छा नहीं लगता है और जो महाचरित्रहीन होते हैं। आप बेटी की परवरिश करते समय उसको समाज के संबंध में बताएँ, सामाजिक बातों को बताएँ और समाज में कैसे रहा जाता है यह सीख भी दें। इससे कई लाभ आपकी बेटी को भविष्य में हो सकता है।

महिलाओं के पास एक छठीं इन्द्रिय होती है, जिसे सिक्स सैन्स भी कहा जाता है। यूँ कह लें की महिलाओं को ईश्वरीय वरदान प्राप्त है। इस सैन्स के द्वारा प्रत्येक महिला अपने आस-पास के प्रत्येक पुरुष सहकर्मी का चित्त, प्रवृत्ति एंव सोच का सीधे तौर पर न सही पर अंश मात्र अनुमान तो लगा ही लेती है। यही अनुमान उस महिला को आने वाले संकट से अवगत कराता है। हमें अपनी बेटियों को इस छठी इन्द्रिय को जाग्रत करने के गुण व तरीके समझाना चाहिए, जिससे कोई भी जान-पहचान वाला या अनजान व्यक्ति उस पर अत्याचार न कर सके।

बेटियों को सामाजिक ज्ञान देने के तरीके

अब समय परिवर्तन का है इसलिए हमें अपनी बेटियों को समाज में अपनी स्थिति सुधारने हेतु और समाज में अपना वर्चस्व कायम करने की ओर प्रेरित करना है, उसके लिए सबसे पहला कदम है कि हम अपनी बेटियों को सामाजिक ज्ञान से अवगत कराएँ।

उन्हें समझाएँ कि वे जिस समाज में अपने कदम जमाने जा रही हैं, वहाँ कैसे-कैसे लोग मिलते हैं, उनकी सोच कैसी है, वे यूँ ही किसी की मदद क्यों कर रहे हैं—इन सभी कार्यों के पीछे उनकी मानसिकता क्या है आदि। सामाजिक ज्ञान में बेटियों को छठीं इन्द्रिय प्रयोग करने के साथ-साथ आत्मरक्षा के गुण भी सीखने चाहिए, जो आज प्रत्येक महिला के लिए परम आवश्यक गुण है। इस पुस्तक में जहाँ हम आगे चूड़ी, बिंदी, गहनों को लड़कियों के विकास में बाधक बता रहे हैं, वहीं हमें अपनी बेटियों को इन सबका प्रयोग कैसे आत्मरक्षा में करना है, इसका गुण भी उन्हें बताना चाहिए। आज जहाँ लिंग अनुपात में इतने परिवर्तन हुए हैं, वहीं सरकार भी बेटियों को लेकर काफी जागरूक हुई है। स्कूलों में लड़कियों को आत्मरक्षा के कौशल सिखाए जाते हैं। बेटियों को आत्मरक्षा से संबंधित ज्ञान दिया जाता है।

कुल मिलाकर मैं यह कहना चाहता हूँ कि जब हमने अपनी बेटियों के प्रति अपनी सोच सकारात्मक कर ही ली है तो उन्हें नैतिक, सामाजिक, तथा आत्मरक्षा के गुणों से अवगत कराने में क्या हर्ज है। उन्हें समझाएँ की संकट की घड़ी में कैसे उन्हें अपने आस-पास की चीजों से ही आत्मरक्षा करनी है और उस संकट से उभरना है, फिर चाहे संकट घर में किसी से या रिश्तेदारों से या फिर बाहर वाले से ही क्यों न हो।

यह उदाहरण पढ़ें और इसका लाभ आप भी उठाएँ। पल-पल बदल रही इस दुनिया में स्त्री को समाज का ज्ञान तो होना ही चाहिए—

मोना यही कोई बारह साल की एक अत्यंत ही हसीन लड़की थी। उसकी माँ नीरजा बारहवीं तक पढ़ी थी और उसके पापा माधवनंद आठवीं फेल थे, किन्तु वैचारिक स्तर पर माधवनंद नीरजा से कहीं अधिक बेहतर थे। मोना को भी ऐसा ही लगता था। इतनी कम उम्र में उन दोनों में इतना बड़ा अंतर करना उसके वश की बात वैसे नहीं थी। माधवनंद मोना को ठीक से समझते थे और नीरजा थोड़ा सा भी उसको समझती नहीं थी। शायद यही वजह थी कि मोना नीरजा को पसंद नहीं करती थी।

मोना कुछ बड़ी हुई तो उसके मित्रों की संख्या में भी वृद्धि हो गई और सोच में भी बदलाव आ गया। मोना की एक दोस्त थी भावना, जो काफी अमीर परिवार की थी। अब मोना की उम्र यही कोई सत्रह की थी। यह उम्र ही ऐसी होती है, जो चंचल और बेफिक्र बना देती है। न कोई चिंता होती है और न ही आस-पास की कोई ख़बर होती है।

एक दिन भावना मोना से मिलने आई। नीरजा मोना को बेडरूम में ले जाकर बोली—"यह वही लड़की है, जो तुझे कभी ड्रेस भेंट करती है, तो कभी घड़ी, तो कभी किसी रेस्तराँ में ले जाकर जलपान कराती है?"

"मम्मी...।" मोना खीझते हुए बोली–"यह मेरी अच्छी दोस्त है। मुझसे प्यार करती है। कोई चीज़ मुझे भेंट स्वरूप देती है, तो क्या बुरा करती है?" मोना ने कहा।

"बदले में तू उसे कभी कुछ देती है?" नीरजा खीझकर बोली।

"मेरे पास कुछ हो तब तो दूँ। वह जानती है कि मैं उसको कुछ भी नहीं दे सकती।"

"वह तुझको जानती है किन्तु तू खुद को नहीं जानती है। खुद को जानती तो उससे कुछ भी नहीं लेती। देख बेटी, चीज़ों से और पैसों से व्यक्ति अमीर नहीं बनता है। वह प्यार से तुम्हें कुछ नहीं देती है। वह तो तेरी हालत पर तरस खाकर तुझको कभी ड्रेस तो कभी घड़ी देती है। लेने की आदत छोड़कर स्वाभिमानी बन, बेटी।" इतना कहकर नीरजा बेडरूम से बाहर निकल आई।

मोना दुविधा में पड़ गई कि सच क्या है? तभी भावना ड्राइंग-रूम से बेडरूम में आ गई–"मैं यहाँ तेरे से मिलने आई हूँ और तू है कि अकेली बैठी है?" इतना कहकर भावना खिलखिलाकर हँस पड़ी। अगले पल ही मोना के मन में विचार आया कि भावना का मन तो सच्चा है। इतने में भावना मोना की तरफ़ दो सौ रुपए बढ़ाते हुए बोली–"तू यह रख ले। कल मेरे भाई का जन्मदिन है। कोई अच्छा-सा गिफ्ट लेकर आना।"

मोना संकोच करते हुए बोली–"मैं तेरे पैसे से गिफ्ट दूँगी तो फिर वह मेरा दिया हुआ गिफ्ट नहीं हुआ न? रहने दे, मैं नहीं लेती।" यह कहते-कहते मोना मुस्करा पड़ी ताकि भावना को बुरा न लगे, लेकिन भावना नहीं मानी और मोना को 200 रुपए देकर चली गई। इतने में माधवनंद कमरे में दाखिल हुए और पूछने लगे–"ये रुपए किसके हैं?"

मोना माधवनंद के इस सवाल से डर गई और सच मुँह से निकल गया–"ये रुपए भावना के हैं। वह इसलिए दे गई कि मैं गिफ्ट खरीदकर उसके भाई के जन्मदिन पर भेंट कर सकूँ।"

"क्यों, हम इतने गरीब और लाचार हैं कि किसी को गिफ्ट भी नहीं दे सकते? ये रुपए अपनी सहेली को दे देना।" इतना कहकर माधवनंद ने अपनी जेब से 500 रुपए का नोट निकालते हुए कहा–"बेटी, दोषी हम ही हैं। युवा बच्चों का भी बड़ों की तरह सामाजिक दायरा होता है। उनके भी दोस्त होते हैं और उनकी भी कुछ व्यक्तिगत ज़रूरतें होती हैं। हमने कभी भी इन बातों पर ध्यान ही नहीं दिया और तुझे न कभी फैशन वाली ड्रेसेस ही दी, जिससे तू अपनी दोस्तों की नज़र में दीन-हीन बन गई।" इतना कहकर माधवनंद ने जैसे ही मोना को 500 रुपए का नोट थमाया वैसे ही नीरजा वहाँ आ गई। वह कहने लगी–"बाप-बेटी में क्या गुफ्तगू हो रही है?"

"हमारी बेटी की सहेली के घर फंक्शन है। यह गिफ्ट देना चाहती है। मैंने 500 रुपए दिए हैं।" माधवनंद ने नीरजा को देखते हुए कहा।

नीरजा अजीब-सा मुँह बनाते हुए बोली—"रुपए देने से बच्चे बिगड़ जाते हैं।"

"इसका दूसरा पहलू भी तो है। पैसे पास न होने पर बच्चे हीनभावना के शिकार भी तो हो सकते हैं। वे स्वयं को हर पल अपमानित महसूस कर सकते हैं। दूसरे बच्चों से स्वयं को छोटा समझ सकते हैं। उनमें स्वाभिमान जैसी कोई भी बात नहीं रह जाती और जिस व्यक्ति में स्वाभिमान जैसी कोई भी बात नहीं रह जाती, वह जीवन में कभी आगे नहीं बढ़ पाता है।" माधवनंद ने नीरजा को दूसरा पहलू दिखाया। नीरजा ने आगे कुछ नहीं कहा। वह चुपचाप किचन में चली गई।

मोना दूसरे दिन भावना के घर पहुँची। और भावना के भाई को एक सुंदर-सा गुलाब के फूलों का गुच्छा और साथ में परफ्यूम का सेट भेंट किया। भावना बहुत ही ख़ुश हुई। जाने क्यों उसका मोना से इतना दिली लगाव था। खाना खाने के बाद मोना जाने को तैयार होने लगी तो भावना बोली—"मेरा भाई अमित तुझे मोटरसाइकिल से छोड़ देगा।"

मोना संकोच करते हुए बोली—"रहने दे यार, मैं चली जाऊँगी। तेरे भाई के साथ जाना क्या अच्छा लगेगा?" यह कहते हुए मोना ने पाँच सौ रुपए उसके हाथ पर रख दिए। भावना चौंकती हुई बोली—"यह क्या....? वह गिफ्ट....नहीं-नहीं, मुझे ये रुपए नहीं चाहिए।"

"नहीं भावना, मुझे नहीं चाहिए ये रुपए, क्या मैं किसी को गिफ्ट भी उसके पैसे से ही दूँगी। तू कैसी दोस्त है कि मुझे इतना भी कभी नहीं बताया कि व्यक्ति को जितना हो उतना में ही रहना चाहिए।" यह कहते-कहते मोना चुप हो गई। भावना उसकी कलाई थामकर बोली—"तू तो मेरी सबसे अच्छी सहेली है। तुझको किसी के भी आगे नीचा न होना पड़े, मन में हीनभाव न पैदा हो, यह सोचकर मैंने जो खुद के लिए किया वह तेरे लिए भी किया और तू इसका गलत अर्थ लगा बैठी।" भावना की आँखें भींग गईं। उसका भाई अमित जाने कब से छुपकर उन दोनों की बातें सुन रहा था। वह सहसा ही सामने आकर बोला—"एक्सक्यूज मी, भावना तू गलत है। तेरी सहेली सही कह रही है। दोस्त का स्टेटस जैसा भी हो उसको उसी के साथ स्वीकार करना चाहिए। तूने अपनी सहेली को प्यार और हमदर्दीवश चीज़ें भेंट कीं और तेरी सहेली अपनी नज़रों में ही गिरती चली गई।" इतना कहकर अमित ने मोना को देखा। फिर आगे कहा-"आप में आज जो यह खुद्दारी और स्वाभिमान जागा है। उससे मुझे प्यार हो गया है। आई लव यू। स्वाभिमानी तो सभी होते हैं, लेकिन जो लोग खोए स्वाभिमान को फिर से पा लेते हैं या समझ जाते हैं, वे ही महान होते हैं।" यह कहकर अमित मुस्करा पड़ा।

भावना भी मुस्करा पड़ी क्योंकि उसकी नाराज़गी दूर हो गई थी। अमित की इन बातों से मोना इस कदर प्रभावित हुई कि उससे पहली नज़र में ही प्यार हो गया, फिर उसके साथ घर जाने में मोना को कोई परेशानी नहीं हुई।

मोना अमित के साथ घर आई तो वह छूटते के साथ ही नीरजा से ऐसे बोला जैसे कब का उनको जानता हो–"आंटी, आपकी बेटी मुझको बहुत ही अच्छी लगी। मैं एम. ए. फाइनल ईयर में हूँ। आप और आपकी बेटी को यदि मैं ठीक लगूँ तो मेरे पापा से रिश्ते के लिए आप बात कर सकती हैं।" यह कहते-कहते अमित जैसे ही जाने के लिए मुड़ा, नीरजा ने उसे संबोधित करते हुए कहा–"बेटे, तुम इतनी बड़ी बात इतनी सहजता से कह गए, स्पष्ट है यह बात दिल से निकली हुई है। हम बात करेंगे।"

अमित इतना कहकर चला गया। नीरजा को पहली बार मोना ने जाना कि वैचारिक स्तर पर नीरजा कितनी सुलझी हुई है। भावना जैसी मित्र और अमित जैसा नेक इनसान और इतना अच्छा घराना सबकुछ मिनटों में ही तो मिल गया, भला मोना ख़ुश होती भी तो क्यों नहीं होती।

उपरोक्त घटना के माध्यम से मैं केवल इतना बताना चाहता हूँ कि अपनी बेटी को मोना की तरह ऊँच-नीच का ज्ञान कराते रहें, उसको यह भी बताते रहें कि मित्रता भी उनसे ही करो जो मन के सुन्दर और अच्छे हों। स्वार्थी, मक्कार, विश्वासघाती और छली-कपटी या झूठे लोगों से बचने में ही भला है। आजकल लड़कियाँ समाज का सही ज्ञान न होने के कारण गलत लोगों के बहकावे में अक्सर ही आ जाती हैं और एक दिन ऐसा भी आता है कि लोग उनका इस्तेमाल तरह-तरह के डर दिखाकर करने लगते हैं।

अपनी बेटी को गलत इस्तेमाल होने से बचाएँ। अख़बारों में अक्सर ही कुछ ऐसी ख़बरें छपती रहती हैं, जो यह सोचने पर मजबूर कर देती हैं कि बेटी को समाज से जुड़े हर मुद्दे को बताते रहना बहुत ही ज़रूरी है। आज का समाज अत्यंत ही गंदा हो गया है और दिन-प्रतिदिन गंदा होता ही जा रहा है।

एक पिता दिन-प्रतिदिन अपनी जवान हो रही बेटी को लेकर मानसिक रूप से परेशान था। उसका परेशान होना जायज़ भी था। एक दिन पिता कुछ ज्यादा ही अपनी बेटी की सुरक्षा को लेकर डर गया तो साइकोलॉजिस्ट से मिला और उसको बताया–"सर, मेरी बेटी बहुत ही चंचल, सुंदर और वाचाल है।"

साइकोलॉजिस्ट ने कहा–"यह तो अच्छी बात है। इसमें परेशान होने वाली कोई बात ही नहीं है। आपकी बेटी मेधावी है। तेज़-तर्रार है और जमाने के अनुकूल है। आपकी समस्या क्या है यानी आपको दिक़्क़त कहाँ महसूस हो रही है?"

पिता ने कहा–"आजकल लड़कियों को जॉब का लालच दिखाकर ऐसे भी लोग हैं, जो उनके जीवन को ही बर्बाद कर देते हैं। मैं नहीं चाहता कि मेरी बेटी के साथ किसी भी प्रकार का हादसा हो।"

साइकोलॉजिस्ट ने पिता को आश्चर्य से देखा, फिर उसने महसूस किया कि यह डर एक पिता का है। वह बोला–"जमाना कैसा है, समाज कैसा है, लोग कैसे हैं, इस चक्कर में न पड़कर आप बेटी को बस इतना बताने की कोशिश करें कि किसी भी तरह के बहकावे में पड़ने की ज़रूरत नहीं है। यदि कोई व्यक्ति बिना किसी मेहनत के सुविधाएँ देने की बात कर रहा हो तो यह सोचना ज़रूरी है कि यह इतना मेहरबान क्यों है? आप अपनी बेटी को यह सीख ज़रूर दें कि बिना वजह, बिना लाभ और बिना स्वार्थ के कोई भी किसी की सहायता या काम नहीं करता है। जब कोई पुरुष बात-बात पर किसी स्त्री पर मेहरबान होने लगे तो स्त्री को उससे सावधान हो जाने की ज़रूरत है। उस पुरुष मित्र या पुरुष सहकर्मी से सावधान रहने की ज़रूरत है, जो किसी होटल में अक्सर ही रात या दिन का खाना खाने के लिए जिद करता हो और खाने का बिल खुद की जेब से बेहिचक चुकाने को कहता हो। मेरी सलाह है कि आप अपनी बेटी को समाज में इनसान के रूप में घूम रहे दरिन्दों को पहचानने की नयी-नयी तरकीब बताते रहें ताकि उसका कहीं कोई शारीरिक, मानसिक या फिर आर्थिक शोषण न कर सके।" साइकोलॉजिस्ट ने समझाया। पिता संतुष्ट होकर क्लीनिक से बाहर हो गया।

कहने का मतलब है कि यह समाज बहुत ही विशाल और गहरा है। इसको धीरे-धीरे दूसरों के अनुभवों और अपने अनुभवों की मदद से समझा जा सकता है। पूरी ज़िंदगी बीत जाती है, लेकिन समाज को पूरी तरह से व्यक्ति समझ नहीं पाता है क्योंकि वह अपने बड़े-बूढ़ों से अनुभवों की मदद लेता ही नहीं है। आप अपनी बेटी को समय-समय पर शिक्षित करते रहें। इस मामले में ध्यान देने योग्य बात यह है कि बेटी को लोभी न होने दें, कामी न होने दें और उसके चरित्र का भी पतन न होने दें।

समाज जैसा भी हो, उसी समाज में व्यक्ति को रहना पड़ता है। आप समाज को या दुनिया को बदल नहीं सकते हैं। आपको कैसे जीना है, आपको कैसे रहना है और आपको क्या करना है, यह आपको निश्चित करना है। समाज की, लोगों की और परिस्थितियों की परवाह वे लोग करते हैं, जिनको स्वयं पर पूरी तरह से विश्वास नहीं होता है। परिस्थितियाँ उनपर ही भारी पड़ती हैं, समाज उनको ही दबाता है और जमाना उनमें ही कमी निकालता है, जिनको चलने नहीं आता है और जो केवल नकल पर निर्भर रहते हैं तथा अक्ल से काम नहीं लेते हैं। आप अपनी बेटी में आत्मविश्वास भरें। एक अध्ययन की रिपोर्ट में कहा गया है कि महिलाओं में आत्मविश्वास का अभाव होता है, इसीलिए वे रिस्क नहीं ले पाती हैं और बिना रिस्क लिए जीवन में सफलता भला कैसे मिल सकती है? इसलिए बेटी को सामाजिक और आत्मविश्वासी बनाएँ।

5

प्यार को बनने न दें करियर में बाधक

आज की डिजिटल दुनिया में युवा होती बेटी को प्यार से बचाकर रखना आसान काम नहीं है। बेटी को प्यार से दूर रखना अत्यंत ही कठिन काम है। प्यार एक संक्रामक रोग से कम ख़तरनाक नहीं है। एक बार जब किसी के साथ जवान हो रही बेटी का दिल जुड़ जाता है तो वह और मजबूती के साथ जुड़ता ही चला जाता है और एक दिन वे एक-दूसरे के इतना करीब आ जाते हैं कि उनके बीच की दूरियाँ ही मिट जाती हैं। जब बीच की दूरियाँ मिट जाती हैं तब उनको इसके अलावा कुछ भी नहीं सूझता है। उनके लिए रात और दिन दोनों ही बराबर होते हैं। जब भी मन करता है, वे मोबाइल ऑन कर चैटिंग करने लगते हैं। वे यह देखना भी ज़रूरी नहीं समझते हैं कि रात है या दिन है? कोई देख रहा है या नहीं?

उनको तो बस बात करने से मतलब होता है। उन्हें दीन-दुनिया की कोई ख़बर नहीं होती है। चैटिंग करते समय उँगलियाँ सौ की स्पीड में चलती हैं, आँखें मोबाइल के स्क्रीन पर टिकी हुई होती हैं और चेहरे पर मंद-मंद मुस्कान होती है और आस-पास की ख़बर नहीं होती है। करियर भी कोई चीज़ है इसकी ख़बर तक भी उनको नहीं होती है।

फेसबुक पर, व्हाट्सएप पर बातों से शुरुआत होती है, फिर मुलाकात होने लगती है और यह मुलाकात धीरे-धीरे इतनी गहरी होती चली जाती है कि दो-चार मुलाकातों में ही ऐसा लगने लगता है जैसे वर्षों से वे दोनों एक-दूसरे को जानते हों। फिर या तो शादी वे घरवालों को नाराज़ करके कर लेते हैं या फिर बिना शादी के ही एक साथ रहने लगते हैं। जब मन भर जाता है तो संबंध-विच्छेद भी हो जाते हैं। लड़की अपने रास्ते और लड़का अपने रास्ते निकल लेता है। ऐसा लगता है जैसे वे एक-दूसरे से कभी मिले ही न हों, आपस में कोई बातचीत ही नहीं हुई हो और उनमें कभी दैहिक लगाव भी एक-दूसरे के लिए नहीं रहा हो। इस तरह के व्यवहार से यह स्पष्ट होता है

कि आज के बच्चों में न तो नैतिकता है, न ही समझ में परिपक्वता ही है और न ही संवेदनशीलता है। आनंद लिया और दिया, जब एक-दूसरे से मन भर गया तो कट्टी हो गई। दोनों एक-दूसरे के लिए महाअजनबी बनकर अपने-अपने रास्ते चल दिए। आज के ऐसे लोग हैं और ऐसे लोगों का समाज है। अब आपको बताने की ज़रूरत नहीं है कि आज के बिगड़े माहौल में बेटी को शैक्षणिक और नैतिक रूप से शिक्षित करना बहुत ही ज़रूरी है। बेटी के पिता के सामने ढेरों चुनौतियाँ हैं और माँ के कंधों पर भी बहुत-सी ज़िम्मेदारियाँ हैं।

यह बहुत ही अफसोस के साथ कहना पड़ रहा है कि आज के लड़के और लड़कियाँ दोनों ही प्यार को बहुत ही बड़ा मानने लगे हैं और पढ़ाई तथा करियर बहुत पीछे छूट गया है। आप समाचार-पत्र रोज़ पढ़ते हैं, तो आपको बताने की ज़रूरत नहीं है। इंजीनियरिंग कॉलेज की छात्रा ने या छात्र ने प्यार में असफलता मिलने पर छत से कूदकर जान दे दी, पिता ने बेटी का विवाह प्रेमी से नहीं किया तो बेटी ने फाँसी लगा ली, प्यार में दिल टूटने पर लड़की ने आत्महत्या करने की कोशिश की, इसी तरह के प्रतिदिन ढेरों ख़बरें पढ़ने को मिलती रहती हैं। शिक्षा व्यक्ति को विनम्र, सुशील, धैर्यवान और विवेकवान बनाती है या असमय ही किसी से प्यार कर घर से भागने या फाँसी लगाने के लिए प्रेरित करती है? यह सवाल अत्यंत ही महत्त्वपूर्ण है। पढ़-लिखकर शिक्षित होने का क्या यही मतलब है कि आप प्यार में असफल होने पर कायरों की तरह आत्महत्या कर लें और उनसे क्या आपको बिलकुल ही प्यार नहीं है, जो आपके माता-पिता हैं? क्या उनके प्रति आपका कोई भी फ़र्ज़ नहीं बनता है?

आप अपनी बेटी को जीवन में व्यावहारिक बनाएँ। आप अपनी बेटी को यह समझाएँ कि प्यार से भी बड़ा और महत्त्वपूर्ण फ़र्ज़ है और उस फ़र्ज़ को पूरा तभी किया जा सकता है जब करियर को सर्वोपरि रखा जाए। शिक्षा के दौरान प्यार में जो लड़के या लड़कियाँ पड़ जाती हैं, उनकी शिक्षा अधूरी ही रह जाती है क्योंकि प्यार पढ़ने नहीं देता है। जब भी किताब पढ़ने के लिए लड़का या लड़की खोलती है, तो प्रेमी की बातें और उसकी सूरत आँखों के सामने आ जाती है, फिर कहाँ पढ़ाई होती है।

आजकल कोरोना के कारण ऑनलाइन पढ़ाई होने लगी है। दसवीं, बारहवीं, आठवीं के बच्चों की उम्र ही क्या होती है और उनकी समझ भी तो परिपक्व नहीं होती है। ऑनलाइन क्लास के नाम पर बच्चे स्मार्ट फोन लेकर एकांत में बैठ जाते हैं और अपने ब्वायफ़्रेंड या गर्लफ़्रेंड से चैटिंग करने लगते हैं। चैटिंग से मन नहीं भरता है तो वीडियो कॉलिंग शुरू हो जाती है और घरवाले जब पूछते हैं तो वहीं से ऊँची आवाज़ में कहते हैं कि ऑनलाइन क्लास ले रहा हूँ। हो-हल्ला न करें। जब लड़की प्यार के चक्कर में पड़कर अपनी पढ़ाई चौपट कर देती है तो फिर अभिभावक पता लगाना शुरू कर देते हैं कि बात क्या है?

जब पता चलता है कि पूरे साल लड़के ने या लड़की ने ऑनलाइन क्लास न लेकर ऑनलाइन प्यार का खेल खेला है, फिर वे लड़का या लड़की को प्रताड़ित करने लगते हैं और कुछ कड़क और क्रोधी मिजाज वाले अभिभावक तो मारपीट भी शुरू कर देते हैं। यह कहना गलत न होगा कि आज के लड़के-लड़कियाँ पढ़ाई और करियर से अधिक प्यार और दैहिक मेल-मिलाप को मानने लगे हैं, जो गलत है।

साइकोलॉजिस्ट के क्लीनिक में माँ अपनी अठारह वर्षीय बेटी को लेकर पहुँची। साइकोलॉजिस्ट ने पूछा–"क्या प्रॉब्लम है?"

माँ बोली–"यह मेरी बेटी है। दिन-रात गुमशुम रहती है। पढ़ने के लिए कहती हूँ तो कहती है कि मन नहीं कर रहा। खाना खाने के लिए पूछती हूँ तो कहती है भूख नहीं है। सर, इसका व्यवहार ठीक नहीं है। यह ऐसा क्यों कर रही है?"

साइकोलॉजिस्ट बोला–"क्या आपने जानने की कोशिश नहीं कि आपकी लड़की के व्यवहार में अचानक इतना बदलाव कैसे आ गया?"

"मैंने बहुत कोशिश की, लेकिन कुछ पता नहीं लगा पाई। बेटी ने ज़रा-सा भी मुँह खोला नहीं।" माँ के इतना कहते ही साइकोलॉजिस्ट ने लड़की की आँखों में झाँकते हुए कहा–"आप की लड़की को किसी से प्यार हो गया है। वह आपको बताने में संकोच कर रही है। बेटी, मैं सच बोल रहा हूँ न? देखो बेटी, सच बोलने से सारी पीड़ा दूर हो जाती है, सारी चिंताएँ दिमाग से छँट जाती हैं और मन शांत हो जाता है। बोलो, तुम किसी लड़के से प्यार करती हो न?"

लड़की के चेहरे पर लज्जा मिश्रित मुस्कान फैल गई। उसने पहले कनखियों से अपनी माँ को देखा, फिर साइकोलॉजिस्ट को देखा, इसके बाद धीमी ही आवाज़ में कहा–"हाँ, मैं एक लड़के से प्यार करने लगी हूँ।"

माँ ने गुस्से से लड़की को देखा तो साइकोलॉजिस्ट ने हाथ का इशारा करते हुए कहा–"गुस्सा मत कीजिए। इस उम्र के लड़के-लड़कियाँ प्यार में पड़ ही जाते हैं। जबकि प्यार का अर्थ उनको थोड़ा-सा भी मालूम नहीं होता है। उनके लिए प्यार का मतलब ही आकर्षण होता है। प्यार बहुत ही ऊँची और पवित्र चीज़ है, जो हज़ारों में कोई एक करता है। बेटी, क्या वह लड़का भी तुमसे प्यार करता है।" लड़की शरमाते हुए बोली–"मुझे इतना मालूम नहीं है।"

"तो फिर यह एकतरफा प्यार हुआ न। देखो, जो प्यार अस्तित्व में ही नहीं है, उसके लिए खाना न खाना, पढ़ाई न करना और दिन-रात उसी की यादों में सुधबुध खोए रहना क्या यही ठीक है? जो लोग किसी से प्यार करते हैं, वे स्वयं से सबसे ज्यादा प्यार करते हैं।

प्यार कोई गलत चीज़ नहीं है और प्यार करना भी गलत नहीं है। प्यार का अर्थ ही लोग गलत लगा लेते हैं, जिससे उनकी नज़र में प्यार गंदा हो जाता है। बेटी, तुम्हारी उम्र प्यार करने की नहीं है। तुम्हारी उम्र अपने फ़र्ज़ से प्यार करने की है। फिर अभी तो खुद से प्यार करने की तुम्हारी उम्र है। जिससे तुम प्यार करती हो उसको पता ही नहीं है, तो आपके प्यार का कोई भी अस्तित्व नहीं है। मैं तो यही कहूँगा खाली-पीली अपना स्वर्णिम समय तथाकथित प्यार की भेंट न चढ़ाओ। प्यार करना ही है तो अपने करियर से करो। जीवन में प्रैक्टिकल बनो। ज्यादा भावुक न बनो। दिल से नहीं दिमाग से काम लो। दिमाग कभी भी गलत सलाह नहीं देता। जो भी करो अपने अभिभावक की जानकारी में करो ताकि कोई तुम्हारे साथ छल न कर सके।" साइकोलॉजिस्ट ने समझाया।

ख़ामोश बैठी लड़की सहसा ही हँसने लगी और कुछ पलों तक हँसती रही। फिर वह बोली–"मुझे इस तरह से कभी किसी ने समझाया ही नहीं। मैं अपने कर्तव्यों से, अपने आपसे और अपनी पढ़ाई से प्रेम करूँगी।"

माँ के चेहरे पर बेटी की बातें सुनते ही ख़ुशी पसर गई। आँखें ख़ुशी के मारे नम हो गईं। उसका दिल भर आया और काफी सुकून मिल गया।

वास्तव में ही बहुत से लोगों को किसी को समझाना नहीं आता है। अपनी बात से किसी को अपने पक्ष में कर लेना एक कला है और यह कला सबको नहीं आती है। जिसको यह कला आती है, उसके बच्चे कभी भी गुमराह नहीं होते हैं और जीवन में गलत निर्णय नहीं लेते हैं।

एक उदाहरण यहाँ पेश है, जिसे पढ़ने के बाद आप मेरी बात को काफी कुछ हद तक समझ सकते हैं–

रमा उस समय 12वीं की छात्र थी। वह कॉलेज से घर आ रही थी। वह कुछ दूर ही आई थी, कि एक लड़के ने उसकी साइकिल की पिछली सीट को पकड़कर आगे की तरफ़ धक्का दे दिया। उसकी साइकिल एक कार से टकराते-टकराते बची। रमा ज़ोर से चिल्ला पड़ी–"यह क्या बेहूदगी है? क्या जान से मारने का इरादा है? मुझे कुछ हो जाता तो...?" रमा इतना बोलते-बोलते काफी नाराज़ हो गई।

वह लड़का मुँह फाड़कर हँसता हुआ बोला–"मैंने देखा कि तुमको गुस्सा आता है या नहीं। तुम्हें तो गुस्सा भी आता है और इतना अच्छा बोल भी लेती हो। वाह..."

इतना कहकर वह लड़का अपनी साइकिल पर चढ़ा और आगे बढ़ता चला गया। रमा गुस्सा पीते हुए बोली–"ठीक है बच्चू, मैं बदला अवश्य ही लूँगी। बड़े हीरो बने फिर रहे हो।" यह बोलती हुई वह घर की तरफ़ बढ़ती चली गई।

रमा घर पहुँची तो माँ ने उसकी साइकिल को ध्यान से देखते हुए कहा–"साइकिल का हैंडिल भी ठीक नहीं रख सकती? बस चलाने से मतलब है।" यह कहते हुए माँ ने हैंडिल को पकड़कर सीधा किया, फिर बोली–"तुमने साइकिल कहीं गिराई थी न?"

"तुम भी माँ।" इतना कहकर रमा कमरे में आई और ड्रेस बदलने लगी, साथ ही सोच भी रही थी–"माँ की भी नज़र कहाँ-कहाँ जाती रहती है। घर आते ही जान गईं कि साइकिल कहीं गिरी थी। माँ से तो मेरी कोई भी बात छिपी नहीं रह सकती।" रमा यह सोच ही रही थी, तभी माँ ने कमरे में आकर कहा–"बेटा, मुझे ज़िंदगी का तुम से अधिक तर्जुबा है। यह उम्र ही ऐसी होती है। अपना और अपनी साइकिल का ध्यान रखा करो।" माँ इतना बोलकर ड्राइंगरूम में जाकर टी.वी. देखने लगी।

अगली सुबह रमा जब कॉलेज में आई तो उस लड़के की साइकिल स्टैंड में खड़ी थी। रमा ने एक पहिए की हवा निकाल दी और चुपचाप क्लास में चली गई।

वह शाम को घर जाने के लिए क्लास से निकली तो वह लड़का दरवाज़े से कुछ दूरी पर उसे नज़र आ गया। उसने गुस्से से रमा को एक-दो बार देखा, फिर अपनी साइकिल को लुढ़काते हुए गेट की ओर बढ़ गया। रमा को उसकी दशा पर हँसी आ गई। उसने घर पहुँचकर जब कॉलेज ड्रेस उतारी तो देखा, च्यूंगम ड्रेस पर चिपका हुआ है और उसके साथ एक कागज का टुकड़ा भी है। कागज को खोलकर पढ़ा। उसमें लिखा था–"आज तुमने मेरी साइकिल की हवा निकाल दी। हिसाब बराबर हो गया। कल कोई गलत हरकत न करना।" रमा ने वह कागज का टुकड़ा सँभालकर पर्स में रख लिया।

उस लड़के के शब्दों से रमा को लगा कि वह शरारती है, तो संवेदनशील भी है, लेकिन अगले ही पल यह सोचकर रमा को गुस्सा आ गया कि उसने च्यूंगम साइकिल की सीट पर रखकर मेरी कॉलेज ड्रेस ख़राब कर दी। गुस्से या नफ़रत के रूप में रमा उस लड़के को अक्सर ही याद करने लगी। अब तक उसका वजूद केवल स्वयं के बारे में सोच-सोचकर धड़कता था। अब उसको याद कर-करके अशांत रहने लगा। इस तरह के अहसासों के साथ वह 12वीं पास कर ग्रेजुएशन में आ गई, लेकिन महाविद्यालय में पाँव रखते ही सबकुछ बदल गया। वह लड़का अब उसका दोस्त अवश्य था, लेकिन छेड़ना बंद कर दिया था। फिर शरारती ब्वाय के रूप में या नटखट ब्वॉय के रूप में वह रमा के हृदय में अभी भी वैसा ही जीवित था। एक दिन रमा क्लास अटेंड करने के लिए बालकनी से होकर गुज़र रही थी, तभी वह रमा से टकरा गया। रमा के हाथ से फाइल छूट कर नीचे गिर गई और वह धक्का लगने की वजह से कुछ दूरी पर जा गिरी। 'सॉरी-सॉरी' कहते हुए उसने रमा को उठाया। फाइल में किताबें रखीं। फिर रमा को देते हुए कहा–"आप को चोट तो नहीं लगी?"

"नहीं, आपने जान-बूझकर थोड़े ही कुछ किया। अनजाने में ही हो गया। इसमें सॉरी बोलने की क्या ज़रूरत है?" इतना कहकर रमा क्लास की ओर बढ़ गई और वह रमा को जाते हुए देखता रहा।

पीरियड समाप्त हुआ तो दरवाज़े में आकर उसने हाथ का इशारा कर रमा को बाहर बुलाया। वह संकोच करते हुए क्लास से बाहर आई तो वह लड़का बोला–"क्या हम दोस्त नहीं बन सकते हैं या यूँ ही एक-दूसरे को तंग करते रहेंगे?"

"इसका एक अपना अलग ही मजा है। हम शरारत और छेड़छाड़ के माध्यम से ही तो एक-दूसरे से मिले थे। अवश्य ही कोई मकसद होगा इस मिलन का।" रमा ने कहा।

"भला क्या मकसद हो सकता है?" लड़के ने पूछा।

रमा सहसा ही मुस्कुरा पड़ी–"यही तो मुझको मालूम नहीं है न।" वह बोलकर अचानक ही लजा गई। फिर आँखें नीचे की तरफ़ करके बोली–"देखो तनुज, मित्रता में अंतरंगता के दो ही कारण होते हैं–दिली लगाव और नफ़रत। इन दोनों ही स्थितियों में व्यक्ति हर-पल दिलो-दिमाग में बैठा होता है। रग-रग में उसका अस्तित्व होता है। उसको मिटा पाना इतना आसान नहीं होता है।"

"तुमको क्या लगता है हममें लगाव है या नफ़रत?" तनुज ने रमा को देखते हुए कहा तो रमा को हँसी आ गई। वह बोली–"दिली लगाव हो सकता है। नफ़रत और प्यार में रत्तीभर का ही अंतर होता है। तभी तो तुम्हारा नाम आज मेरे होंठों पर आ गया।" रमा को इतना कहते ही तनुज सहम गया, फिर पूछने लगा–"क्या इस अंतर को मिटा नहीं सकते हैं? आख़िर क्या है वह अंतर?"

"हम प्यार को सँभाल पाएँगे या नहीं? विरोधों का सामना कर पाएँगे या नहीं? बस...यही तो अंतर है।" इतना कहकर रमा क्लास में चली आई।

रमा का मन आज पहली बार इतना उद्विग्न था। तनुज उसके रोम-रोम में बस गया था। पढ़ते, सोते, जागते यानी हर पल उस की यादें ही मन में रहतीं। रमा शाम को घर आई तो माँ बोली–"तुम्हारे पर्स से मैंने यह कागज का टुकड़ा निकाला है। कौन है वह लड़का, जिसकी साइकिल की हवा तुमने निकाली है?"

"मुझे कुछ भी याद नहीं, माँ। यह कागज का टुकड़ा मेरी सहेली के लिए है।" रमा संकोच करते-करते बोल गई।

"मैंने भी यह उम्र गुज़ारी है। झूठ मत बोलो। मैं शायद तुम्हारी कोई मदद कर सकूँ।" माँ ने जानना चाहा, लेकिन रमा ने उससे सच नहीं बताया। इस उम्र में इतनी अक्ल कहाँ होती है। व्यक्ति प्यार करने को कर तो लेता है, लेकिन स्वीकार नहीं कर पाता है। रमा ने भी माँ के सामने प्यार को कबूल नहीं किया। नतीजा यह निकला कि

तनुज की सगाई किसी अन्य लड़के के साथ हो गई। रमा को अपने प्यार को जाहिर करने की भी हिम्मत नहीं हुई।

रमा अंदर-ही-अंदर घुटने, टूटने और बिखरने लगी। रमा जब मानसिक रूप से काफी डिस्टर्ब हो गई तो उसके पिता उसे मनोचिकित्सक के पास ले गए। मनोचिकित्सक ने पूछा–"क्या तकलीफ है?"

पिता ने बताया–"मेरी बेटी रमा कुछ महीनों से गुमसुम-सी रहने लगी है और हमेशा मरने की बात करती है और अक्सर ही कहती रहती है कि मैं जीना नहीं चाहती। मर जाने में ही मेरा भला है। डॉक्टर, रमा इतना नकारात्मक क्यों सोचने लगी है?"

मनोचिकित्सक ने कहा–"आज की डिजिटल दुनिया में इस उम्र के बच्चों में प्यार का बुख़ार अपनी चरम सीमा पर है। प्यार और शारीरिक संबंध बनाने के अतिरिक्त उन्हें कुछ भी सूझता नहीं है। वे जिससे प्यार करते हैं, वह नहीं मिलता है तो अपने जीवन को ख़त्म समझ लेते हैं। जबकि जीवन किसी के जाने या रूठने से ख़त्म नहीं होता है, बल्कि और मजबूती के साथ शुरू होता है। क्यों बेटी, मैं ठीक कह रहा हूँ न? तुम जिससे प्यार करती हो, उसने सगाई किसी अन्य लड़की के साथ कर ली तो फिर क्या इससे तुम्हें इस बात का ज्ञान नहीं हुआ कि तुम्हारा प्रेमी मतलबी और अवसरवादी व्यक्ति है और वह तुमसे प्यार नहीं, बल्कि तुम्हारे साथ टाइम पास कर रहा था?" मनोचिकित्सक ने इतना कहकर उसकी आँखें खोल दीं।

रमा की आँखें नम थीं। चेहरे पर पश्चाताप था। उसने 'हाँ' में सिर हिलाते हुए कहा–"हाँ डॉक्टर, आप ठीक ही कह रहे हैं। जब वह मुझे भूलकर आगे बढ़ गया तो उसके लिए मैं जीने-मरने की बात क्यों करूँ।" इतना कहकर रमा मुस्करा दी।

कहने का आशय है कि बेटियों को सही सुझावों की ज़रूरत है क्योंकि प्यार आज का बहुत ही चर्चित मुद्दा बना हुआ है। आज लगभग हर लड़की के पास ब्वायफ्रेंड है और हर लड़के के पास गर्लफ्रेंड है। बात केवल दोस्ती तक ही सीमित रहती तो कोई बात नहीं, दोस्ती प्यार में बदल जाती है और जब प्यार का बुख़ार उतरता है तो दूध में पड़ी मक्खी की तरह निकालकर फेंक दिया जाता है। तब दिमागी रूप से त्रस्त, परेशान और हताश प्रेमी या प्रेमिका जीना ही भूल जाते हैं।

रमा को मनोचिकित्सक ने जिस तरह से समझाया, उसी तरह से प्यार में भटक गई बेटी को समझाने की ज़रूरत है। मैंने देखा है, ज्यादातर लड़के लड़कियों से प्यार सिर्फ टाइम पास करने के लिए करते हैं, लेकिन लड़कियाँ प्यार जल्दी करती नहीं हैं और जिससे करती हैं, आजीवन उसके साथ ही रहना चाहती हैं यानी उनका प्यार आत्मा की गहराइयों तक होता है क्योंकि लड़कियाँ नाज़ुक और संवेदनशील जो होती

हैं। उनकी तरह संवेदनशील और भावुक लड़के नहीं होते हैं। बहुत कम ही ऐसे लड़के होते हैं, जो प्यार को गंभीरता से लेते हैं।

अभिभावकों की यह ड्यूटी बनती है कि वे स्पष्ट शब्दों में बेटियों को बता दें कि प्यार में जान देने की बात वे न करें क्योंकि प्यार जिससे होता है, ज़रूरी नहीं कि उससे ही विवाह भी हो।

लड़कों की अपेक्षा लड़कियाँ प्यार में ज्यादा बढ़-चढ़कर भाग लेती हैं और भावुक भी लड़कों से अधिक होती हैं। वे जब किसी से प्यार करती हैं, तो बिलकुल ही दिल से जुड़ जाती हैं। जबकि ज्यादातर लड़के केवल प्यार करते हैं। अपनी प्रेमिका से ही विवाह भी करना है, इतनी दूर तक की वे बिलकुल ही नहीं सोचते हैं, जब कि लड़कियाँ इतनी दूर तक की अवश्य ही सोचती हैं और उनकी दृष्टि में प्यार विवाह की शुरुआत ही होता है। उनका कहना होता है कि जिससे प्यार करो उसी से शादी भी करो। लड़का और लड़की की सोच में यह अंतर होता है।

अभिभावक अपनी बेटी को इन बातों का बोध समय-समय पर कराते रहें ताकि बेटी प्यार में पड़कर अपना पूरा भविष्य ही ख़राब न कर ले। आजकल लड़कियों के साथ सामूहिक बलात्कार होने की घटनाएँ कुछ ज्यादा हो रही हैं। इसके लिए ज़िम्मेदार अभिभावक और लड़की दोनों ही हैं। अभिभावक दोषी इसलिए हैं क्योंकि वे लड़की पर नज़र नहीं रखते हैं। लड़की एक नहीं पाँच-छः लड़कों से दोस्ती कर लेती है, कॉलेज पढ़ने जाती है वहाँ से दोस्त के साथ होटल या रेस्तराँ में लंच करने चली जाती है और उसके ही दोस्त एकांत और मौका पाकर सामूहिक बलात्कार कर बैठते हैं। लड़की को क्या ज़रूरत है जवान दोस्तों के साथ कॉलेज के प्रांगण से निकलकर कहीं दूर होटल में जाकर लंच करने की या किसी सिनेमा हॉल में सिनेमा देखने की? क्या एक जवान लड़की को इतना-सा भी ज्ञान नहीं है कि वह एक है और उसके तथाकथित दोस्त पाँच-छः हैं। उनके भीतर का हैवान कहीं जाग गया तो उसके साथ वे कैसा दुर्व्यवहार कर सकते हैं। अपनी बेटी को समय-समय पर इस बात का ज्ञान देते रहें कि लड़का और लड़की में अंतर है। कुदरत ने भी अंतर किया है। वह लड़कों से दोस्ती कर सकती हैं, लेकिन उनके साथ स्कूल से निकलने के बाद अन्य किसी भी जगह नहीं जा सकती हैं। लड़कों से दोस्ती हो जाने पर मर्यादित आचरण उनके साथ करना ज़रूरी है।

लड़कों से जब भी लड़की कोई मज़ाक करे तो वह फूहड़ न होकर श्लील हो। लड़कों के साथ किसी सुनसान और एकांत स्थान में बैठना बिलकुल गलत है। ऐसा कभी न सोचें कि वह लड़का आपका मित्र है, तो आपके प्रति पूर्णतः वफ़ादार है और दूध का धुला है। जब दो विपरीत लिंगीय व्यक्ति एक-दूसरे के मित्र बनते हैं तो उनके मन में किसी-न-किसी रूप में यौनाकर्षण तो होता ही है। अपनी बेटी को यह

बात अच्छी तरह से समझाएँ ताकि वह पुरुष मित्रों से एक दूरी बनाकर रहे और उनके साथ मर्यादित व्यवहार भी करें। पुरुष मित्र फूहड़ शब्दों का इस्तेमाल तभी करता है, जब आप उसके साथ अश्लील और फूहड़ बातें करती हैं। यह भी सच है कि स्त्री को उसका पति भी उसकी इजाज़त के बिना छू भी नहीं सकता है। उसकी इच्छा के बिना स्त्री को मजाल है कि कोई छू तक भी सके।

अपनी बेटी के साथ विशेष रूप से माँ कुछ पल प्रतिदिन बिताए और उसको इस बात की अनुभूति भी कराती रहे कि नारी शक्ति स्वरूपा है और उसकी मर्ज़ी से ही या उसकी लापरवाही से ही उसके साथ कोई या उसके सगे-संबंधी अश्लील व्यवहार करने का प्रयास करते हैं। समाचार-पत्र इस बात के साक्षी हैं कि महिलाओं या लड़कियों के साथ जितने भी बलात्कार होते हैं, वे सारे बलात्कारी उनके मित्र, प्रेमी और सगे-संबंधी ही होते हैं। अजनबी या अपरिचित पुरुष या युवक इनके साथ बहुत ही कम अश्लील छेड़छाड़ या बलात्कार करने का साहस कर पाते हैं।

अपनी बेटी पर नज़र रखने की बजाए उनको उपरोक्त बातों का ज्ञान कराते रहें। पुरुष मित्रों से सावधान रहने की सख्त ज़रूरत है। उनके साथ ज्यादा घुल-मिलकर बात करने पर या उनके बहुत करीब जाकर बात करने से उनको आपके साथ अश्लील हरकत करने में संकोच नहीं होता है। मर्यादा को भंग न होने दें, क्योंकि पुरुष मित्र या सगे-संबंधी बलात्कार करने की हिम्मत तभी करते हैं, जब आप उनके साथ आवश्यकता से अधिक खुल जाती हैं और आपका व्यवहार अमर्यादित हो जाता है। यह अभिभावकों का काम है कि वे बेटी को मर्यादाओं का पाठ पढ़ाते रहें। पुरुष-मित्रता के प्रति उनको सावधान करते रहें और स्त्री को मर्यादा में रहना क्यों ज़रूरी है, इसका भी ज्ञान उन्हें कराते रहें। शास्त्रों में कहा गया है कि स्त्री और धरती को सबकुछ सहना पड़ता है। जो सबकुछ सहने की क्षमता रखता है वही तो सबकुछ करने की भी क्षमता रखता है।

जब प्यार में दिल टूट जाए तो घबराना नहीं चाहिए। उस स्थिति में सकारात्मक सोचने पर काफी सुकून मिलता है और मन की बेचैनी भी दूर होती है। असफलता के बाद ही सफलता मिलती है। इसी तरह से प्यार में असफल होने के बाद ही प्यार में सफलता मिलती है और प्यार का अर्थ भी मालूम पड़ता है। इसके साथ ही इस बात का ज्ञान भी होता है कि प्यार से भी कीमती करियर होता है।

इस उदाहरण को पढ़कर आप मेरी बात को अच्छी तरह से जान और समझ सकते हैं–

"हाय, कैसे हो? आज बड़े ही गुमसुम हो।" गीता ने इतना कहते-कहते वैभव की कलाई पकड़ ली।

"कल मेरी सगाई थी। लड़की बहुत ही ख़ूबसूरत और अच्छी है।" वैभव ने थमती आवाज़ में कहा तो गीता का चेहरा सफेद पड़ गया–"लेकिन प्यार तो तुम मुझसे करते हो।"

"प्यार करता था, प्यार करता हूँ नहीं। तुम मुझे भूल जाओ। देखो, ज़िंदगी को आसान बनाने के लिए आदमी को सुंदर दोस्त की ज़रूरत पड़ती है। रास्ते की हर चीज़ ज़िंदगी-भर साथ नहीं रहती। हमने छः साल तक एक-दूसरे को प्यार किया, ज़िंदगी को आसान बनाए रखा। इसे प्यार तुम मानती हो, मैं नहीं।" यह कहकर वैभव चला गया।

गीता की आँखें फटी-की-फटी रह गईं। उसने पहली बार यह जाना कि प्यार ज़िंदगी को आसान बनाने के लिए किया जाता है। इसे जीवन-भर निभाया जाए यह कोई ज़रूरी नहीं। वह रोना चाहती थी, लेकिन आँसू जैसे आँखों में ही न हो। पथराई आँखों में बस टूटे प्यार की कसक थी, पछतावा था। प्यार आज उसे समय पास करने का ज़रियामात्र ही लग रहा था। वैभव ने बड़ी आसानी से उसे अपने दिल से निकाल फेंका था क्योंकि वह एक पुरुष था और पुरुष के लिए प्यार जीवन को आसान बनाने का साधनमात्र ही होता है, लेकिन एक स्त्री के लिए प्यार तो सबकुछ होता है और वह प्यार में टूटे दिल को बड़ी ही मुश्किल से सँभाल पाती है, जोड़ पाती है और तिनका-तिनका बिखरे रिश्ते के लिए यूँ ही झूठी ज़िंदगी जिए जाती है, जो उसके भविष्य को चौपट तो करता ही है, साथ ही उसके जीवन को नये सिरे से शुरू भी नहीं होने देता है।

जब दिल का रिश्ता टूटे तो दिमाग से काम लें दिल की नहीं, बल्कि दिमाग की सुनें क्योंकि दिमाग कभी भी कल्पना लोक में जीने की इजाज़त या सलाह नहीं देता। प्यार दिमाग से कोई नहीं करता, यह तो दिल का मामला है। दिमाग तो प्यार करने से आपको बार-बार रोकता है, लेकिन दिल उस पर हावी हो जाता है।

गीता ने भी उस वक़्त दिमाग की कहाँ सुनी थी। वैभव के दो मीठे-बोल उसके दिल को बाग़-बाग़ कर गए थे और वह बिना सोचे-समझे ही वैभव को दिल दे बैठी थी।

प्यार की शुरुआत करने से पहले दिमाग की सुनें। यह देखें कि प्यार के लिए बढ़े पुरुष के हाथ कितने मजबूत हैं और उसकी आँखों में कितनी सच्चाई है। पुरुष को परखे बिना प्यार करने का अंजाम अक्सर यही होता है क्योंकि अधिकतर पुरुष प्यार की आड़ में लड़की या स्त्री की देह से बस खेलना ही चाहते हैं। उनकी मंशा बस यही होती है कि लड़की को प्यार के बहाने मूर्ख बनाओ और अपना टाइम पास करो जब मतलब निकल जाए तो साइड में हो जाओ।

प्यार में जब धोखा मिलता है तब दिल तो टूटता ही है, साथ ही करियर भी बर्बाद हो जाता है। जीवन के सारे प्लान धरे-के-धरे रह जाते हैं। जिंदगी सिमट कर रह जाती

है। स्त्री या लड़की अंदर-ही-अंदर घुटती रहती है और दिल की भड़ास चाहकर भी वह निकाल नहीं पाती है।

लेकिन यह ठीक नहीं है। जब आपके प्रेमी ने रिश्ता तोड़कर नई शुरुआत कर ली तो फिर आप इस मरे हुए रिश्ते के साथ खुद को बर्बाद क्यों करने पर तुली हैं? दिल का गुबार बाहर आने दें यानी सच का सामना करें। आप अंदर-ही-अंदर घुट रही हैं, पानी में डूबने जैसी पीड़ा हो रही है या रोने का जी कर रहा है, तो खुलकर रोएँ। आँसू बहने दें। रुलाई को रोकेंगी तो आपका मानसिक संतुलन बिगड़ सकता है और आपकी दिमागी हालत नाज़ुक भी हो सकती है। ऐसे में फूट-फूटकर रोना मन के सारे दुःख-दर्द को आँसुओं के साथ बहा देता है और आप हलकापन की अनुभूति करने लगती हैं। सारा गुस्सा, तनाव, चिंताएँ आँखों के रास्ते बह जाने दीजिए, फिर आपको लगेगा की चलो झूठे प्यार से जल्दी ही समय रहते मुक्ति मिल गई।

आप अंतर्मन की बातें शेयर करें, इससे परेशानी और तनाव से बाहर निकलने का रास्ता आपको सहज ही रूप में मिल जाता है। आप जितना ही अकेली रहेंगी पुरानी बातें उतनी ही दुःखी करती रहेंगी और फिर आप कभी भी भरे हुए प्यार के खोल को तोड़ नहीं सकेंगी, जिसे नई शुरुआत के लिए तोड़ना ज़रूरी है। अपने दिल की बात अपने चाहने वालों से बताने से मन हलका होता है और नई राह भी आपको मिल जाती है, जिसकी आपको सख्त ज़रूरत होती है।

ऐसे में आप खुद को व्यस्त रखें। काम में स्वयं को लगा देने से आप का मन बँट जाता है और आपका दिमाग पुराने विचारों को न सोचकर काम को अंजाम देने में जुट जाता है। फिर आप स्वयं को अलग-थलग भी महसूस नहीं करती हैं और खालीपन या अकेलापन भी आपको परेशान नहीं करता है। वही काम करें, जो आपको पसंद है। निराशा के दौरान अपना मनपसंद काम करने के बाद मिलने वाला परिणाम आपको ढेर सारी खुशियों का अनुभव कराता है और आपका खोया हुआ आत्मविश्वास फिर से जाग उठता है, फिर आपको लगने लगता है कि ज़िंदगी इससे हटकर भी है और इसे अभी भी जिया जा सकता है। पुराने अच्छे अनुभवों को ऐसे क्षणों में याद करें। इससे आपको दर्द और पीड़ा से बाहर निकलने में मदद मिलेगी। जहाँ बुरी यादें जीना दूभर कर देती हैं, वहीं अच्छी यादें जीवन को सहज और आसान बना देती हैं तथा आपको इससे नये सिरे से सोचने का मौका मिलता है। आप यह सोचने पर मजबूर हो जाती हैं कि ज़िंदगी इतनी बुरी नहीं है कि हम फिर से अपने जीवन को सँवार-सहेज नहीं सकते हैं। प्यार तो महज एक दुर्घटना था, जो दर्द देकर चला गया। मुझे जीना है और जीवन के एक-एक पल को खुशियों के साथ जीना है।

आप खुद का ध्यान रखें। आपसे अधिक महत्त्वपूर्ण आपका प्यार नहीं है और वह भी वह प्यार जो महज एक छलावा भर ही था। आप जिम, पार्लर जाएँ और अपना मेकओवर करवाएँ। रिश्तों के टूट जाने से ज़िंदगी नहीं ठहरती। ज़िंदगी को हारी हुई बाजी के रूप में न देखें क्योंकि ज़िंदगी कभी भी हारती नहीं है। इसका नाम ज़िंदगी है, जिसमें जीवन है और जीवन पल-पल चलता ही रहता है, बस आपको हारना नहीं है। खुद पर निराशा, हताशा और मनहूसियत को हावी न होने दें। एक रिश्ता टूटता है, तो दूसरा रिश्ता आगे हाथ बढ़ाता है। आप स्वयं को उस काबिल बनाएँ कि फिर से पूरे जोश के साथ जीवन की नई शुरुआत कर सकें।

आजकल ज्यादातर लड़कियाँ प्यार में हारने के बाद यह मान बैठती हैं कि इसके आगे अब ज़िंदगी नहीं है। जबकि ज़िंदगी अनंत होती है। उसका कोई अंत ही नहीं होता है। बस आगे बढ़ने की ज़रूरत है। मुश्किल तो इस बात की है कि हारने वाले लोग आगे बढ़ने का नाम ही नहीं लेते हैं। वे हाथ-पर-हाथ रखकर बैठ जाते हैं। आपकी बेटी का दिल प्यार में टूट जाए तो उसको कोसने या ताने मारने की बजाए उसका साथ दें। उसकी जगह स्वयं को रखकर देखें। व्यक्ति किसी से प्यार करता है, तो उसके प्रति पूरी तरह से समर्पित हो जाता है। उसके बिना उसका जीवन कठिन हो जाता है और लड़कियाँ तो कुछ ज्यादा ही टूट जाती हैं। लड़कियों के लिए मेरी सलाह है कि पुरुष प्रधान समाज से लड़ने के लिए, अपने अस्तित्व को सुरक्षित रखने के लिए और आर्थिक रूप से स्वतंत्र होने के लिए ज़रूरी है कि वे प्यार के पचड़े में जीवन के शुरुआती दौर में बिलकुल ही न पड़ें। पढ़ने-लिखने की उम्र में आप जब प्यार करने लगती हैं तो फिर आपका मन पढ़ाई में नहीं लगता है। पढ़ाई-लिखाई बहुत ही पीछे छूट जाती है और आपको प्यार भी नहीं मिलता है। यह बहुत ही बुरी स्थिति है। ऐसे में अभिभावकों का सहयोग बिलकुल ही नहीं मिलता है और मिलता भी है तो ताने मिलते हैं, गालियाँ मिलती हैं और तरह-तरह की यातनाएँ मिलती हैं, जो बिलकुल ही गलत हैं।

बहुत-सी लड़कियाँ डर के मारे कुछ बताती ही नहीं हैं। अभिभावकों को कुछ पता ही नहीं होता है। वे सोचते हैं कि कोई रोग हो गया है तभी लड़की खोई-खोई रहती है, खाना नहीं खाती है और पढ़-लिख भी नहीं रही है।

एक माँ अपनी बेटी की ख़ामोशी से तंग आकर एक साइकोलॉजिस्ट से मिली। बेटी भी उसके साथ थी। साइकोलॉजिस्ट की अनुभवी आँखों ने उसकी बेटी को ध्यान से देखा फिर उसे यह समझते देर न लगी कि यह प्यार का मामला है और प्रेम रोग की मारी यह लड़की है। साइकोलॉजिस्ट थोड़ा सोचते हुए बोला–"आपकी बेटी को प्रेम रोग हुआ है और इस रोग को आपके शुष्क व्यवहार ने और ज्यादा बढ़ा दिया

है। आपने कभी बैठकर शांति से बेटी से बात की? कभी बेटी को विश्वास में लेकर यह आश्वासन दिया कि बेटी, अपनी प्रॉब्लम बताओ। मैं उसे हल करने की कोशिश करूँगी?"

माँ बोली–"सर, आपको कैसे पता चला कि मेरी बेटी को प्रेम रोग हुआ है? यदि ऐसा है भी तो इसमें मैं क्या कर सकती हूँ?"

साइकोलॉजिस्ट बोला–"आप माँ हैं। बेटी के मन की बात को जानकर उसकी पीड़ा को कम कर सकती हैं। उसको अपने अनुभवों का हवाला देकर इस रोग से मुक्ति दिला सकती हैं। आपकी बेटी अभी एक अनुभव हीन बच्ची ही तो है। लम्बाई बढ़ जाने से कोई बड़ा नहीं हो जाता है। आपकी बेटी को आपके प्यार, सहयोग, सहायता और दुलार की ज़रूरत है।" इतना समझाने के बाद साइकोलॉजिस्ट ने आगे कहा–"मैडम, आप अपना बचपन याद करें और दिमाग पर कुछ ज्यादा ही ज़ोर दें। क्या आपने कभी किसी को युवावस्था में चाहा नहीं? क्या कभी किसी ने आपसे प्यार किया नहीं?"

साइकोलॉजिस्ट के इतना कहते ही माँ का चेहरा लाल पड़ गया। माँ संकोच करते हुए बोली–"आप यह क्या कह रहे हैं?"

"मैं बिलकुल ही ठीक कह रहा हूँ। किशोरावस्था से युवावस्था के बीच हर लड़की या लड़के के जीवन में ऐसे पल आते हैं जब वह किसी-न-किसी को चाहता या चाहती है। यह अलग बात है कि वह मन की बात को किसी के साथ शेयर नहीं करता है। मैडम, यदि हर अभिभावक अपनी युवावस्था की बातों को याद करे, तो वह अवश्य ही अपने बच्चों की परेशानी और समस्या को अच्छी तरह से समझ सकता है। आप खुद समझदार हैं और एक युवा बेटी की माँ भी हैं। मुझे पूरा विश्वास है, आप अपनी बेटी की पीड़ा को और दुविधा को बखूबी समझ सकती हैं।"

लड़की ने साइकोलॉजिस्ट से पूछा–"सर, यह सच है कि मैं एक लड़के से प्यार करती हूँ और यह भी सच है कि वह लड़का चरित्रहीन है क्योंकि वह मेरे साथ यौन-संबंध बनाना चाहता है। मैंने मना कर दिया तो उसने मुझसे बातें करना बंद कर दिया। इस घटना के बाद मेरा दिल टूट गया और मैं स्वयं को सँभाल नहीं सकी। माँ से भी कोई सहानुभूति नहीं मिली। पढ़ाई से मेरा ध्यान हट गया। मैं परीक्षा में बैठी, लेकिन फेल हो गई क्योंकि मैंने कुछ पढ़ा ही नहीं था। मुझे अब महसूस हो रहा है कि प्यार व्यक्ति के करियर में किसी-न-किसी रूप में बाधक अवश्य ही बनता है।" इतना कहते-कहते बेटी रोने लगी।

साइकोलॉजिस्ट ने कहा–"मैडम, यदि आपने बेटी के साथ अपने अनुभवों को शेयर किया होता तो आज यह रो नहीं रही होती। आप इसको सँभालिए और ताने मारना, व्यंग्य करना और लज्जित करना बंद कर, इसमें उम्मीद और आत्मविश्वास के

साथ-साथ साहस भी पैदा करने का प्रयास आज से ही शुरू कर दें। गलती सबसे युवावस्था में या बाल्यावस्था में अवश्य ही होती है। यदि आप अपनी जवानी के दिनों को और गलतियों को याद करेंगी तो आपको अपनी बेटी पर गुस्सा नहीं तरस ही आएगा।"

साइकोलॉजिस्ट की बातें मेरी समझ में भी आ रही हैं। अस्सी प्रतिशत से भी अधिक लोग अभिभावक बनते ही अपनी युवावस्था की गलतियों को भूल जाते हैं और हिटलर की तरह तानाशाह बन जाते हैं। बच्चों के सामने स्वयं को कुछ इस तरह से पेश करते हैं जैसे उन्होंने कभी बचपन से लेकर जवानी तक कोई गलती ही न की हो। आप अभिभावक बनने से पहले किसी के बच्चे थे, आपने भी ख़ूब गलतियाँ की हैं और अपने माँ-बाप से आपने भी अपनी गलतियों को छिपाया है। आपके बच्चे आपसे कोई बात छिपाते हैं या अपने प्रेम-किस्से आपको बताते नहीं हैं, तो इसमें आश्चर्य की कोई बात नहीं है। यह आपकी ज़िम्मेदारी बनती है कि आप बच्चों की ख़ामोशी को समझें, उनकी उदासी की भाषा को पढ़ें, उनके बात करने के हावभाव को ध्यान से देखें, आपको पता चल जाएगा कि आपकी बेटी या आपका बेटा क्यों गुमसुम रहने लगा है। आज की ज़िंदगी बहुत ही व्यस्त है। जब स्वयं पर ध्यान देना मुश्किल हो गया है तो फिर बच्चों के लिए कोई कैसे समय निकाल सकता है? यह नामुमकिन है और व्यावहारिक भी नहीं है। व्यावहारिक इसलिए नहीं है क्योंकि जो दिन-भर काम-काम करता रहेगा, दिन-भर भागता रहेगा और रात को भी दफ़्तर का काम लेकर बैठ जाएगा, भला वह कैसे स्वयं पर या बच्चों पर समय दे सकेगा? यह आज की सबसे बड़ी समस्या है कि एक ही छत के नीचे अभिभावक और बच्चे होते हैं, लेकिन वे एक-दूसरे से बहुत ही दूर होते हैं।

लड़कियों को सबसे अधिक अभिभावकों का मानसिक सहयोग चाहिए और वे बहुत ही भावुक होती हैं इसलिए उनको समय-समय पर अभिभावकों का स्नेह, दुलार और ममता भी मिलती रहनी चाहिए। ये सब तो उनको नहीं मिलता है, इसके स्थान पर उन्हें भेदभाव का सामना करना पड़ता है। घर के बेटे की जायज-नाजायज सब तरह की माँगें अभिभावक सहर्ष मान लेते हैं, लेकिन बेटी की जायज माँग को भी नकार दिया जाता है और ऊपर से यह भी सुना दिया जाता है कि लड़कियाँ ज्यादा मुँह नहीं खोलतीं और बेटों की नकल भी नहीं करतीं। तुम एक लड़की हो। तुम्हें दूसरे के घर जाना है। अपनी इच्छाएँ, जितनी ही दबाकर रखोगी, उतना ही तुम्हारे लिए अच्छा रहेगा। अब आप ही बताएँ एक सयानी और समझदार लड़की को माता-पिता इस तरह के शब्दों से चुप करा दें तो उस पर क्या गुज़रेगी? वह कैसा महसूस करेगी? उसके मन में कैसे-कैसे विचार बनने लगेंगे? और माता-पिता के प्रति उसकी सोच कैसी बन जाएगी,

यह सोचने वाली बात है। जवान बेटी के मन में कड़वाहट तो उत्पन्न हो ही जाती है और यह कड़वाहट जब ज्यादा बढ़ जाती है तो वह इस कड़वाहट को कम करने के लिए घर से बाहर दोस्तों में प्रेम की तलाश करने लगती है क्योंकि कड़वाहट को प्रेम ही प्रभावहीन कर सकता है। क्रोध को भी प्रेम से ही शांत किया जा सकता है।

घर में भला उस लड़की को प्रेम की अनुभूति कैसे हो सकती है, जहाँ सब उससे एक दूरी बनाकर रहते हैं और उसको पराए की अमानत कहकर उसके साथ पराए जैसा ही व्यवहार करते हैं। लड़की जब तक मासूम, अबोध और छल-कपट से दूर होती है तब तक तो कोई पीड़ा उसको नहीं होती है, लेकिन वह जैसे-जैसे बढ़ती जाती है और समझ भी परिपक्व होती जाती है तो उसकी पीड़ा बढ़ती जाती है और उसके मन में यह सवाल भी कीलें ठोकने लगता है कि भैया को सब ख़ूब प्यार करते हैं और मुझको दुत्कारते क्यों हैं? क्या मैं इतनी बुरी हूँ? क्या मैं उनकी बेटी नहीं हूँ? क्या मैं वह सब उनके लिए नहीं कर सकती हूँ, जो भैया करेगा?

मुझे लगता है, ये सभी सवाल लगभग सभी बेटियों के मन में अवश्य ही उत्पन्न होते होंगे। यह भी सच है कि लगभग सभी घरों में बेटा और बेटी में अंतर होता है। न चाहते हुए भी माता-पिता बेटा और बेटी की परवरिश में अंतर कर देते हैं। बेटा कोई चीज़ माँगता है तो बिना किसी प्रतिक्रिया के चीज़ उसको मिल जायेगी, लेकिन बेटी माँगेगी तो चीज़ मिलेगी भी नहीं और दो बातें सुनने को भी मिल जाएँगी। जब इस तरह की समस्याओं से बेटी जूझने लगती है तो मानसिक रूप से वह अपने माता-पिता से दूर होती चली जाती है और एक दिन ऐसा भी आता है कि वह किसी लड़के के साथ भागने में भी संकोच नहीं करती है। एक बात आप नोट कर लें, यदि आप बेटी की परवरिश बेटे की परवरिश की तरह ही कर रही हैं और उसको प्यार भी करती हैं तो वह आपको छोड़कर अपने प्रेमी के साथ कदापि नहीं भाग सकती है।

यह उदाहरण पढ़ेंगे तो आपको मेरी बात समझ में आ जाएगी–

नीना बी.ए. द्वितीय वर्ष की छात्रा थी। वह अशोक नाम के एक लड़के से प्रेम करती थी। अशोक भी नीना को चाहता था। एक दिन अशोक ने नीना से कहा–"नीना, मेरे घर वाले तुमसे शादी करने के लिए तैयार नहीं हैं। मेरी माँ का कहना है कि वह शहर की नहीं, बल्कि गाँव की पढ़ी-लिखी लड़की के साथ मेरा विवाह करेंगी।"

नीना ने कहा–"अशोक, तुम्हें अपनी माँ की इच्छाओं का स्वागत करना चाहिए। माता-पिता की उम्मीदों पर खरा उतरना ही तो संतान का पहला कर्तव्य है।" नीना ने सामान्य भाव से कहा तो अशोक को बड़ा ही आश्चर्य हुआ कि वह जिस लड़की से प्रेम करता है, उस पर इस ख़बर का कोई प्रभाव नहीं पड़ा।

अशोक ने कहा–"चलो न, हम दोनों भागकर मंदिर में शादी कर लें।"

नीना ने स्पष्ट शब्दों में कहा–"मैं तुमसे प्यार करती हूँ और तुम भी मुझसे प्यार करते हो यहाँ तक तो ठीक है, लेकिन भागकर किसी मंदिर में चुपके से शादी करना यह ठीक नहीं है। मैं तो अपनी माँ की इजाज़त के बिना किसी से भी विवाह नहीं कर सकती हूँ क्योंकि वह तो मुझको इतना चाहती हैं कि मैं उनके सामने किसी भी चीज़ को महत्त्व नहीं दे सकती हूँ। माँ का प्यार, माँ का अपनत्व, माँ का आशीर्वाद, माँ का दुलार इन सबको छोड़कर तुमसे विवाह मैं कतई नहीं कर सकती।" नीना ने एक झटके में ही अपने प्रेमी को नकार दिया।

मेरा कहने का मतलब है कि आप बेटों की तरह ही अपनी बेटियों को भी प्यार दें, अपनापन दें, आशीर्वाद दें, शिक्षा दिलाएँ, दुलार दें, फिर आप देखें, वे आपके लिए क्या करती हैं। बेटियों का आधा भी बेटे नहीं करेंगे, लेकिन आप तो बेटियों के साथ अच्छा व्यवहार करते ही कहाँ हैं?

बेटों में सबकुछ करने की शक्ति नहीं है, लेकिन बेटियों में सबकुछ करने की असीम शक्ति है। नीना के मम्मी-पापा उसको बेटे से भी ज्यादा चाहते हैं, उसकी ज़रूरतों का ध्यान रखते हैं, उसकी इच्छाओं का ध्यान रखते हैं और इन सबसे भी बढ़कर यह बात है कि उसके मम्मी-पापा उसके साथ अपना बहुमूल्य समय अक्सर ही देते रहते हैं। वे नीना को बेटों से भी अधिक भाव देते हैं। उसके मान-सम्मान का सदा ध्यान रखते हैं। बेटियाँ वफ़ादार होती हैं। माता-पिता को कभी भी भगवान भरोसे वे नहीं छोड़ती हैं।

यह उदाहरण पढ़ें और बेटियों की हिम्मत और जज़्बातों के बारे में जानें। माता-पिता की जान पर जब बन आती है तो बेटियाँ चंडिका भी बन सकती हैं–

गायत्री ऑफिस से घर पहुँची तो मोबाइल की घंटी बज रही थी। आज वह दफ़्तर जाते समय पलंग पर ही अपना मोबाइल छोड़ गई थी। वह दरवाज़ा खोलकर बेडरूम में आई और मोबाइल उठाकर देखा तो माँ का फोन था। उसने ऊँची ही आवाज़ में कहा–"हाँ माँ, कहो ना, कैसी हो? आज सुबह से ही फोन कर रही हूँ तुम फोन उठा ही नहीं रही हो। क्या बात है बेटी? मुझसे नाराज़ हो?"

"नहीं माँ, ऐसी बात फिर कभी जुबाँ पर मत लाना, तुमसे नाराज़ होने का मतलब ईश्वर को नाराज़ करना है। आज तुम्हारे चलते ही तो मैं एक लाख की सैलरी वाली नौकरी कर रही हूँ। इतने महँगे फ्लैट में रह रही हूँ। ये सब तुम्हारी ही अनुकंपाओं का फल है, माँ। मोबाइल आज घर पर ही छूट गया था। बोलो, क्या बात है?" गायत्री एक साँस में ही बोल पड़ी।

माँ ने कहा–"बेटी, तुम्हारे पापा के निधन के बाद मैं बिलकुल ही अकेली पड़ गई हूँ।" माँ की आवाज़ इतना बोलते-बोलते काँप गई।

गायत्री बोली–"मम्मी, भाभी तो तुम्हारे साथ ही हैं न?"

माँ ने कहा–"हाँ, तुम्हारी भाभी मेरे साथ ही रहती हैं, लेकिन मुझसे बात नहीं करती हैं। मैंने एक दिन पिंटू से कहा तो उसने जवाब में कहा कि सास-बहू के बीच में मैं नहीं पड़ने वाला। बेटी, मैं अपने ही घर में अकेली पड़ गई हूँ। बहू बहुत ही गुस्सैल प्रवृत्ति की है। मेरा बुढ़ापा तो बिलकुल ही बिगड़ गया। मेरी समझ में नहीं आ रहा, मैं क्या करूँ।"

गायत्री कुछ पलों तक ख़ामोश रही। वह विवाहित थी। वह आर्थिक रूप से स्वतंत्र थी और अपनी इच्छा से कोई भी निर्णय ले सकती थी, लेकिन वह अपने पति विजय से सलाह कर लेना चाहती थी, ताकि विजय को यह न लगे कि वह मुझे कोई महत्त्व नहीं देती है। इतना सोचने के बाद गायत्री ने कहा–"मम्मी, तुम चिंता न करो। मैं विजय से बात करने के बाद तुमसे कल सुबह बात करूँगी।" गायत्री बोल ही रही थी, तभी विजय भी आ गया। गायत्री ने फोन काट दिया।

विजय ने सवाल कर दिया–"किसका फोन था।"

"माँ का फोन था। बहू-बेटे उनको परेशान कर रहे हैं। पापा के मरने के बाद वह बिलकुल ही अकेली पड़ गई हैं। विजय, तुम्हारा क्या विचार है? हमें क्या निर्णय लेना चाहिए?"

विजय ने कहा–"तुम्हारे भैया-भाभी को सोचना चाहिए। तुम्हें चिंता करने की ज़रूरत नहीं है। तुम्हारे भैया-भाभी उनको कैसे रखते हैं, यह उनका मामला है। दूसरे के मामले में तुमको पड़ने की ज़रूरत नहीं है।" विजय के इतना कहते ही गायत्री ऊँची आवाज़ में कहने लगी–"विजय, वह मेरी माँ हैं। वह पराई कब से हो गईं? मेरी माँ ने मेरी परवरिश करते समय बेटा और बेटी में कोई भी अंतर नहीं किया। मैंने जहाँ तक पढ़ना चाहा, मेरे मम्मी-पापा ने वहाँ तक पढ़ाया। तुम्हारे साथ मेरा विवाह भी मम्मी-पापा ने काफी दान-दहेज देकर किया। उन्होंने मुझको हमेशा बेटा की तरह रखा। मेरी माँ पराई कैसे हो गईं? विजय, माँ अकेली पड़ गई हैं। वृद्धावस्था में व्यक्ति को प्यार, सम्मान और साथ की ज़रूरत होती है।"

विजय ने कहा–"हाँ तो, कोई न होता तो ठीक था। जब तुम्हारे भैया और भाभी हैं और तुम्हारी माँ ने उनको ही सारी संपत्ति दी है, तो उनको ही उनकी देखभाल करने का फ़र्ज़ बनता है। तुम्हें क्या मिला है कि तुम उनकी ज़िम्मेदारियों को पूरा करोगी?"

गायत्री ने कहा–"मेरे मम्मी-पापा ने मुझको पढ़ाया और मेरी शादी में लाखों रुपए लगाए। पापा ने गाँव के मकान और सारे खेत के पैसे मेरी शादी में खर्च कर दिए। भैया को उन्होंने तो मुझसे कम ही दिया है। देखो विजय, मुझको लेन-देन के चक्रव्यूह में मत उलझाओ। वह मेरी माँ हैं। मुझको कुछ नहीं देंगी तब भी मैं उनकी हर तरह से सहायता और सेवा करूँगी।"

गायत्री के इतना कहने पर विजय को क्रोध तो आया, लेकिन उसने उसे पी लिया। गायत्री ने आगे कहा–"विजय, दुनिया की कोई भी माँ बच्चों की परवरिश निःस्वार्थ भावना से करती है और पिता भी अपनी सारी कमाई बच्चों पर खर्च कर देता है। तुम मुझे माँ को यहाँ लाकर रखने का आदेश नहीं दोगे, तो मैं स्वयं अकेली ही भोर वाली ट्रेन से पटना के लिए रवान हो जाऊँगी।"

"तुम अपनी माँ को रखोगी कहाँ?" विजय ने सवाल कर दिया।

गायत्री बोली–"जहाँ मैं रहूँगी, वहीं पर मेरी माँ भी रहेंगी।"

विजय को गुस्सा आ गया–"घर को अब धर्मशाला बनाने का विचार है क्या? मेरी माँ भी यहाँ आने के लिए कह रही है। कभी तुमने सोचा है, दो कमरे वाले किराए के मकान में हम दोनों कहाँ रहेंगे? घर को सराय बनाने की ज़रूरत नहीं है।"

गायत्री ने कहा–"मैं केवल अपनी माँ को लाने की बात कह रही हूँ। तुम कैसे व्यक्ति हो, कहीं माँ के आने से घर सराय बनता है? माँ से ही तो घर बनता है। तुम अपनी माँ को भी बुला लो। दो-दो माताओं का प्यार और आशीर्वाद मिलेगा तो हमारा जीवन वास्तव में ही धन्य हो जाएगा। क्या तुम मेरी बातों से सहमत हो?" गायत्री के इतना कहते ही विजय को और भी अधिक गुस्सा आ गया।

वह बोला–"मेरी माँ जहाँ है, वहाँ ठीक है। वह यहाँ स्वयं को एडजस्ट नहीं कर पाएगी और तुम अपनी माँ को समझाओ कि बहू के साथ वह समझौता करने की आदत डालें। जो भी औरतें रह रही हैं, वे आपस में तालमेल बिठाकर रह रही हैं। बाल की खाल निकालने पर तो कभी पटरी खाएगी ही नहीं।"

गायत्री ने कहा–"मैं माँ को अपने साथ रखना चाहती हूँ। उनको मेरी ज़रूरत है। तुम्हें क्या दिक़्क़त है कि तुम माँ को यहाँ आने से रोक रहे हो? कभी माँ के साथ रहकर देख तो लो। ज़िंदगी जन्नत के समान पवित्र और हसीन बन जाएगी। मैं तो शाम वाली ट्रेन से निकल जाऊँगी। मैंने ऑफिस से छुट्टी ले ली है। मैं माँ को भगवान भरोसे नहीं छोड़ सकती, क्योंकि माँ ने मुझे कभी भी भगवान भरोसे नहीं छोड़ा।" इतना कहकर गायत्री अपने कपड़े ब्रीफकेस में तह लगाकर रखने लगी। विजय को बहुत गुस्सा आ रहा था, लेकिन वह कर भी क्या सकता था? गायत्री, माँ को रखने में पूर्णतः सक्षम थी।

मेरा कहने का आशय है कि लड़कियाँ कोई भी निर्णय लेने या कोई भी कार्य करने में पूर्णतः सक्षम होती हैं। वे अक्षम तब हो जाती हैं, जब अशिक्षित होती हैं। उनको शिक्षित कराएँ और उनकी योग्यता के अनुकूल जॉब करने के लिए उन्हें प्रेरित करें। लड़कियाँ जब आर्थिक रूप से आज़ाद हो जाती हैं तो अपने दम पर कोई भी निर्णय ले पाती हैं। गायत्री पढ़ी-लिखी नहीं होती, तो नौकरी भी नहीं कर रही होती और नौकरी

नहीं कर रही होती तो वह आर्थिक रूप से आज़ाद भी नहीं होती और आर्थिक रूप से आज़ाद नहीं होती तो फिर स्वयं निर्णय लेने में सक्षम भी नहीं होती और जब स्वयं निर्णय लेने में सक्षम नहीं होती तो माँ को अपने साथ रख भी नहीं पाती। अस्सी प्रतिशत से ज्यादा लड़कियों का कहना है कि वे अपने मम्मी-पापा को बहुत चाहती हैं। उनको अपने साथ रखना चाहती हैं तथा उनकी सेवा करना चाहती हैं, लेकिन वे क्या करें खुद पति और ससुराल वालों पर निर्भर हैं। जो भी लड़कियाँ सक्षम हैं, वे दुर्दिनों में अपने मम्मी-पापा की सेवा अवश्य ही करती हैं, जबकि बहू-बेटे सारी संपत्ति लेने के बाद भी मम्मी-पापा की देखभाल करने में संकोच करते हैं या उनको वृद्धाश्रम पहुँचा आते हैं। लड़कियों में सेवा भाव विशेष रूप से होता है।

यह विशेष गुण बहुत कम ही लड़कों में होता है। इसी गुण के कारण लड़कियाँ सर्वगुण सम्पन्न होती हैं और जो भी ज़िम्मेदारी मिलती है, उसको बखूबी पूरी करती हैं।

6

नौकरी के इंटरव्यू में भी है भेदभाव

एक समान योग्यता होने के बाद भी पुरुषों की तुलना में स्त्रियों को नौकरी के लिए तीस प्रतिशत तक कम इण्टरव्यू-कॉल आते हैं।

नौकरी के लिए इंटरव्यू देने के मामले में होने वाले लैंगिक भेदभाव को जानने के लिए वार्सिलोना के पोंपेओ फाबरा यूनिवर्सिटी के शोधकर्ताओं ने 37 से 39 आयु वर्ग के लगभग 5600 नकली बायोडाटा तैयार किए और उन्हें उन कंपनियों में भेजा, जहाँ नौकरी के लिए जगह खाली थी। अध्ययन में पाया गया कि योग्यता आदि एक समान होने के बाद भी पुरुषों की तुलना में महिलाओं को इंटरव्यू का कॉल 30 प्रतिशत कम आया है। वहीं, यदि महिला माँ भी है तो इंटरव्यू के लिए बुलावा आने की उसकी संभावना और कम हो जाती है।

कहने का मतलब है कि महिलाओं के सहयोग और मदद से ही घर, समाज और राष्ट्र सुचारु रूप से चलता है। उनकी भागीदारी जितनी ही कम किसी भी काम में होगी, वह काम उतना ही प्रभावहीन होगा। महिलाओं से ही उत्पन्न पुरुष महिलाओं को ही कमज़ोर, अयोग्य और शक्तिहीन समझता है, यह कितनी हैरान करने वाली बात है और इनके बिना पुरुष का दुनिया में जिंदा रहना मेरे विचार से कठिन ही नहीं बल्कि असंभव भी है। केवल एक दिन किसी पुरुष को घर के अंदर के सारे कार्य और सारी ज़िम्मेदारियाँ देकर आप देखें वह हाथ न जोड़ ले तो फिर कहिएगा। औरतें जो कार्य करती हैं, वे कार्य पुरुष तो कतई नहीं कर सकते हैं।

नौकरी के इंटरव्यू के लिए रिया को बुलाया गया। रिया एक अत्यंत ही बोल्ड, साहसी और कर्मठ युवती थी। वह इंटरव्यू देने के लिए कंपनी में पहुँची तो वहाँ भीड़ देखकर हैरान रह गई।

एक लड़की ने रिया को देखते हुए कहा–“जो लड़कियाँ इंटरव्यू देकर अंदर से आ रही हैं, उनका कहना है कि इंटरव्यू में भेदभाव हो रहा है। लड़कों को ज्यादा प्राथमिकता दी जा रही है।”

रिया यह सुनकर काफी परेशान हो गई। उसको नौकरी की ज़रूरत थी। वह डरी-सहमी खड़ी हो गई। अब आई थी, तो इंटरव्यू देकर ही जाना था।

रिया की बारी आई तो वह काँपते कदमों से अंदर गई। कुर्सी खींचकर जैसे ही बैठी डायरेक्टर ने सवाल कर दिया–“मैडम, मार्केटिंग का काम है। शहर से बाहर भी मीटिंग के लिए जाना पड़ सकता है। क्या आप इस जॉब के साथ न्याय कर सकेंगी?”

रिया के माथे पर पसीने छूटने लगे। उसकी साँस की गति स्वाभाविक रूप से बढ़ गई। वह समझ नहीं पा रही थी क्या जवाब दे? इतने में डायरेक्टर ने दूसरा सवाल कर दिया–“आपकी शादी को कितने साल हो गए? कितने बच्चे हैं और वे तो अभी बहुत ही छोटे होंगे?”

रिया काफी डिस्टर्ब हो गई और वह बड़ी मुश्किल से बोली–“सर, मैं दो बच्चों की माँ हूँ। बच्चे अभी छोटे हैं। मेरी शादी को अभी छः साल ही हुए हैं।”

“फिर आप तो इस जॉब के लिए उपयुक्त उम्मीदवार नहीं हैं।” डायरेक्टर के इतना कहते ही रिया को सहसा ही क्रोध आ गया। वह ऊँची आवाज़ में बोली–“हर महिला बच्चों की माँ है। वह किसी की पत्नी है। मेरी समझ में एक बात नहीं आ रही कि जब आपको इंटरव्यू में भेदभाव ही करना है तो महिलाओं के आवेदन को स्वीकार क्यों किया और उन्हें इंटरव्यू के लिए बुलाया क्यों? यहाँ बुलाकर महिलाओं को अपमानित करना क्या अच्छी बात है? मार्केटिंग का काम हर महिला कर सकती है और पुरुषों से बेहतर ढंग से कर सकती है? आप उसको देकर तो देखें। आप ही सवाल कर रहे हैं और आप ही जवाब दे रहे हैं। क्या यह उचित है। रखें अपनी नौकरी, मैं जा रही हूँ।” रिया इतना बोलकर उठने लगी तो डायरेक्टर ने उसको ऊपर से नीचे देखा, फिर बहुत ही विनम्र स्वर में बोला–“आप तो बुरा मान गईं। चलिए, हम आपको यह जॉब दे देते हैं, लेकिन कल को बच्चा बीमार है, घरेलू काम है या सास-ससुर को डॉक्टर को दिखाना है या फिर पति आज घर पर हैं नहीं आ पाऊँगी आदि बातें बताकर आप सहसा छुट्टी नहीं ले सकती हैं। इससे कंपनी का काम रुक जाता है। महिलाओं को इन्हीं सब कारणों के चलते हम जल्दी नौकरी नहीं देते हैं। वे काम को महत्त्व कम और घर को ज्यादा महत्त्व देती हैं। आप अपने काम के प्रति ज़िम्मेदार रहेंगी, तो हमें आपसे कोई शिकायत नहीं होगी।” डायरेक्टर ने इतना कहकर अपनी बात को पूर्णविराम दे दिया। रिया बाहर आ गई। वह ख़ुश थी क्योंकि उसको चंद हिदायतों के साथ नौकरी मिल गई थी।

कंपनियाँ महिलाओं को नौकरी कम और पुरुषों को ज्यादा इसलिए देती हैं क्योंकि महिलाएँ एक समय के बाद दफ़्तर में एक पल भी रुकना पसंद नहीं करती हैं और पुरुष काम रहने पर सहर्ष देर रात तक रुक जाते हैं। महिलाओं के साथ एक समस्या यह भी है कि कंपनी में रात को भी काम होता है और रात को काम करना महिलाएँ पसंद नहीं करती हैं क्योंकि उनके पति अच्छा नहीं मानते हैं।

विवाह के बाद नेहा दफ़्तर आई तो बॉस बोला–"मैडम, आप पूरे एक हफ़्ते की छुट्टी के बाद दफ़्तर आई हैं। कल से आपकी लगातार एक हफ़्ते तक नाइट शिफ्ट में ड्यूटी रहेगी।"

नेहा का चेहरा उतर गया। वह काफी घबरा गई। वह इस जॉब को लगभग पाँच वर्षों से कर रही थी और वह अविवाहित थी। उन दिनों मम्मी-पापा की इजाज़त से वह नाइट ड्यूटी आसानी से कर लेती थी, लेकिन अब तो उसका विवाह हाल ही में हुआ था। वह नाइट ड्यूटी लगातार एक हफ़्ते तक करेगी तो न जाने उसके पति, सास, ससुर और अन्य परिजनों पर कैसा प्रभाव पड़ेगा और उसके बारे में वे सब न जाने क्या सोचेंगे? नेहा मिनटों में ही इतना कुछ सोच गई।

बॉस ने उसके चेहरे की रंगत बदली हुई देखकर कहा–"क्या बात है मैडम, मैंने ऐसी कौन-सी बात कह दी कि आपको करंट छू गया? नाइट ड्यूटी तो आप वर्षों से करती आ रही हैं। यह आपके लिए कोई नई बात तो नहीं है?" बॉस के इतना कहने पर नेहा ने दबी आवाज़ में कहा–"सर, तब की बात कुछ और थी क्योंकि तब मैं अविवाहित थी। अब मैं विवाहित हूँ। ससुराल में हूँ। मेरे ऊपर पति और सास-ससुर हैं। वे लोग मुझको 'नाइट ड्यूटी' की इजाज़त देंगे या नहीं, इस बारे में कुछ भी कहना मुश्किल है।"

बॉस ने कहा–"मैडम, उनसे बात कर लीजिएगा। उन्हें ज़रूरत होगी तो वे न चाहकर भी आपको 'नाइट ड्यूटी' करने से मना नहीं कर सकेंगे।" बॉस इतना कहकर अपने काम में बिज़ी हो गया।

नेहा ने शाम को घर पहुँचने पर अपने ससुर से पूछा–"पापा जी, कल से लगातार एक हफ़्ता मेरी रात में ड्यूटी रहेगी।" नेहा के इतना कहते ही ससुर चौंक गया और बेडरूम से निकलकर सास बाहर आ गई, फिर वह सहसा ही बोल पड़ी–"बहू, तुम रात भर घर से बाहर रहकर नौकरी करोगी तो हम तो बदनाम ही हो जाएँगे। हमारी तरफ़ से तो हाँ नहीं है।" सास के इतना कहने पर ससुर बोला–"और भी तो महिलाएँ 'नाइट ड्यूटी' करती हैं। इसमें तो कुछ भी बुरा नहीं है। इस समय आर्थिक स्थिति बहुत ही ख़राब है। हम पर क़र्ज़ भी तो है। एक संतोष की कमाई पर क्या-क्या होगा?"

ससुर के इतना कहने पर सास झनक कर बोली–"संतोष इस बात का फैसला करेगा कि तुम नाइट ड्यूटी करोगी या नहीं।"

नेहा चुपचाप कमरे में आ गई। वह काफी परेशान थी क्योंकि परिवार की स्थिति ठीक नहीं थी और नाइट ड्यूटी करने से मना करने पर नौकरी भी जा सकती थी।

रात के आठ बजे संतोष दफ़्तर से घर आया तो नेहा ने दरवाज़े में आकर उसका स्वागत किया और उसे चाय-पानी देने के बाद बोली–"आपसे कुछ कहना है।"

"तो कहो न, इजाज़त माँगने की क्या ज़रूरत है?"

"अब मैं विवाहित हूँ। जब अविवाहित थी तो 'नाइट ड्यूटी' करती थी। कल से लगातार एक हफ़्ता मुझे रात में काम करना पड़ेगा।" नेहा अभी बोल ही रही थी तभी संतोष बोल पड़ा–"मम्मी-पापा का क्या कहना है?"

"मम्मी तो मना कर रही हैं और पापा मना नहीं कर रहे हैं। पापा का कहना है कि कर्ज़ का बोझ हम पर है। घर की आर्थिक स्थिति ठीक नहीं है। नाइट ड्यूटी भी तुम्हें करनी ही पड़ेगी।" नेहा के इतना कहने पर संतोष ने कहा–"पापा भी मजबूरी में इजाज़त दे रहे हैं।" संतोष ने इतना कहकर एक लंबी साँस ली, फिर कहा–"तुम्हारा मन क्या कहता है? नई-नई शादी हुई है। तुम लगातार एक हफ़्ते तक पूरी रात कंपनी में रहकर काम करोगी और मैं यहाँ अकेला रात में रहूँगा। क्या यह ठीक होगा?"

नेहा ने समझाया–"देखो, कभी-कभी परिवार की सलामती के लिए समझौता भी करना पड़ता है और सबसे बड़ी बात यह है कि जब एक पुरुष नाइट ड्यूटी कर सकता है और पत्नी पूरी रात अकेली रह सकती है तो फिर एक स्त्री नाइट ड्यूटी क्यों नहीं कर सकती है? यह समाज शुरू से ही पुरुष प्रधान है न, इसीलिए आपको ऐसा लग रहा है। स्त्री और पुरुष दोनों ही कोई भी काम कर सकते हैं। आप ज़रा खुले मन से सोचें। आपका दृष्टिकोण बदल जाएगा।" नेहा ने समझाया।

संतोष ने कहा–"मैं समझ रहा हूँ। मुझसे अधिक आधुनिक विचार तो मेरे पापा का है। मैंने इस दृष्टि से कभी सोचा ही नहीं कि हालात को ध्यान में रखकर व्यक्ति को कोई भी निर्णय लेना चाहिए। यह भी सही है कि पुरुष प्रधान समाज है, इसलिए स्त्रियों का कहीं दूर अकेले जाना, रात में कहीं जाकर काम करना या देर रात तक दफ़्तर से घर आना अच्छा नहीं माना जाता है, जबकि यह एक साधारण बात है। स्त्री पर विश्वास करना स्त्री को सम्मान देने के ही बराबर होता है। कोई बात नहीं। मैं तुमको नाइट ड्यूटी करने की इजाज़त देता हूँ। तुम इस परिवार के लिए ही तो काम करना चाहती हो। इसमें बुरा ही क्या है? मुझे गर्व है तुम पर कि तुम परिवार का कर्ज़ मिटाने के लिए नाइट ड्यूटी करना चाहती हो।" संतोष ने अनुमति दे दी।

यह समाज पुरुष प्रधान है और इसकी जड़ें इतनी गहराई तक हैं कि इसको हिला पाना भी कठिन है। समझदारी इसी में है कि पति को, पिता को, भाई को अपनी बात बताई जाए। बोलने की ज़रूरत है, आप बोलेंगी नहीं तो आपकी बात नहीं बनेगी।

पुरुषों की नज़र में स्त्री शुरू से ही मनोरंजन की वस्तु रही है। उनके मन में यह शुरू से ही भरा हुआ है कि स्त्री अकेली रहेगी, अकेली कहीं जाएगी और अकेली कहीं कोई काम करेगी तो वह बहक सकती है। जबकि सच्चाई इसके ठीक विपरीत है। स्त्री को अपने चरित्र की बहुत चिंता रहती है। वह उसकी ही होती है, जिसको वह प्रेम करती है। अब कोई उसके साथ बलात्कार कर ले या ज़ोर-जबरदस्ती कर ले, यह तो दीगर बात है। नेहा ने जब संतोष को समझाया कि जब पति नाइट ड्यूटी कर सकता है तो पत्नी ज़रूरत पड़ने पर नाइट ड्यूटी क्यों नहीं कर सकती है तो यह कायदे वाली बात है। स्त्रियों का अस्तित्व इसीलिए तो ख़तरे में है। पुरुष हर काम कर सकते हैं, लेकिन स्त्री हर काम नहीं कर सकती है। उसके लिए कुछ ही काम हैं, जो घर के अंदर ही हैं।

आधुनिक जमाने में पढ़ी-लिखी स्त्रियों को नौकरी करने की इजाज़त तो मिल गई है, लेकिन अभी भी उन पर बंदिशों का बोझ है। उनका पीछा शक भरी निगाहें करती ही रहती हैं। यह कहना गलत न होगा कि आज स्त्री हर जगह है और हर विभाग में कार्यरत है। कोई भी विभाग इनसे बचा नहीं है। इनके प्रति पुरुषों की सोच में काफी सकारात्मक बदलाव आया है। महिलाओं को जो काम दिया गया है, उसको उन्होंने बख़ूबी पूरा किया है। महिला ने यह साबित कर दिया है कि वे किसी भी काम को उतनी ही सफाई से पूरा कर सकती हैं, जितनी सफाई से पुरुष करते हैं।

महिलाओं के साथ विशेष रूप से प्राइवेट संस्थानों में भेदभाव किया जाता है। महिलाएँ जबकि पूरी ईमानदारी और कर्मठता के साथ काम करती हैं। उनकी क्षमताओं का आंकलन नहीं किया जाता है, उनको सैलरी भी कम दी जाती है और उनका शारीरिक शोषण भी करने का भरपूर प्रयास किया जाता है। आज की स्त्री काफी बोल्ड है, होशियार है, सुशिक्षित है, उसको मूर्ख नहीं बनाया जा सकता है। वह कानून की बातें भी जानती हैं और नैतिक बातें भी जानती हैं।

हेमा एक अत्यंत ही बोल्ड, सुशिक्षित और कर्मठ स्त्री थी। शादी के बाद घर वालों से अनुमति लेकर वह एक कंपनी में नौकरी करने लगी। अभी छः माह ही नौकरी उसने की थी कि गर्भधारण कर लिया। जब बच्चा होने में एक माह शेष रह गया तो उसने छुट्टी ले ली।

माँ बनने के दो माह के बाद वह ऑफिस में आई तो उसकी सीट पर एक युवक बैठा हुआ था। हेमा का मूड ख़राब हो गया। हेमा ने जाकर मैनेजर से बात की तो मैनेजर ने कहा–"मैडम, महिलाओं को हम इसी लिए तो नौकरी पर रखते नहीं हैं। उनके साथ कुछ-न-कुछ होता ही रहता है।

भला कंपनी का काम ऐसे पूरा कैसे होगा। आपके स्थान पर हमने एक युवक को रख लिया है। वह सुबह जल्दी आ जाता है और रात के आठ बजे तक काम करता

है। महिलाएँ तो दफ़्तर लेट आती हैं और समय से पहले ही दफ़्तर से निकल जाती हैं। अब हमने निर्णय कर लिया है कि महिला उम्मीदवार को रखना ही नहीं है। सॉरी मैडम, हम आपकी कोई भी मदद नहीं कर सकते।" मैनेजर ने इतना कहकर माफी माँग ली।

हेमा अब क्या करती? एक आम स्त्री लड़ने या बहस करने में अपनी ऊर्जा व्यय करेगी या नौकरी की तलाश करेगी। हेमा चुपचाप कंपनी से बाहर निकल आई।

कहने का आशय है कि महिलाओं के साथ प्राइवेट संस्थानों में अवश्य ही भेदभाव होता है। वह भेदभाव विभिन्न रूपों में होता है। ऐसा नहीं होना चाहिए। समाज स्त्री और पुरुष के सहयोग से चलता है और जब इनमें से किसी एक को आगे बढ़ने का मौका नहीं मिलता है, तो फिर समाज का विकास थम जाता है। मैंने अनुभव किया है और आपने भी अनुभव किया होगा कि जिन घरों में महिलाओं को सम्मान की नज़र से देखा जाता है, उनकी बातों को ध्यान से सुना जाता है, हर फैसले में उनको भी शामिल किया जाता है और उनकी भी राय ली जाती है, उन घरों का माहौल गंगा की लहरों की तरह पावन तथा निर्मल होता है और वहाँ पर कलह-क्लेश का नामोनिशान तक भी नहीं होता है।

मैंने भी अनुभव किया है और आपने भी अनुभव किया होगा कि बेटियों और बेटों में माता-पिता थोड़ा नहीं बहुत ज्यादा भेदभाव करते हैं। इससे बेटियों के मस्तिष्क पर नकारात्मक प्रभाव पड़ता है और वे यह मान बैठती हैं कि माता-पिता की नज़रों में वे अच्छी नहीं हैं और उनका पैदा होना अशुभ होने के साथ-साथ धरती पर बोझ भी है। बाल्यावस्था में ही जब एक लड़की में इस तरह की नकारात्मक सोच विकसित हो जाती है तो वह हीनभावना की शिकार होकर हताशा और निराशा से घिर जाती है। फिर उसके मन में कोई इच्छा ही नहीं रहती है। मेरी लोगों से अपील है कि वे अपनी बेटियों के साथ ऐसा व्यवहार न करें। जो माता-पिता अपनी बेटियों के साथ भेदभावपूर्ण व्यवहार करते हैं; वे वास्तव में ही समाज के दुश्मन होते हैं क्योंकि समाज की उन्नति तभी हो पाती है जब महिलाओं को भी पुरुषों के समान ही अधिकार प्राप्त होते हैं, मान-सम्मान प्राप्त होते हैं, और आदर-सत्कार होता है। भेदभाव भरा व्यवहार लड़कियों में अवसाद को भी उत्पन्न करता है। एक समाचार-पत्र में ख़बर छपी थी कि पन्द्रह वर्षीय एक लड़की ने पंखे से लटक कर फाँसी लगा ली। उसने सुसाइड नोट में लिखा था कि मेरे मम्मी-पापा मुझसे प्यार नहीं करते हैं, जो भी चीज़ लाते हैं बड़े भाई के लिए ही लाते हैं। मेरे लिए और मेरे नाम से कोई भी चीज़ नहीं आती है। कोई मिठाई भी आती है, तो बड़े भाई की पसंद की होती है। उसके खाने के बाद मिठाई बचती है तब उसका जूठन और छोड़न मेरे पास आता है। पहले तो मैं जूठन या छोड़न खा लेती थी, लेकिन जब से मैंने होश सँभाला, तब से मुझे बहुत ही बुरा लगने लगा। एक

दिन मुझे अपने आपसे यह सोचकर घृणा हो गई कि जब मम्मी-पापा का व्यवहार मेरे प्रति इतना रूखा है तो फिर आगे चलकर पति, बच्चों और अन्य सगे-संबंधियों का मेरे साथ कैसा व्यवहार होगा? फिर मैंने फाँसी लगा ली।

उपरोक्त ख़बर पढ़कर मेरा तो दिल दहल गया। लड़कियों के साथ गलत व्यवहार अभिभावक से लेकर बाहरी लोगों तक करते हैं। लड़कियों में कौन है बढ़ते अवसाद के लिए ज़िम्मेदार आपके मन में यह सवाल तो अवश्य ही उठता होगा। इस हकीकत से कोई भी अनजान नहीं है कि अवसाद बहुत ही तेज़ी से दुनिया-भर में अपने पाँव पसार रहा है। पूरी दुनिया में हर पाँच में से दो या तीन लड़कियाँ अवसाद की चपेट में हैं, लेकिन हाल ही में हुआ एक नया अध्ययन अब अवसाद की समय रहते पहचान और इलाज में मददगार साबित हो सकता है। यूनिवर्सिटी ऑफ ईडनबर्ग के शोधकर्ताओं ने लगभग तीन लाख लोगों के डीएनए के अध्ययन के आधार पर पाया है कि अवसाद से पीड़ित लोगों में एंग्जाइटी, मूड ख़राब होना या बहुत चिंता करने के लिए ज़िम्मेदार जीन्स आम हैं। इस जीन्स का संबंध अवसाद से भी होता है। 39 से 73 आयु वर्ग के लोगों पर किए गए अध्ययन में यह बात सामने आई है।

मैं तो उपरोक्त शोध का हवाला देकर बस इतना ही बताना चाहता हूँ कि एक ही समय में, एक ही जगह पर और अपने ही बेटा और बेटी के साथ जब अभिभावक भेदभाव करते हैं, दोहरा व्यवहार करते हैं, और एक को देखकर ख़ुश होते हैं और एक को देखकर जहर की तरह मुँह बना लेते हैं तो विशेष रूप से बेटी की मन:स्थिति बहुत ही ख़राब हो जाती है। बेटियाँ यह कभी नहीं चाहती हैं कि उनको दुत्कार ही मिलता रहे और प्यार से मुलाकात कभी न हो। साइकोलॉजिस्ट का कहना है कि लड़कियों को मम्मी-पापा का प्यार नसीब नहीं होता है तो फिर कोई भी इसकी भरपाई नहीं कर पाता है।

आजकल शादी से पहले भी लड़कियाँ अवसादग्रस्त होकर जान दे देती हैं। शादी के बाद भी अवसादग्रस्त होकर जान दे देती हैं। लड़कियों के साथ कभी स्नेहसिक्त व्यवहार नहीं होता है तो वे कितनी भी सुंदर, कितनी भी स्मार्ट और कितना भी काबिल क्यों न हों, स्वयं को सामान्य नहीं रख पाती हैं।

इसलिए बेटियाँ होती हैं ख़ास

बेटियाँ ख़ास क्यों होती हैं? उन्हें शक्तिस्वरूपा क्यों कहा गया है? उन्हें ममता की, त्याग की, प्रेम की और भी न जाने किस-किस की देवी क्यों कहा गया है? आपने कभी इन खूबियों पर ध्यान दिया है और एकांत में बैठकर आत्म-मंथन किया है? नहीं किया है, तभी तो बेटियों के प्रति आपका रवैया सदियों से नकारात्मकता

से परिपूर्ण रहा है। बेटी जैसे ही पैदा होती है, पूरे घर में मातम छा जाता है और पूरा ही परिवार शोक के महासागर में डूब जाता है। जिससे पूछो, बस यही कहता है कि बेटी ने जन्म लिया है। परिवार अब आगे नहीं बढ़ेगा। दस-बीस लाख की साहू आ गई। पूरा घर खँगालकर लेकर चली जाएगी। बेटी तो पराया धन होती है, उसे किसी का भला थोड़े ही सोचना है। कितने गलत होते हैं बेटी के माता-पिता और सगे-संबंधी। बेटी तो जब भी आती है धन, खुशियाँ और ज़िंदगी लेकर आती है।

बेटियाँ जिस घर में नहीं होती हैं उस घर में मर्यादा बिलकुल ही नहीं होती है और उस घर के पुरुष अनुशासन में कभी नहीं रहते हैं। बेटियाँ मर्यादा, अनुशासन और तहज़ीब से रहने के लिए प्रेरित करती हैं। पति कच्छा पहनकर बाथरूम सें बेडरूम में आया तो पत्नी ने टोक दिया–"यह क्या तरीका है। घर में जवान बेटी है। वह आपको कच्छे में देखेगी तो क्या सोचेगी?" पत्नी की बात सुनते ही पति ने हाथ बढ़ाकर तौलिया कमर में लपेट लिया। इतने में बेटा भी कच्छे में ही बेडरूम में दौड़ा चला आया। माँ ऊँची आवाज़ में कहने लगी–"पापा को समझाया तो अब बेटा कच्छे में आ गया।"

"क्या हो गया, माँ? कच्छे में तो हूँ, नंगा तो नहीं हूँ न।" बेटा तुनककर बोला तो माँ ने उसको समझाया–"हाँ बेटा, तुम कच्छे में ही हो, लेकिन तुम छोटे नहीं रहे, बड़े हो गए हो। घर में तुमहारी जवान बहन भी रहती है। वह तुमको कच्छे में देखेगी तो क्या तुमको अच्छा लगेगा?" माँ के इतना कहने पर बेटे ने तौलिया लपेट लिया और उसने कहा–"माँ, कल से मैं ध्यान रखूँगा।"

मेरा कहने का मतलब है कि जिन घरों में बेटियाँ होती हैं, उन घरों के लोग अनुशासन में रहते हैं और कच्छे में न रहकर पायजामें या पैंट में रहते हैं या लूँगी बाँध कर रहते हैं। इस तरह से हम कह सकते हैं कि बेटियाँ जहाँ होती हैं वहाँ के लोग स्वाभाविक रूप से मर्यादित आचरण करने लगते हैं और अश्लील गालियाँ भी जल्दी नहीं निकालते हैं।

बेटियाँ क्यों ख़ास होती हैं, इसके बारे में मैं आपको बता रहा हूँ...डे मौन्ट फोर्ट यूनिवर्सिटी और अलस्टर यूनिवर्सिटी, यूके के शोधकर्ताओं ने सत्रह से पच्चीस आयु वर्ग के युवाओं की मानसिक सेहत और ज़िंदगी के प्रति उनके दृष्टिकोण को जानने के लिए हाल ही में एक शोध किया है। शोधकर्ताओं ने अपने अध्ययन में पाया कि लड़कियाँ अपने भाई या बहन को ज़िंदगी में आगे बढ़ने के लिए न केवल ज्यादा प्रेरित करती हैं, बल्कि परिवार के अन्य सदस्यों के साथ अपनी भावनाओं को साझा करने के लिए उत्साहित भी करती हैं। इसका सकारात्मक प्रभाव परिवार के सभी सदस्यों की मानसिक सेहत पर भी पड़ता है। यह अध्ययन इस बात की तरफ़ भी इशारा करता है कि बाल्यावस्था में जिनकी ज़िंदगी में बहनें होती हैं, वे बड़े होने पर अपनी ज़िंदगी से ज्यादा ख़ुश रहते हैं।

बेटियों के दिलों में प्यार का भंडार होता है। वे अपने पापा, अपनी मम्मी, अपने चाचा, अपनी चाची, अपने भाई के प्रति बिलकुल ही ईर्ष्यालु नहीं होती हैं। वे उनकी उन्नति, प्रगति और विकास को देखकर ख़ुश होती हैं और उनमें बदले की भावना अपने मम्मी-पापा के प्रति नहीं रहती है। उनकी सहनशक्ति का कोई जवाब नहीं। त्याग भी करने में वे पुरुषों से कई गुना आगे हैं। लड़कियों में एक कमी होती है, जो सबमें ही होती है। वे खुद के साथ प्यार करने के मामले में कंजूस होती हैं। सबका ध्यान वे रखती हैं, लेकिन अपना ध्यान वे नहीं रखती हैं।

यह उदाहरण आप पढ़ेंगे तो मेरी बात ठीक से समझ जाएँगे।

अमृता टी.बी. देख रही थी। रात के आठ बज रहे थे। किशोर अभी तक दफ़्तर से घर नहीं आया था। वह किशोर के ही आने की राह देख रही थी। किशोर रात के लगभग दस बजे आया।

वह बोली–"मैं गरम-गरम रोटी सेंककर दे रही हूँ। जाड़े का मौसम है। ठंडा भोजन खाने में बेकार लगता है।" इतना कहकर अमृता पाँच-छः रोटियाँ बना लाई। आटा सुबह का गुँधा हुआ था। किशोर के खाने के बाद केवल दो रोटी ही बची।

किशोर ने कहा–"तुम्हारे लिए रोटी कम पड़ गई। आटा गूँधकर और रोटियाँ सेंक लो। भूखे पेट सोना ठीक नहीं है।" किशोर के इतना कहते ही अमृता कहने लगी–"अब कौन आटा गूँधने जाए। मेरे लिए एक चपाती ही काफी है। तुमने खा लिया बस हो गया।"

अमृता के इतना कहते ही किशोर बिगड़ गया–"क्या बात करती हो। मेरा खाया-पिया तुम्हारे शरीर में लगेगा या मेरे खाने से तुम्हारी भूख शांत हो जाएगी? तुम स्वस्थ रहोगी तभी तो तुम दूसरों को ठीक रख सकोगी।"

"अब दो-तीन चपाती के लिए कौन आटा गूँधे। मुझे उतनी भूख नहीं है। एक ही चपाती काफी है। एक दिन कम खा लूँगी तो कुछ बिगड़ नहीं जाएगा।"

"हाँ, बिगड़ जाएगी न, तुम्हारी आदत बिगड़ जाएगी। जब भी रोटी कम पड़ेगी तुम आटा गूँधने के डर से कम ही खाकर रह जाओगी। पर्याप्त भोजन न करने पर धीरे-धीरे तुम्हारी सेहत गिरती चली जाएगी, फिर कई तरह की समस्याएँ उत्पन्न हो जाएँगी। चलो आटा गूँधकर चपाती बना लो।" किशोर ने समझाया।

यह सच है कि सबकी सेवा करने वाली, सबका ध्यान रखने वाली, सबकी ज़रूरतें पूरी करने वाली, सबके बारे में सोचने वाली, सबके लिए त्याग करने वाली और सबकी चीज़ों को यथा स्थान रखने वाली स्त्री खुद के बारे में बिलकुल ही लापरवाह होती है। उसके पास सबके लिए समय होता है, लेकिन खुद के लिए समय नहीं होता है, इसकी वजह यह है कि बाल्यावस्था से ही लड़कियों को सबके लिए त्याग करने, सबकी

सेवा करने और सबका ध्यान रखने की सीख घर के बड़े लोग देते रहते हैं, यही आदत लड़कियों में बढ़ती उम्र के साथ-साथ विकसित होती चली जाती है। लड़कियों को सबका ध्यान रखने की सीख देने के साथ-साथ अपना ध्यान भी रखने की सीख देने की ज़रूरत है। ऐसा तभी हो सकता है जब लड़कों की तरह लड़कियों को भी प्यार, दुलार अभिभावक दें और उनके खान-पान पर भी पर्याप्त ध्यान दें।

आज के आधुनिक और विकसित समाज में अभी भी लड़कियों को दुत्कार मिलती है और लड़कों को अच्छी परवरिश मिलती है। मैं एक बात बता दूँ कि जब तक लड़कियों को लड़कों की तरह शिक्षित नहीं किया जाएगा, उनके प्रति सहानुभूति व्यक्त नहीं की जाएगी तब तक उनका व्यक्तित्व निखर कर सामने नहीं आएगा। मैंने देखा है या आपने भी देखा होगा कि पढ़ी-लिखी लड़कियों में भी आत्मविश्वास का अभाव होता है। आत्मविश्वास का अभाव किसी भी व्यक्ति में उस स्थिति में होता है जब उसकी परवरिश तरह-तरह की बंदिशों के साथ होती है। लड़कियों की परवरिश वास्तव में ही प्रतिबंधों और बंदिशों के घेरे में होती है, जिससे उनके व्यक्तित्व का विकास लड़कों की तरह नहीं हो पाता है। तुम लड़की हो यह मत करो, वह मत करो, ऊँची आवाज़ में न बोलो, बर्दाश्त करो, बाँटने की आदत डालो, चुप रहना सीखो आदि सलीकेदार बातें केवल लड़कियों के लिए ही क्यों हैं? क्या लड़कों को इन सब बातों की ज़रूरत नहीं पड़ती है? इन हिदायतों की वजह से ही लड़की बड़ी होने के बाद भी स्वयं में निर्णय क्षमता, आत्मविश्वास और साहस उत्पन्न नहीं कर पाती है। लड़कियों के लिए इतनी नकारात्मक बंदिशें क्यों?

मेरी तो सलाह है कि आप अपनी लड़कियों में खुद से प्यार करने की आदत डालें। लड़कियों को हतोत्साहित न होनें दें, उदास न होने दें और उन्हें आगे बढ़ने के लिए हमेशा प्रेरित करते रहें।

मैंने देखा है कामकाजी माँएँ घर, परिवार, बच्चा और नौकरी के बीच संतुलन बनाते हुए खुद के साथ कुछ ज्यादा ही सख्त हो जाती हैं। खुद के साथ की गई सख्ती उनसे उनकी खुशियाँ छीन लेती है। वे बीमार रहने लगती हैं। क्या यह ठीक है? क्या लड़कों की परवरिश करते समय उनको यह बताना ज़रूरी नहीं है कि लड़कों को भी लड़कियों की तरह ही घर के काम करने चाहिए। कोई भी काम बँटा हुआ नहीं है कि वह काम लड़का करेगा और यह काम लड़की करेगी। लड़के लड़कियों से अधिक, अपने अभिभावकों को तनाव देते हैं। जब बड़े होते हैं तो अपनी पत्नी को तनाव देते हैं। कहने का आशय है कि लड़कों की लड़कियों की तरह परवरिश की जाए तो शायद वे भी घर-गृहस्थी की ज़िम्मेदारियों को निभाने लगें।

पोंछा लगाना, दुकान से कोई सामान लाना, जूठे बरतन माँजना, सबके खाने के बाद खाना, सबकी बातें सुनना आदि इस तरह के घरेलू काम लड़कियाँ करती हैं और लड़के खाकर आराम करते हैं। उनके ज़िम्मे कोई भी घरेलू काम नहीं होता है। इसीलिए तो वे लड़कियों की तरह कार्य के प्रति ज़िम्मेदार तथा जवाबदेह कभी बन नहीं पाते हैं। लड़कियों को सभी काम सिखाएँ, इसके साथ ही इस हकीकत से भी उनको समय-समय पर अवगत कराते रहें कि जो काम वे कर रही हैं, वे काम लड़कों के लिए भी हैं। लड़के जो काम कर रहे हैं, वे काम लड़कियों के भी हैं। ऐसा वे गलती से भी न सोचें कि 'किचन के काम लड़कियों के हैं और नौकरी करना या घर के बाहर के काम करना उनका नहीं है। उच्च शिक्षा केवल लड़के ही ले सकते हैं, लड़कियाँ नहीं ले सकती हैं। खेलों में भाग केवल लड़के ही ले सकते हैं, लड़कियाँ नहीं ले सकती हैं। सब काम सबके लिए है। जहाँ पर मिल-बाँटकर स्त्री और पुरुष काम करते हैं वहाँ पर किसी भी बात की कमी नहीं रहती है।

मैंने देखा है, पत्नी कामकाजी होती हैं और सास का या पति का सहयोग प्राप्त नहीं होता है तो रिश्ते में दरार पड़ने में कोई विशेष समय नहीं लगता है। ज़रा आप ही सोचें आप सुबह से लेकर रात के दस बजे तक काम-ही-काम करेंगे तो कितने दिनों तक कर पाएँगे? कभी तो आपका शरीर थकेगा और कभी तो आपका मन काम करने से मना करेगा।

स्त्री को कौन देता है तनाव

यह बहुत महत्त्वपूर्ण सवाल है। आप इस सवाल से भाग नहीं सकते हैं। आप इस सवाल से भागेंगे तो सच्चाई से भागेंगे। मैंने जहाँ तक अनुभव किया है, लड़कों की परवरिश करते समय उनको यह महसूस करवा दिया जाए कि उनमें और लड़कियों में कोई फर्क नहीं है। परिवार को आगे बढ़ाने के लिए जितनी ज़रूरत लड़कों की है उतनी ही ज़रूरत लड़कियों की भी है। जो काम लड़के कर सकते हैं, वे काम लड़कियाँ भी कर सकती हैं, तो समाज में एक बड़ा परिवर्तन होगा, लेकिन कुछ ऐसे काम हैं, जिन्हें केवल लड़कियाँ ही कर सकती हैं, लड़के चाहकर भी नहीं कर सकते हैं। आप अब पूछेंगे कि वे कौन से काम हैं? वे काम हैं, बच्चों की परवरिश करना, घर और बाहर के काम बख़ूबी करना तथा सेवा करना।

लड़के बड़े होकर भी वैवाहिक जीवन में मुश्किलें खड़ी करते रहते हैं, बाल्यावस्था से ही उनको यह बता दिया जाता है कि तुम ख़ास हो और लड़कियों से अधिक महत्त्वपूर्ण हो। यह गतिहीन नकारात्मक बात लड़कों को पुरुष बनने के बाद और भी अधिक ख़राब कर देती है। आजकल शहरों में और गाँवों में भी महिलाएँ घर से

निकलकर काम करने लगी हैं। पुरुष उनके घर से बाहर वाले काम को किसी भी गिनती में नहीं रखते हैं तो अंततः बहस होती है, फिर संबंध-विच्छेद की नौबत आ जाती है। इससे पत्नी तनावग्रस्त रहने लगती है और उसकी पीड़ा को कोई भी कम नहीं कर पाता है।

यह उदाहरण पढ़ेंगे तो आप खुद-ब-खुद ही मेरी बात समझ जाएँगे और इस बात का भी जवाब आपको मिल जाएगा कि स्त्री को तनाव कौन देता है–

अल्पना दफ़्तर से घर आई, न ही हाथ धोया और न ही ड्रेस उतारी। वह सीधे किचन में जाकर जूठे बरतन माँजने-धोने लगी। वह मन-ही-मन कुढ़ती तथा खीझती भी रही–"अवि पता नहीं स्वयं को समझता क्या है? मैंने तो भोजन करने के बाद अपना जूठा बरतन धो दिया था। बच्चों ने भी अपने जूठे बरतन धोकर रख दिए थे, लेकिन अवि तो खाना खाता है और बरतन सिंक में डालता ही नहीं है। मैंने कई बार समझाया भी कि हम दोनों ही नौकरी करते हैं। घरेलू कार्यों को आपस में मिल-बाँटकर करेंगे तथा पारिवारिक जीवन में इस तरह से आगे बढ़ेंगे तो कोई दिक़्क़त नहीं होगी। बच्चे भी हमसे सीखकर वैसा ही करेंगे, फिर जीवन बड़ा ही सहज और आसान हो जाएगा, लेकिन अवि की समझ में मेरी बात कभी नहीं आई। वह एक पुरुष की तरह ही सोचता है और आए दिन मुझे तनाव देता रहता है। बच्चों को तो जैसा समझा देती हूँ, वैसा ही करने लगते हैं और अब तो यह भी महसूस करने लगे हैं कि मम्मी दफ़्तर और घर के काम तथा लम्बा सफ़र तय करने के बाद थक जाती हैं। घरेलू काम हम न भी करें तो कम-से-कम अपना निजी काम तो कर ही लें। कुछ तो उनका तनाव कम होगा, लेकिन अवि के तेवर वही हैं। ऑफिस से आना, चाय माँगना और देर हो गई तो दो-चार गालियाँ भी निकाल देना या फिर स्वाभिमान पर चोट पहुँचाना, यही तो अवि करता है और उसकी शान इसी में है। मैं जिस दिन ऑफिस से घर उसके आने के बाद आती हूँ उस दिन तो वह पागलों की तरह मुझसे लड़ता है। अकड़कर बात करना और चीख-चीखकर बात करना उसके स्वभाव में शामिल हो गया है।" अल्पना स्वयं से बातें करते-करते अपने विचारों में इतना खो गई कि उसे पता ही नहीं चला कि उसके पीछे अवि कब से आकर खड़ा हो गया है।

अवि ने तेज़ और तल्ख आवाज़ में कहा–"अभी तक बरतन हीं माँज रही हो? मुझे एक गिलास पानी और चाय फटाफट लाकर दो।"

अल्पना ने हिम्मत जुटाकर कहा–"तुम पानी अपने हाथ से ले नहीं सकते? क्या चाय नहीं बना सकते?"

"मैं ऑफिस से आया हूँ। थका हुआ हूँ। क्या तुमकों नज़र नहीं आता?" अवि ने जब ऐसा कहा तो अल्पना भी ऊँची आवाज़ में बोल पड़ी–"मैं भी तो ऑफिस से आई

हूँ और तुम्हारे जूठे बरतन माँज रही हूँ।" अल्पना के इतना कहते ही अवि गुस्से से लाल हो गया और तेज़-तेज़ अवाज में कहने लगा-"तुम मुझसे जुबान लड़ा रही हो? मेरा काम ये सब नहीं हैं। तुम औरत हो करो।" अवि इतना कहकर बेडरूम में चला गया।

इसमें अवि का भी कोई कसूर नहीं था क्योंकि बाल्यावस्था से ही उसके कान में यह डाला गया था कि लड़कियों के काम लड़के नहीं करते हैं।

अल्पना अब क्या करती? पानी ले जाकर अवि को दिया और चाय भी बनाकर दी। वह परिवार में शांति बनाकर रखना चाहती थी। वह यह कतई नहीं चाहती थी कि उसकी वजह से घर उजड़ जाए और बच्चे न घर के न घाट के रह जाएँ। अल्पना हमेशा ही तनाव में रहती, चिंतित रहती और दुखी भी रहती। उसे कहीं भी अच्छा नहीं लगता।

अब आप ही देखें, अल्पना नौकरी भी करती थी यानी आर्थिक रूप से वह स्वतंत्र थी, घर के काम भी करती थी, पति की भी सेवा करती थी, फिर भी उसका मन अशांत था। अल्पना की तरह ढेरों ऐसी महिलाएँ हैं, जो सुशिक्षित, कामकाजी और घरेलू कार्यों के प्रति समर्पित हैं, फिर भी पति के व्यवहारों की वजह से दुखी हैं।

तनाव से आज कोई भी अछूता नहीं है। तनाव की गिरफ़्त में बाल, युवा, वृद्ध सभी हैं। कामकाजी महिला हो या घरेलू महिला, उसको एक नहीं, कई काम करने पड़ते हैं। वह हमेशा व्यस्त रहती है। जिन औरतों को पति का सहयोग मिलता है, उन औरतों को बहुत आराम मिलता है। वे दफ़्तर में होती हैं तो निश्चिंत होती हैं यह सोचकर कि पति घरेलू कार्यों को सँभाल लेंगे। घरेलू महिला के कार्यों में पति हाथ बँटाता है तो वह हमेशा ख़ुश और निश्चिंत होती है। अनुभवी लोगों का भी मानना है कि जिन औरतों को पति का साथ, पति का प्यार और पति से बातचीत करने का पर्याप्त समय मिलता है, वे औरतें अनेक ज़िम्मेदारियों को निभाने के बाद भी तनावमुक्त रहती हैं, लेकिन जिन्हें पति का साथ नहीं मिलता है, पति का प्यार नहीं मिलता है, पति से बातचीत नहीं हो पाती है, उन्हें अशांति और तनाव का सामना आए दिन करते रहना पड़ता है।

'कौन देता है महिलाओं को ज्यादा तनाव' इस विषय को लेकर विशेषज्ञों ने एक सर्वे हाल ही में किया है। तनाव की वजह से आज सभी परेशान हैं, विशेष रूप से कामकाजी और घरेलू महिलाओं को तनाव ने सबसे अधिक छुआ है। बढ़िया सपोर्ट सिस्टम न होने पर घर, दफ़्तर, बच्चे और परिवार की ज़िम्मेदारियाँ निभाते-निभाते विशेष रूप से महिलाओं के ऊपर तनाव धीरे-धीरे हावी हो जाता है। ऐसे में अगर जीवनसाथी घर और बच्चे से संबंधित ज़िम्मेदारियों में हाथ बँटाने लगे तो महिला का तनाव काफी कम हो जाता है। सात हज़ार महिलाओं पर किए गए एक सर्वे के अनुसार महिलाएँ अपने तनाव के लिए बच्चों से अधिक अपने पति को दोष देती हैं। सर्वे में शामिल 46 प्रतिशत महिलाओं ने स्वीकार किया कि अपने पति की वजह से उन्हें ज्यादा तनाव है।

सर्वे को ध्यान में रखकर बात की जाए तो यह बहुत ही अफसोस की बात है कि कामकाजी महिलाओं को परिवार की तरफ़ से सपोर्ट बहुत ही कम मिलता है और आलोचनाएँ ज्यादा मिलती हैं, धमकियाँ ज्यादा मिलती हैं और नकारात्मक सवाल ज्यादा-से-ज्यादा पूछे जाते हैं। इस तरह के व्यवहार से उनके मन में क्रोध, घृणा और अलगाववादी विचार उत्पन्न होते हैं और यही वजह है कि आज के दौर में आज शादी होती है और अगले दिन तलाक की अर्जी अदालत में डाल दी जाती है। यह क्या है? सपोर्ट सिस्टम में अनेक खामियों का ही तो संकेत है।

जो स्त्रियाँ कामकाजी नहीं होती हैं, घरेलू यानी हाउसवाइफ होती हैं, उन्हें भी पति की तरफ़ से सपोर्ट नहीं मिलता है। पति पूरी तरह से रेस्ट माँगता है। एक गिलास पानी तक भी वह उठकर नहीं लेता है और पत्नी कह देती है कि ज़रा सब्जी चूल्हे पर है, देखना जले नहीं, मैं अभी बाथरूम से आई तो पति यह कहकर उसे झड़प देता है कि यह मेरा काम नहीं है। जब मना करने का सिलसिला रोज़-रोज़ चलने लगता है तो फिर यह अलगाव और झगड़े की वजह बन जाता है। पत्नी पति की छोटी-बड़ी सारी ज़रूरतों को सहर्ष पूरा करने के लिए बाध्य है और पति तल्ख और ऊँची आवाज़ में उसके हर आग्रह को नकारने के लिए कमर कसकर खड़ा है तो भला ऐसी परिस्थितियों में पत्नी तनाव की मार को क्यों नहीं झेलेगी।

कामकाजी महिलाएँ ऑफिस में काम करती हैं, घर आती हैं तो किचन में काम करती हैं और किचन से निकलती हैं तो बच्चों की ज़रूरतों को पूरा करती हैं और उनकी शिकायतें सुनती हैं। नौकरी करना, बरतन-माँजना, घर की सफाई करना, कपड़े धोना और पति की तरफ़ से कोई भी सपोर्ट नहीं मिलना अलगाववादी विचारों को उत्पन्न करने के लिए बहुत है।

विशेषज्ञों का भी मानना है कि रिश्तों में अलगाव, बिखराव तभी उत्पन्न होता है जब परस्पर सपोर्ट सिस्टम का अभाव होता है। सपोर्ट सिस्टम का मजबूत होना बहुत ही आवश्यक है। पत्नी ने पति से सहायता माँगी या कोई काम करने के लिए आग्रह किया और पति ने ठक से मना कर दिया तो मूड तो ख़राब होता ही है। घर चलाना है, बच्चों की परवरिश करनी है, घर का माहौल शांत रखना है ऐसा अक्सर महिलाएँ ही सोचती हैं, पुरुष नहीं सोचते हैं। पुरुष की इस सोच की वजह से ही पत्नी को तनाव मिलता है। परिवार की परवाह महिलाओं जितना पुरुष नहीं करते हैं।

लोग समझते हैं कि महिला को तनाव बच्चों से मिलता है, तो यह गलत है क्योंकि ज्यादातर मामलों में पति ही पत्नी को डिस्टर्ब करते हैं। उनके तानें, उनकी आपत्तियों और कटाक्षों को पत्नी बर्दाश्त करते-करते एक दिन तनाव ग्रस्त हो ही जाती है। तनाव

जब झेला नहीं जाता है, तब तलाक होता है या आत्महत्या होती है या पति और बच्चों को छोड़कर किसी के साथ पत्नी सुखों की तलाश में भाग जाती है, जबकि इस कदम से उसे और कष्ट ही मिलता है। एक-दूसरे की मदद करके ही जीवन को सहज और सफल बनाया जा सकता है।

अनुभवी लोगों का कहना है कि लड़की जब पैदा होती है, तब से लेकर उसके मरने तक उसको पुरुषों के ताने ही सुनने पड़ते हैं। वह मायके में जब तक रहती है, उसको माता-पिता अक्सर ही समझाते रहते हैं, ऊँच-नीच की बातें बताते रहते हैं बंदिशें लगाते रहते हैं, कैसे बोला जाता है, कैसे रहा जाता है सिखाते रहते हैं, लेकिन लड़कों को कुछ भी नहीं सिखाते हैं। यही वजह है कि लड़कियाँ व्यवहार कुशल होती हैं और लड़कों को कुछ बताया नहीं जाता है, तो वे व्यवहार कुशल नहीं होते हैं। एक गिलास पानी तक भी वे स्वयं अपने हाथ से लेने में सौ बार सोचते हैं। बाथरूम में नहाने के बाद तौलिया मांगते हैं। मोटरसाइकिल स्वयं न पोंछकर अपनी माँ से पोंछवाते हैं और अपना कच्छा-बनियान तक भी बूढ़े हो जाते हैं, लेकिन स्वयं नहीं धोते हैं। पत्नी होती है तो वह धोती है और पत्नी नहीं होती है तो माँ धोती है। कहने का आशय है कि लड़कों को अभिभावक वे बातें क्यों नहीं करने की हिदायत देते हैं, जो बातें लड़कियों को बड़े शौक से समझाते हैं। लड़कियों को दब्बू मेरे विचार से उनके माता-पिता ही बनाते हैं क्योंकि लड़कियाँ जो काम करना पसंद नहीं करती हैं, वे काम भी उनसे अभिभावक जबरदस्ती करवाते हैं।

यह उदाहरण पढ़ने के बाद आप मेरी बात समझ जाएँगे-

अर्चना ने अपनी पन्द्रह वर्षीय बेटी से कहा-"मालती, पिंटू ने नहाकर कच्छा-बनियान बाथरूम में ही छोड़ दिया है। तुम उसे सर्फ में खंगालकर धूप में डाल देना।' अर्चना की बातें सुनकर मालती खीझ गई क्योंकि वह पढ़ रही थी। मालती बोली-"मम्मी, अपना कच्छा-बनियान पिंटू साफ नहीं करेगा तो फिर क्या करेगा?"

"उसकी परीक्षा शुरू होने वाली है। उसके पास समय कहाँ है।" अर्चना ने जैसे ही इतना कहा, मालती झट से बोल पड़ी-"मम्मी, परीक्षा तो परसों से मेरी भी शुरू होने वाली है। आपको पिंटू की पढ़ाई की चिंता है, लेकिन मेरी पढ़ाई की चिंता नहीं है क्योंकि मैं लड़की हूँ? मम्मी, बच्चों के प्रति ईमानदार बनो?"

अर्चना नाराज़ होते हुए बोली-"बेटी, तुम लड़की हो। तुम्हें तो हम उतना पढ़ाएँगे, जितना ज़रूरी होगा। कितना भी तुम पढ़ लोगी काम तो घर का ही करोगी।

मालती बोली-"नहीं माँ, मुझे पुलिस इंस्पेक्टर बनना है। आज के जमाने में लड़कियाँ हर कार्य कर रही हैं। हर विभाग में लड़कियाँ हैं और पुरुषों से कहीं बेहतर काम कर रही हैं। पिंटू को बोलो वह अपना कच्छा-बनियान स्वयं साफ किया करे।

यह कहाँ का न्याय है मम्मी, कि लड़कियाँ अपना काम भी करें और पूरे घरवालों के भी काम करें? यह ठीक नहीं है। अभिभावक ही तो लड़कों को आलसी और कामचोर बनाते हैं, जो आगे चलकर अपनी पत्नी को परेशान करते हैं। मम्मी, पिंटू की परीक्षा है तो मेरी भी परीक्षा शुरू होने वाली है।" मालती ने इतना कहकर उठी और बाथरूम में जाकर पिंटू का कच्छा-बनियान धोकर धूप में सूखने के लिए फैला दिया।

लड़कियाँ संवेदनशील होती हैं, तभी तो मना करने के बाद मालती ने पिंटू का कच्छा-बनियान धोकर धूप में डाल दिया। आप लड़कों से कहकर देखिए, वे एक बार कह देंगे कि फलाँ काम कर रहे हैं। समय नहीं है तो फिर उस पर कोई सुनवाई नहीं होगी, लेकिन लड़कियाँ मना करने के बाद भी अपने मन को मना नहीं कर पाती हैं और उस काम को करने के बाद ही चैन की साँस ले पाती हैं। लड़कियाँ भावुक होती हैं, दयालु होती हैं और ज़िम्मेदार होती हैं। वे किसी को समयाभाव के कारण या किन्हीं मजबूरियों के कारण कोई काम करने से मना कर भी देती हैं तो बाद में अफसोस भी करती हैं कि मना कर दिया। पता नहीं वह क्या सोच रहा होगा? उसका काम न हुआ तो कहीं उसका बहुत बड़ा नुकसान न हो जाए? इतना सबकुछ मना करने के बाद एक लड़का नहीं सोचता है। वह तो मना करने के बाद, उस बात को गलती से भी याद नहीं करता है, लेकिन लड़की मना करने के बाद भी याद करती है और यह भी मन-ही-मन सोचती है कि क्यों मना किया? पता नहीं वह व्यक्ति क्या सोचकर मेरे पास आया था? इसी को कहते हैं महसूस करना। एक लड़की या एक स्त्री में भावनाएँ पुरुषों के मुकाबले अधिक होती हैं। वह दिल से सोचती है तभी तो पुरुष उसको इस्तेमाल करते आए हैं।

लड़कियाँ उदार और दयालु होती हैं तभी तो जल्दी ही एक अजनबी पर भी विश्वास कर लेती हैं। वे उनसे प्यार करने लगती हैं और उनके साथ ताउम्र बिताने के लिए सहर्ष तैयार हो जाती हैं। अभिभावकों का यह कर्तव्य बनता है कि वे लड़कियों की परवरिश कुछ इस तरह से करें कि कोई उनकी भावनाओं से खेल न सके, उनके साथ छल कर न सके। इतिहास साक्षी है, स्त्रियों को छल से, या बल से हथियाने के लिए ढेरों लड़ाइयाँ हुई हैं। उनसे किसी ने भी यह जानने की कोशिश नहीं की कि वे क्या चाहती हैं। आज का समय पहले की तरह नहीं रह गया है। सबकुछ बदल गया है। लड़कियों के लिए खुले अवसर हैं। उन्हें लड़कों की तरह एजुकेट करें। उन्हें शिक्षा अवश्य ही दिलाएँ। एक शिक्षित लड़की एक पूरे परिवार को शिक्षित करने की क्षमता रखती है।

मैं अगर कहूँ कि स्त्रियों में स्टेमिना पुरुषों के मुकाबले ज्यादा होता है और वे पुरुषों से अधिक सहनशक्ति रखती हैं तो कोई गलत नहीं होगा। वे सुबह के पाँच बजे बिस्तर छोड़ देती हैं, तो फिर चरखी की तरह नाचती ही रहती हैं। बाल-वृद्ध, युवा

सबकी ही ज़रूरतें उन्हें पूरी करनी होती है। फिर रात के दस बजे ही वे बिस्तर पर आती हैं। महिलाएँ चौबीस घंटे की नौकरी करती हैं। यदि वे कामकाजी हैं तब तो उन्हें महाशक्ति ही समझें क्योंकि ऑफिस से आने के बाद उन्हें घर के भी सारे काम करने पड़ते हैं और पति या युवा बच्चे उनकी मदद तक भी नहीं करते हैं।

यह उदाहरण पढ़ें। आपको मेरी बात समझ में आ जाएगी–

लड़की चाय लेकर ड्राइंग-रूम में आई। उसको लड़के वाले देखने आए थे। लड़के ने उससे कहा–"तुम नौकरी करती हो?"

लड़की बोली–"हाँ, मैं नौकरी करती हूँ।"

लड़के ने दूसरा सवाल कर दिया–"दफ़्तर से घर आने के बाद खाना कौन बनाता है?"

लड़की बोली–"मेरी माँ खाना मेरे आने से पहले ही बना चुकी होती हैं।" लड़की के इतना कहते ही लड़का बोल पड़ा–"तुम्हें शादी के बाद भी नौकरी करनी पड़ेगी।"

लड़की बोली–"अच्छी बात है। किचन के काम सासू माँ मेरे साथ मिलकर कर लेंगी या फिर मेरे आने से पहले ही कर लेंगी।"

लड़का बोला–"माँ तो गाँव में रहती हैं। खाना तो तुमको खुद ही बनाना पड़ेगा।"

लड़की ने कहा–"दफ़्तर से घर आने के बाद मैं खाना बना तो सकती हूँ, लेकिन किचन के काम तुमको भी करने पड़ेंगे।"

लड़का बोला–"मैं दफ़्तर से आने के बाद थक जाता हूँ। फिर मैं एक गिलास पानी भी अपने हाथ से लेकर नहीं पीता। मैं किचन के काम नहीं कर सकता।"

लड़की बोली–"तो क्या लड़कियाँ पत्थर की होती हैं या लोहे की मशीन होती हैं कि वे थकती-हारती नहीं हैं? आप नौकरी करके आने के बाद घरेलू कार्यों में मेरी मदद नहीं करेंगे तो मैं आपके साथ विवाह नहीं करूँगी। मदद करने की सोच जब आप में नहीं है, तो इसका मतलब आप इनसान नहीं, बल्कि एक रोबोट हैं। आप जा सकते हैं।" लड़की यह कहते-कहते काफी क्रोधित हो गई। वह इतना गुस्सा हो गई कि उसका चेहरा सेब की तरह लाल हो गया।

वास्तव में ही यह सोचने वाली बात है कि स्त्रियों को पुरुष समझते क्या हैं और उनके प्रति वे इतना कठोर और निर्मम क्यों हो जाते हैं? पति बनने के बाद तो बिलकुल ही नारियल की तरह सख्त और गंभीर हो जाते हैं जबकि प्रेमी के रूप में कोमल, सहज तथा बिंदास होते हैं। एक सर्वे की रिपोर्ट में कहा गया है कि स्त्रियाँ पुरुषों को प्रेमी के रूप में ज्यादा पसंद करती हैं उनका कहना है कि पति के रूप में पुरुष असहज कठिन और कठोर होता है जबकि प्रेमी के रूप में वह सहज, कोमल और अत्यंत ही

आज्ञाकारी होता है। ऐसा इसलिए है क्योंकि प्रेमिका पर उसका एकाधिकार नहीं होता है और सामाजिक रूप से वह मान्य भी नहीं होता है। प्रेमी को अच्छी तरह से यह मालूम होता है कि प्रेमिका कभी भी जीवन से एक झटके में ही निकल सकती है, जबकि पत्नी कहीं नहीं जाने वाली है।

मैं तो यही कहूँगा कि आप पत्नी की हर काम में मदद करें और वैवाहिक जीवन को आनंददायक बनाने के लिए पति नहीं, बल्कि प्रेमी बनकर रहें। पत्नी को भी एक इनसान ही समझें। जमाना बदल गया है तो आप भी स्वयं को बदलें। मेरे विचार से शहरों और महाशहरों में तलाक इसीलिए हो रहा है कि हर पत्नी कामकाजी होती है। वह थक-हारकर घर आती है, तो पति घरेलू काम में उसकी कोई मदद ही नहीं करता है। एक, दो या छः माह तक तो इस तरह से चल सकता है, लेकिन इससे ज्यादा समय तक नहीं चल सकता है। पत्नी भी तो एक इनसान ही होती है। उसका भी मन करता है कि दफ़्तर से घर पहुँचने पर बना-बनाया खाना मिले। कामकाजी पति और पत्नी मिल-जुलकर काम करते हैं, तो जीवन आसान हो जाता है और पति सहयोग नहीं करता है तो फिर तलाक होने में देर नहीं लगती है।

7

बेटी की बनें सहेली

बेटी जब पैदा होती है तब बहुत ही कम अभिभावक ख़ुश होते हैं। ज्यादातर माता-पिता स्वयं को ही कोसते हैं और ईश्वर को भी बुरा-भला सुनाते हैं। नाचना-गाना भी नहीं होता है और मिष्टानों का वितरण भी नहीं होता है। चारों तरफ़ मातम-ही-मातम होता है। कहीं पर भी कोई ख़ुशी नहीं होती है। आज के आधुनिक दौर में लड़की के पैदा होने पर उतनी खुशियाँ सबके चेहरों पर नहीं दिखतीं, जितनी लड़के के पैदा होने पर दिखती हैं।

माँ एक लड़की होकर भी अपनी बेटी से उतना लगाव नहीं रख पाती है, जितना लगाव वह अपने बेटे से रखती है। मैं आपको बता दूँ कि बेटी के पैदा होने पर सबसे पहले घर की औरतें उसका विरोध करती हैं। पुरुष तो उनके विरोध में उठे स्वर में बस स्वर मिलाते हैं। बेटी का खुलेआम विरोध औरतें ही करती हैं। यदि औरतें बेटी का स्वागत करने लगें, तो पुरुष भी उनके पैदा होने पर उनका स्वागत करने लगेंगे।

यह उदाहरण पढ़ें और बेटी के प्रति अपनी सोच सकारात्मक तथा सार्थक रखें–

पिता दफ़्तर से घर आया तो पन्द्रह वर्षीय बेटी ने उसके हाथ से बैग ले लिया। पिता को बेटी के इस व्यवहार से बड़ा ही आश्चर्य हुआ। फिर वह दौड़कर पानी ले आई और पिता के आगे रख दिया। पिता ने ध्यान से बेटी को देखा, फिर उसकी आँखें भर आईं। वह मन-ही-मन सोचने लगा–"सुबह-सुबह लड़की को मैंने केवल इसलिए डाँट दिया कि उसने झाड़ू-पोंछा क्यों नहीं लगाया और लड़के ने जब दुकान से जाकर दूध नहीं लाया तो मैंने उसको कुछ नहीं कहा। मैं तो इन दोनों का ही पिता हूँ। लड़की के प्रति मैं इतना कठोर, क्रूर, निष्ठुर क्यों हूँ? जबकि लड़की बिना किसी शिकायत के मेरी सेवा करती रहती है, मेरी सुविधा-असुविधा का ध्यान रखती है, मेरी एक आवाज़ पर दौड़ी चली आती है। लड़का मेरी एक नहीं सुनता, मेरा कहना नहीं मानता, उसके स्कूल से रोज़ शिकायतें आती रहती हैं, फिर भी हम सब ही लड़के को प्यार करते हैं,

दिन-रात उसका ही ध्यान रखते हैं, उसकी ही ज़रूरतों को पूरा करते रहते हैं। लड़का और लड़की के प्रति मेरे मन में ही नहीं, बल्कि हम सबके ही मन में इतना भेदभाव क्यों है? मैं अपने बेटे की हज़ारों गलतियाँ क्यों माफ कर देता हूँ और बेटी की एक गलती भी माफ क्यों नहीं कर पाता हूँ? मेरे मन में यह अंतर क्यों? मैं कैसा पिता हूँ, इतनी प्यारी बेटी के प्रति मैं इतना कठोर और खूँखार हूँ? नहीं, मैं अपनी बेटी के साथ अब और गलत व्यवहार नहीं करूँगा। मैं अपनी फूल-सी बच्ची की नज़र में क्रूर पिता नहीं बन सकता।" इतना सोचते-सोचते पिता की आँखें छलक आईं और आँसू बेटी के सामने फर्श पर टपक पड़े। बेटी ने आश्चर्य से पूछा–"पापा, आपकी आँखों में आँसू क्यों? क्या मैंने फिर कोई गलती कर दी?"

उसने झुककर बेटी का माथा चूम लिया, फिर उसकी आँखों में झाँकते हुए कहा–"मेरी प्यारी बच्ची, तुमसे भला गलती कैसे हो सकती है? मैं तुम्हारे साथ क्रूरता भरा व्यवहार करता रहा और तुम मुझसे प्यार करती रही, मुझको दुनिया का सबसे अच्छा पापा मानती रही और मेरे प्रति तुम्हारी भावनाएँ बिलकुल ही गंगाजल की तरह पवित्र रहीं। मेरी लाडली..." इतना कहते-कहते पिता ने अपनी बच्ची को गोद में समेट लिया, मानो उसने अब तक उसके साथ जितने भी गलत व्यवहार किए थे, उसका प्रायश्चित आज कर रहा हो।

यह कहना गलत न होगा, आज भी लड़कियों के प्रति माता और पिता का व्यवहार अत्यंत ही नकारात्मक होता है। बेटे पर नज़र पड़ते ही माता-पिता प्रसन्न हो जाते हैं और बेटी पर नज़र पड़ते ही प्रसन्नता, अप्रसन्नता में बदल जाती है। इस सोच को बदलने की ज़रूरत है। सबसे पहले तो मन से यह बात निकालने की ज़रूरत है कि लड़की पराया धन है या दूसरे की अमानत है। यह सोच ही बेटी के प्रति नकारात्मक भावनाएँ मन में पैदा करती है। बेटी शादी के बाद पराई नहीं हो जाती है, बल्कि वह अपने जीवन की शुरुआत करती है और आपके घर के साथ-साथ उसको एक और घर मिल जाता है। दु:ख-सुख में, गम-ख़ुशी में, सफलता-असफलता में क्या बेटी माता-पिता के साथ नहीं रहती है? जब पिता को बहू-बेटे उसके हाल पर छोड़ देते हैं तो क्या बेटी आगे बढ़कर पिता का हाथ नहीं थाम लेती है। फिर बेटी पराई कैसे हो गई? बेटा भी तो शादी के बाद पराया हो जाता है। वह भी तो अपनी पत्नी और ससुराल का हो जाता है। सूक्ष्मता से सोचने पर बेटा और बेटी में तो कोई फर्क नज़र नहीं आता है। क्या आपको आता है?

यह उदाहरण पढ़ें और बेटी की भावना को समझें–

बेटी शादी के बाद ससुराल जाने लगी तो वह काफी तनाव में आ गई। दूल्हे ने पूछा–"आप इतना तनाव ग्रस्त क्यों हैं? मेरे साथ आपको कोई भी तकलीफ नहीं

होगी। मैं आपकी भावनाओं की कद्र करूँगा। आप मुझ पर यकीन करें।" दूल्हे की बात सुनकर बेटी बोली–"मुझे आप पर भरोसा है, तभी तो मैंने आपसे शादी की है।"

"फिर दिक़्क़त क्या है?" दूल्हे ने दोबारा सवाल कर दिया।

"मेरे पापा बीमार रहते हैं। मेरी माँ नहीं है। उनकी देखभाल मैं ही करती आ रही हूँ। मेरे भैया और भाभी का व्यवहार पापा के प्रति ठीक नहीं है। भाभी को केवल अपने से मतलब रहता है। भैया भी पापा की देखभाल में कोई रुचि नहीं लेते हैं।" बेटी इतना कहते-कहते परेशान हो गई।

दूल्हा अत्यंत ही सज्जन और सकारात्मक सोच वाला व्यक्ति था। वह बोला–"मैं तो दुनिया का बहुत ही ख़ुशनसीब पति हूँ कि तुम जैसी नेकदिल वाली पत्नी मिली। तुम अपने पापा से इतना स्नेह रखती हो और इनकी इतनी चिंता करती हो इससे यह स्पष्ट हो गया कि तुम अत्यंत ही संवेदनशील, भावुक और दूसरों की परवाह करने वाली ईश्वर की नेक बंदी हो। बेशक तुम मेरे माता-पिता का ध्यान रखोगी। अपने वृद्ध और बीमार पिता को लेकर तुम्हें परेशान होने की ज़रूरत नहीं है। मैं तुम्हारे भैया-भाभी को समझाने की कोशिश करूँगा। वे नहीं समझेंगे तो तुम्हारे पिता का ध्यान मैं रखूँगा।" दूल्हे ने समझाया।

मैं आपको केवल यह बताना चाहता हूँ कि माता-पिता की परवाह बेटियाँ नि:स्वार्थ भाव से करती हैं। उनके मन में कोई लालच नहीं होता है। जबकि बहू-बेटे लालच में आकर माता-पिता की सेवा करने के लिए राज़ी होते हैं। बेटियाँ वास्तव में महान होती हैं और वह मन में कोई लालच नहीं रखती हैं। बेटों को तो मैंने यह कहते हुए सुना है कि सारी ज़िंदगी जो भी कमाया खर्च कर दिया, बच्चों के लिए तो कुछ किया नहीं, बैंक-बैलेंस भी नहीं है, भला ऐसे माता-पिता की सेवा कौन करेगा? अर्थहीन व्यक्ति की पूछ कोई नहीं करता है। कहने का आशय है कि बेटियों का माता-पिता से दिली लगाव होता है, जबकि बेटे शादी के बाद अपने घर-गृहस्थी में इस तरह से रम जाते हैं कि माता-पिता को भूल जाते हैं।

साथ-साथ करें सुबह का नाश्ता

जो परिवार एक साथ खाना खाता है, वह कभी नहीं टूटता है, इस कहावत में अब एक नई बात जुड़ गई है। एक नए अध्ययन के मुताबिक सुबह का नाश्ता परिवार के साथ करने से बच्चे और टीनएजर्स में अपने बारे में और अपने शरीर के बारे में सकारात्मक राय बनती है। शोधकर्ताओं के मुताबिक बच्चे और टीनएजर्स पर लगातार एक विशेष तरीके से दिखने का दबाव होता है। यही दबाव उन्हें इटिंग डिसऑर्डर का शिकार भी बना देता है। इस तरह की समस्याएँ सुबह का नाश्ता साथ मिलकर करने

से दूर की जा सकती हैं। अमेरिका के 300 स्कूलों के बारह हज़ार बच्चों पर किए गए अध्ययन के आधार पर यह निष्कर्ष निकाला गया है, इसके साथ ही यह निष्कर्ष भी निकाला गया है कि ऐसा करने से बच्चों के साथ दिली लगाव भी होता है और विशेष रूप से बेटियों के प्रति माता-पिता का दिली लगाव बढ़ता है। अक्सर बेटियाँ चाय, पराँठा, कॉफी आदि किचन से इस दौरान देती हैं, जिससे माता-पिता के मन में उनके प्रति जो कठोरता होती है, वह स्वाभाविक रूप से कम होती चली जाती है और एक दिन ऐसा भी आता है कि बेटियाँ अच्छी लगने लगती हैं।

इसमें कोई शक नहीं कि बेटियाँ आज्ञाकारी होती हैं और इसके साथ ही माता-पिता की मजबूरी को भी समझती हैं। पिता से उनका विशेष रूप से लगाव होता है। पिता के घर आने पर दौड़कर पानी देना, चाय बनाकर देना और यह पूछना कि आप ठीक तो हैं न पापा? ये सारे काम केवल बेटियाँ ही करती हैं, बेटे तो इस तरह के काम कभी करते भी नहीं हैं। बेटियाँ जब पैदा होती हैं, तो बुरी लगती हैं, लेकिन जब बड़ी हो जाती हैं और माँ के हर काम में हाथ बँटाने लगती हैं, माँ का ध्यान रखने लगती हैं, माँ के अंतर्मन को जानने-समझने लगती हैं और दुःख-दर्द में उसका साथ देने लगती हैं तो बहुत ही अच्छी लगने लगती हैं और जब विवाह योग्य बेटी हो जाती है, तो उससे अलग होने के नाम से ही माँ का कलेजा काँप जाता है। बेटियाँ अपने काम से सब पर छाप छोड़ती हैं और जब विदा होने लगती हैं तो पत्थर दिल वालों को भी पिघला देती हैं।

माँ का यह कर्तव्य बनता है कि वह अपनी बेटी को पाक कला में इतना निपुण बना दे कि उसके हाथ से बने खाने की प्रशंसा हो और जो भी खाना खाए उसका मन ख़ुश हो जाए।

पाक कला में निपुण बेटी कहीं भी मात नहीं खाती है। वह जहाँ भी जाती है उसकी मुक्तकठं से सब प्रशंसा ही करते हैं। आपकी बेटी जब आपकी तरह स्त्री बन जाती है तब उससे आप दोस्ती कर लें और उसको एक सर्वगुण सम्पन्न स्त्री बनाने में उसकी मदद करें ताकि आपकी बेटी जहाँ भी जाए सबके दिलों पर ख़ुशबू की तरह छा जाए।

यह उदाहरण पढ़ने के बाद मेरी बात को आप अच्छी तरह से समझ जाएँगे-

विभा को लड़के वाले देखने आये थे। विभा सज-सँवर कर ड्राइंग-रूम में आई। लड़का और उसकी माँ उसको देखते ही सकपका गये।

उनके हाथ में चाय थी। अब दोनों ही यह निर्णय नहीं कर पा रहे थे कि चाय पीएँ या न पीएँ? लड़की तो बिलकुल साँवली है यानी काली है। विभा जब सोफे पर आकर बैठ गई तब लड़के ने अपनी माँ को देखा और माँ ने लड़के को देखा। विभा की अनुभवी आँखों ने तुरंत ही जान लिया कि उसके रंग को लेकर ये माँ-बेटे

आँखों-ही-आँखों में बातें कर रहे हैं। विभा इतना सोचते ही समझ गई और ठंड के मौसम में भी उसके माथे पर पसीना छलक आया और धड़कन तेज़ हो गई। विभा एक परफेक्ट युवती थी। उसके चेहरे पर पानी था। उसका रंग काला था तो क्या हो गया। सूरत से कहीं अधिक उसके पास सीरत थी। इसके बाद भी उसको स्वयं की खूबियों पर विश्वास नहीं था, क्योंकि वह एक लड़की थी। समाज में उस लड़की को हेय दृष्टि से देखा जाता है, जिसको लड़के वाले नापसंद कर देते हैं, जिसका तलाक हो चुका होता है और जो युवावस्था में ही विधवा हो चुकी होती है। विभा के दिमाग में पल-भर में ही दुनिया-भर की बातें आ गईं। वह और भी अधिक डर गई।

वे माँ और बेटे अभी चाय पीकर कप टेबल पर रखे ही थे, तभी नाश्ता आ गया। सास ने आलू के पराँठे दो-तीन कौर खाने के बाद विभा की माँ से पूछा–"आलू के पराँठे होटल से मँगवाएँ हैं या घर पर बनवाए हैं?"

विभा की माँ बोली–"इन पराँठों को हमारी बिटिया ने बनाया है। क्या पराँठे खाने में स्वादिष्ट नहीं हैं" विभा की माँ ने इतना कहते-कहते विभा को कनखियों से देखा।

लड़के की माँ बोली–"बहन जी, किन शब्दों में प्रशंसा करूँ, ऐसे आलू के पराँठे, मैं पहली बार खा रही हूँ।"

विभा की माँ ने कहा–"हमारी बिटिया, सर्वगुण सम्पन्न है। इसको सबकुछ आता है। सिलाई, कढ़ाई से लेकर ब्यूटी पार्लर के काम भी इसको आते हैं और पढ़ाई में भी इसका कोई जवाब नहीं है। प्रथम श्रेणी से इसने बी.ए. किया है।" विभा की माँ एक साँस में ही बोल गई।

भावी सास ने विभा की ओर ध्यान से देखा, फिर विभा के बारे में जो उसकी सोच बनी थी, वह अगले पल ही समाप्त हो गई, फिर मन-ही-मन उसने सोचा कि 'लड़की का रंग थोड़ा गहरा है तो क्या हो गया? सबको ईश्वर ही तो बनाता है। उसकी रचना में मीनरेख निकालने का अधिकार साधारण मनुष्य का नहीं बनता है। लड़की गुणवान है। इतना सोचते हुए भावी सास ने अपने बेटे से कहा–"बेटा, मुझको तो लड़की बहुत पसंद है। इसके चेहरे पर पानी है और नयन नक्श भी अच्छा है। सबसे बड़ी बात तो यह है कि लड़की सर्वगुण सम्पन्न है। रूप पर मत जाओ बेटा, सीरत को देखो। लड़की हज़ारों में एक है।" माँ के इतना कहते ही बेटे ने भी पसंद की मुहर लगा दी।

विभा पसंद कर ली गई क्योंकि वह सर्वगुण सम्पन्न थी। सूरत से कहीं अधिक कीमती सीरत होती है। चाणक्य ने कहा है कि कामी पुरुष स्त्री की सूरत पर जाता है, लेकिन चरित्रवान और सज्जन पुरुष स्त्री को उसकी सीरत को देखकर पसंद करता है। वास्तव में ही सूरत पर न जाएँ क्योंकि सूरत जीवन-भर व्यक्ति के साथ नहीं रहती है। बीमार होने पर या वृद्धावस्था आने पर सूरत नष्ट हो जाती है, लेकिन मरते दम तक

व्यक्ति के साथ सीरत रहती है और जो भी उसके साथ रहता है, उसका जीवन धन्य हो जाता है। अपनी बेटी को सीरतवान यानी गुणवान और शीलवान बनाएँ।

रिश्ते में पैसा कितना है ज़रूरी

जी हाँ, अपनी बेटी को स्पष्ट शब्दों में बताएँ कि रिश्ते में पैसा कितना ज़रूरी है और उसकी अहमियत कितनी है। कहा जाता है कि पैसे को लेकर पिता और पुत्र में भी अनबन हो जाती है। एक मशहूर विवाह सलाहकार ने ही बताया है कि पति और पत्नी के बीच तनाव के कारणों में पैसा भी है। पत्नी यदि नौकरी करती है और अपने पैसों को अपने हिसाब से खर्च करती है और पति या सास से कोई सलाह नहीं लेती है तो पति और सास के साथ पत्नी के रिश्ते ख़राब होने में ज्यादा समय नहीं लगता है। पति भी यदि पत्नी को पैसे के मामले में विश्वास में लेकर कोई काम नहीं करता है, तो पत्नी के साथ धीरे-धीरे रिश्ता बिगड़ता ही चला जाता है।

आज के समय में या किसी भी समय में पैसा सर्वाधिक महत्त्वपूर्ण रहा है। पैसे के बिना कोई भी काम होने वाला नहीं है। मैंने अनेक लोगों के मुँह से यह कहते हुए सुना है कि पैसा हाथ का मैल है, लेकिन यह गलत है क्योंकि पैसा हाथ का मैल होता तो फिर यह इतना महत्त्वपूर्ण नहीं होता। जैसे साँस लेने के लिए हवा की ज़रूरत है वैसे ही जीवन को सुचारु रूप से चलाने के लिए पैसे की ज़रूरत है। क्या बीमारी होने के बाद पैसे के बिना आपका इलाज हो सकता है? इलाज के अभाव में वे लोग मर जाते हैं, जिनके पास पैसा नहीं होता है।

मैंने ऐसे कई रिश्तों को टूटते हुए देखा है, जो केवल पैसे की वजह से टूट गए तथा दूसरा कोई भी ऐसा कारण नहीं था। पत्नी और पति में झगड़ा धन को लेकर अक्सर ही होता है। इस सच को झुठलाया नहीं जा सकता कि स्त्रियों की माँगें पूरी नहीं होती हैं तो वे पतियों की नाक में दम कर देती हैं। पतियों में रिश्वतखोरी की लत के लिए ज़िम्मेदार पत्नियों की दिन-प्रतिदिन बढ़ती अनावश्यक रूप से माँगें भी हैं। यह कड़वा सच है, जिसे नकारा नहीं जा सकता है।

अपनी बेटी को आप एक चरित्रवान, शीलवान, सुशील, ईमानदार और कम खर्च करने वाली स्त्री बनाएँ और यह तभी हो सकता है जब पहले आप एक शीलवान, चरित्रवान और कम खर्च करने वाली बहू होंगी।

माँ खर्चीली होगी, पति पर बार-बार रिश्वत लेने के लिए दबाव बनाने वाली होगी और शीलवान नहीं होगी तो वह बेटी में उपरोक्त गुणों की लत कैसे डालेगी? यह सम्भव ही नहीं है। कुछ ऐसे संस्कार होते हैं, जो बच्चों में भी धीरे-धीरे विकसित हो जाते हैं।

उदाहरण प्रस्तुत है, जिसको पढ़ने के बाद आप समझ सकते हैं कि मैं क्या कहना चाहता हूँ। लड़कियों के एक बेहतर माँ, एक बेहतर पत्नी, एक बेहतर बहन होने पर ही

रिश्तों में अनावश्यक रूप से पैसा कुंडली मारकर अजगर की तरह बैठ नहीं सकेगा। पुरुषों से कहीं अधिक समाज को चरित्रवान बच्चे, स्त्रियाँ ही दे सकती हैं क्योंकि बच्चों के साथ माँ के रूप में स्त्रियाँ ही ज्यादा समय तक रहती हैं। पिता तो बहुत ही कम समय के लिए बच्चों के साथ होता है।

"हाय, कैसे हो?" नीलू के सवाल का जवाब मनीष देने ही वाला था, तभी नीलू ने दूसरा प्रश्न कर दिया—"तुम्हारी सैलरी तो आज मिल गई होगी? मेरी तो अभी एक हफ़्ते के बाद मिलेगी।"

मनीष को बड़ा ही अजीब-सा लगा कि सवाल किया और जवाब देने का समय ही नहीं दिया। ऊपर से और सवाल कर दिया। मनीष सोच ही रहा था तभी नीलू ने टोक दिया—"क्या बात है मेरे प्रश्न का जवाब दिया नहीं?"

"तुम जवाब सुनती ही कहाँ हो? एक सवाल के बाद दूसरा सवाल कर देती हो।"

मनीष अभी और जाने क्या कहता, इससे पहले ही नीलू बोल पड़ी—"चलो दूसरे सवाल का जवाब दे दो। क्या तुम्हारी सैलरी मिल गई?"

मनीष ने धीमी आवाज़ में कहा—"हाँ, मिल गई, लेकिन तुम्हें मेरी सैलरी का क्या करना है?"

"मैं दफ़्तर से अभी निकलने वाली हूँ। तुम मुझसे उस शो-रूम में मिलो, जहाँ हम शादी से पहले मिला करते थे।" नीलू ने बड़ी ही मासूमियत के साथ कहा।

पढ़े-लिखे समझदार मनीष को नीलू की इस सोच पर दया भी आई और उसे बुरा भी लगा। बुरा इसलिए लगा कि वह अपने बैंक-बैंलेंस का क्या करेगी? दया इसलिए आई कि वह पैसे को कितना महत्त्व दे रही है और रिश्तों को अहमियत नहीं दे रही है। रिश्ते यदि नहीं रहेंगे तो फिर उसकी क्या दुर्दशा होगी?

आधे घंटे भी नहीं हुए होंगे कि मनीष शो-रूम के गेट के सामने पहुँच गया। नीलू वहाँ उससे पहले ही पहुँच गई थी। मनीष ने कहा—"हाँ, तो अब बताओ क्या बात है?"

"बात कोई ख़ास नहीं है। मेरे पति हो। कुछ ज्यादा नहीं, बस एक बढ़िया-सी ड्रेस अपनी पसंद की दिलवा दो।" नीलू के इतना कहते ही मनीष मुस्करा पड़ा, फिर उसकी आँखों में आँखें डालकर बोला—"अच्छा, यह बताओ, तुम मुझसे प्यार करती हो या पैसा से?"

"तुमसे, यह भी कोई पूछने वाली बात है?" नीलू ने कहा।

"नीलू, मैं आज तक समझ नहीं पाया, तुम आर्थिक रूप से सुरक्षित होने के बावजूद यह उम्मीद क्यों करती हो कि मैं ही हर चीज़ के लिए पैसा लगाऊँ?" मनीष के इतना कहने पर नीलू का चेहरा उतर गया।

मनीष ने अपनी बात में थोड़ा सुधार करते हुए कहा–"मैं यह नहीं कह रहा हूँ कि तुम मेरा लाभ उठाती हो, लेकिन तुम खर्च नहीं करने का मौका ढूँढ़ तो लेती ही हो। तुम कुछ भी कह लो, लेकिन यह तो निश्चित है कि इस रिश्ते में पैसा मुझसे अधिक महत्त्व रखता है।" मनीष ने धीरे-धीरे मन की भड़ास निकाल दी।

"नहीं, ऐसी बात नहीं है।" नीलू यह कहते-कहते चुप हो गई।

"नीलू, ऐसी बात नहीं है, तो तुम अपने बैंक के एकाउंट से पैसे निकालकर ड्रेस क्यों नहीं खरीदती? बिजली का बिल मैं ही भरता हूँ। मकान का किराया मैं ही देता हूँ। खाने-पीने के सारे समान मेरे ही पैसे से आते हैं। क्या इसमें शक है कि तुम्हें रिश्तों से अधिक पैसा से प्यार नहीं है?" मनीष के इतना कहने पर नीलू की आँखें भर आई और वह भावुक होते हुए बोली–"रहने दो, मुझसे गलती हो गई। मुझे कोई भी ड्रेस नहीं खरीदना।"

नीलू यह कहकर जाने लगी तो मनीष ने उसकी कलाई पकड़कर अपनी तरफ़ खींच लिया। फिर उससे पूछा–"नीलू, मैं तुमसे प्यार करता हूँ। केवल तुमसे, तुम्हारे बैंक-बैलेंस से नहीं। मैं तुम्हें चाहता हूँ, इसीलिए मेरी सारी सैलरी तुम पर कुर्बान है। मैंने जो कुछ भी कहा, इसलिए कहा क्योंकि तुम्हें रिश्ते की महक का अंदाज़ा हो। तुम्हें नहीं समझाता तो तुम्हें इस बात की अनुभूति कैसे होती कि तुम गलत हो और मैं तुम्हें इस हद तक चाहता हूँ कि मेरा सबकुछ तुम पर समर्पित है। चलो, मैं आज तुम्हारे लिए सबसे बेहतर ड्रेस खरीदूँगा।" इतना कहकर मनीष उसका हाथ पकड़कर शो-रूम की तरफ़ चलता चला गया।

जब दोनों ड्रेस खरीदकर बाहर निकले तो नीलू बोली–"सॉरी, सच में मैं रिश्ते में पैसे को ज़रूरी समझती थी। आज तुमने मेरी आँखें खोल दीं। पैसा बहुत कुछ है, लेकिन उससे किसी की भावनाओं को खरीदा नहीं जा सकता, किसी का प्यार नहीं पाया जा सकता है और रिश्तों को बचाया नहीं जा सकता है।" नीलू इतना कहते-कहते काफी भावुक हो गई।

यह सच है कि बहुत से लोग व्यक्ति विशेष से ज्यादा पैसे को अहमियत देते हैं, बात-बात पर पैसे की बात करते हैं और छोटे-छोटे काम के लिए भी पैसा वसूलना चाहते हैं। मैं अपने जीवन में ऐसे बहुत से व्यक्तियों से मिला हूँ, जो पैसे को इतना आवश्यक मानते हैं कि रिश्ते को दूध में पड़ी मक्खी की तरह निकालकर फेंक देते हैं, भले ही बाद में उन्हें इसका बोध होता है कि जो उन्होंने फेंका, वह तो पैसे से भी कई गुना अधिक मूल्यवान था। मनीष को रिश्ते के मूल्य का ज्ञान है, तभी तो वो नीलू पर अपनी पूरी सैलरी को खर्च करता रहा। नीलू इन सब से बेख़बर अपनी सैलरी बैंक में डालती रही यह सोचकर कि मनीष को खर्च करने दो। वह

तो मूर्ख है। मेरा पैसा जमा हो रहा है। मैं इस तरह से आर्थिक रूप से स्वतंत्र और सुरक्षित होती जा रही हूँ। नीलू की तरह सोचने वाले यह नहीं समझते या देख पाते कि आर्थिक स्वतंत्रता या आर्थिक सुरक्षा की कीमत पर उनके हाथ से रेत की तरह क्या धीरे-धीरे फिसलता जा रहा है?

मनोवैज्ञानिकों का कहना है कि रिश्ते से मूल्यवान जब दूसरी कोई भी चीज़ हो जाती है, तो रिश्ता दम तोड़ने लगता है, फिर उसे टूटने से कोई भी चीज़ बचा नहीं पाती है। मनीष की तरह समझदार और दिल खोलकर प्यार करने वाले तथा रिश्ते को समझने वाले सभी लोग नहीं होते हैं न। यदि होते तो तलाक थोड़े ही होता। आज किसी भी देश, समाज, परिवार की सबसे बड़ी समस्या तलाक है। जिस चाव, उमंग, जोश और जुनून के साथ स्त्री-पुरुष विवाह करते हैं, क्या विवाह को उसी लगन, चाह, उमंग और जुनून के साथ कुछ दूर तक भी ले जा पाते हैं। विवाह से पहले ही तलाक का डर दोनों पक्षों के मन में होता है।

तलाक को रोकने का सबसे अच्छा, कामयाब और कारगर तरीका यह है कि पैसे से अधिक व्यक्ति विशेष के साथ-साथ रिश्ते को महत्त्व दिया जाए। पति और पत्नी दोनों ही कामकाजी हैं और दोनों की ही सैलरी अच्छी है तो दोनों को ही एक-दूसरे के पैसे पर समान अधिकार होना चाहिए। पत्नी अपनी सैलरी बैंक में रख रही है और पति की सैलरी से सारे काम हो रहे हैं। ज़रूरत पड़ने पर पत्नी बैंक से जमा पैसे निकालने में आनाकानी करती है तो फिर इसका मतलब क्या हुआ? यही न कि पत्नी के लिए पैसा ही ज़रूरी है। वह अपने रिश्ते को प्राथमिकता नहीं दे रही है।

बहुत से ऐसे मामले भी मिले हैं। पत्नी ने बचत के नाम पर या पति ने बचत के नाम पर अपनी सारी सैलरी बैंक में रखी और एक दिन किसी दूसरे पुरुष के साथ पत्नी भाग गई या पति ने पत्नी को तलाक दे दिया। ऐसे में वह घाटे में रहता है, जिसने अपनी सैलरी घर-गृहस्थी में खर्च कर दी। इस दृष्टि से देखें तो पति और पत्नी दोनों के ही पैसे घर-गृहस्थी में खर्च होने चाहिए और जो बचत हो वह दोनों के ही नाम से जमा हो ताकि दोनों में से कोई भाग भी जाता है या तलाक भी ले लेता है तो आधी जमा रकम तो मिल ही जाएगी। ये सब तो सावधानी के तौर पर मैंने बताया। वैसे हर नवदंपत्ति को या प्रौढ़दंपत्ति को एक-दूसरे की ज़रूरतों को सर्वाधिक महत्त्व देना चाहिए क्योंकि ज़रूरतें पूरी होती रहती हैं तो एक-दूसरे के साथ बढ़िया तालमेल बना रहता है।

उपरोक्त बातों का उल्लेख मैंने यहाँ पर इसलिए किया है, क्योंकि रिश्तों से अधिक महत्त्व स्त्री और पुरुष दोनों ही पैसे को देने लगे हैं। जो स्त्रियाँ कामकाजी होती हैं, वे पैसे को ज्यादा और रिश्तों को कम महत्त्व देने लगती हैं तो संबंध बिगड़ने लगते हैं और धीरे-धीरे संबंध-विच्छेद की स्थिति बन जाती है।

विवाह सलाहकारों का कहना है कि घर हमेशा स्त्री के त्याग और समर्पण से बनता है और आपस में सब हिल-मिलकर रहते हैं। जिन घरों की स्त्रियाँ सुलझी हुई नहीं होती हैं, स्वार्थी और मतलबी होती हैं, उन घरों को टूटते-बिखरते देर नहीं लगती है और ऐसे घरों के लोगों का विकास जल्दी हो नहीं पाता है। इसलिए अभिभावकों के लिए सलाह है कि वे बेटियों को नैतिकता का भी पाठ पढ़ाएँ ताकि वे रिश्तों के साथ भी इनसाफ कर सकें। बात-बात पर तलाक लेने से बात नहीं बनती है। मैं यहाँ यह भी बता दूँ कि तलाक हमेशा गलत नहीं होता है। आप अपनी बेटी को कभी गलत बातों के साथ समझौता करने की सलाह न दें और बेवजह दबने की भी सलाह न दें। हाँ, बेटी को मर्यादा में रहकर कोई भी निर्णय लेने की सलाह अवश्य ही दें।

बुरे दिन में काम आते हैं रिश्ते

आजकल सबसे अधिक किसी चीज़ की क्षति पहुँची है, तो वह रिश्ता है। लोग यह तो चाहते हैं कि बुरे दिनों में सामने वाले उनकी मदद करें, लेकिन वे किसी की मदद करना नहीं चाहते हैं। कोई भी रिश्ता तभी चलता है, जब उसमें लेन-देन होता है। केवल लेन हो या केवल देन हो तो वह रिश्ता आगे तक चल नहीं पाता है। मेरा कहने का मतलब है कि आप किसी से कुछ लेते हैं, जब वह माँगे तो उसको भी दें। इससे संबंध और भी अधिक प्रगाढ़ होगा।

आप अपनी बेटी को सबसे पहले यह बात समझाएँ कि रिश्तों को जीवित रखना ज़रूरी है क्योंकि रिश्ते ही बुरे दिनों में काम आते हैं। पैसा धरा-का धरा रह जाता है और सुख तथा ख़ुशी नहीं मिल पाती है क्योंकि पैसों से व्यक्ति की केवल ज़रूरतें ही पूरी हो पाती हैं। हर्षोल्लास और आनन्द के लिए यह आवश्यक है कि एक-दूसरे को बख़ूबी समझा जाए। ज्यादातर विवाह सलाहकारों के पास आज के दौर में ऐसे मामले अधिक आ रहे हैं कि पढ़ी-लिखी स्त्रियाँ बहू बनकर ससुराल जाती हैं तो सास, ननद, देवर, ससुर आदि के साथ जुड़ ही नहीं पाती हैं और पति के अतिरिक्त किसी से भी उनकी बनती नहीं है। फिर ऐसे में शांति और सुकून बहाल करने की इच्छा से सास और ससुर अलग रहने की इजाज़त दे देते हैं। पति अपने मम्मी-पापा को छोड़कर अलग जाकर रहने तो लगता है, लेकिन अपराध बोध उसका पीछा करना नहीं छोड़ता है। फिर ऐसे में सुखी और आनंददायक वैवाहिक जीवन की कल्पना करना मुश्किल हो जाता है।

मैंने पहले पैसों की बात की अब परस्पर सहयोग भावना का अभाव होता है तो व्यक्ति को जिन मुश्किलों और समस्याओं का सामना करना पड़ता है, इस पर बात करने जा रहा हूँ। एक उदाहरण यहाँ पर प्रस्तुत है। बेटी की परवरिश करने में इससे आपको काफी मदद मिलेगी।

रोमा अपने मम्मी-पापा की बहुत ही लाडली थी। मम्मी के लिए उसके पापा जो भी सामान खरीदते, वह उसके लिए भी अवश्य ही खरीदते, क्योंकि उन्हें पता था कि यदि वह रोमा के लिए भी समान नहीं खरीदेंगे तो रोमा घर में हाहाकार मचा देगी। रोमा की माँ रोमा के इस नकचढ़ेपन से काफी परेशान रहती और एकांत में बैठाकर उसे समझाती कि तू अब बड़ी हो गई है। इस तरह की हरकतें अब तुझको शोभा नहीं देती हैं। ससुराल में सास, ननद, देवरानी, जेठानी की क्या ऐसी ही नकल करेगी? वे लोग तुझे तो सुनाएँगे-ही-सुनाएँगे और मुझको भी बुरा-भला कहेंगे। तू रिश्ते-नातों के महत्त्व को न जाने कब समझेगी। अच्छी बेटी माँ की नकल नहीं किया करती है।

माँ की इस सीख का रोमा पर न तो कभी फर्क पड़ा और न ही उसने कभी गंभीरता से ही लिया। रोमा ने बी.ए. कर लिया तो उसकी शादी हो गई। वह ससुराल जाने लगी तो उसकी माँ बोली–"रोमा, ससुराल में एक स्त्री को बहुत सारे रिश्तों के साथ जीना पड़ता है। उन रिश्तों का मान रखना और भूलकर भी यहाँ वाली हरकतें वहाँ मत करना।" माँ को जो अच्छा लगा, वह उसको समझाया।

रोमा ने माँ की बातों पर कोई ध्यान नहीं दिया क्योंकि वह ऐसी ही लड़की थी। वह माँ के गले से लगकर रोने लगी। माँ से अलग होने का दर्द उसके लिए असहनीय था। वह इसी दर्द के साथ ससुराल आ गई। यहाँ पर उसे सास, ननद, देवर सभी रिश्ते मिले। पति काफी समझदार और कम बोलने वाला था। होली के त्योहार पर सबके लिए नई साड़ियाँ वह ले आया, लेकिन उनमें रोमा के लिए साड़ी नहीं थी। रोमा पति से नाराज़ होकर बेडरूम में आ गई। पति उसकी नाराज़गी को समझ गया। जब सब खा-पीकर सो गए, तब वह रोमा के पास बैठते हुए बोला–"तुम मुझपर अभी तक नाराज़ हो? अरे गुस्सा थूक दो।"

"क्यों गुस्सा थूक दूँ? आप सबके लिए नये कपड़े लाए और मेरे लिए तो कुछ भी नहीं लाए।" रोमा नाक चढ़ाती हुई बोली।

"तुम्हारी नई-नई शादी हुई है। उनका क्या करोगी? उनके पास तो कपड़े नहीं थे, इसलिए मुझे लाना पड़ा।" पति बड़े ही शांत मुद्रा में बोला।

"तो इससे क्या हो गया? मुझे भी नई साड़ी चाहिए। मेरे पास कितना और क्या है, इसका हिसाब आपको रखने की कोई ज़रूरत नहीं है।" रोमा ने दो टूक शब्दों में कह दिया। वह मायके से यही सब सीखकर आई थी।

"फिजूल का खर्च मुझे पसंद नहीं। परिवार में ऐसा नहीं चलता है। पिता जी के मरने के बाद सबसे बड़ा मैं ही हूँ। मुझे पता है तुम्हारे पास पहनने के लिए साड़ियाँ हैं और माँ एवं बहन के पास नहीं हैं। तुम अपनी नाराज़गी दूर कर मेरी तरह ही इन

रिश्तों को जियो। इसी में सबकी भलाई है।" पति ने समझाया। फिर वह बिस्तर पर लेट गया। रोमा भी चुपचाप लेट गई, लेकिन वह अभी भी अपने पति से नाराज़ थी।

रोमा की ननद बी.ए. प्रथम वर्ष की छात्रा थी। वह किचन का सारा काम करना जानती थी, लेकिन रोमा के आने के बाद उसने किचन में झाँकना भी बंद कर दिया। रोमा ने सास से कहा–"माँ जी, मैं अकेली काम करते-करते थक-हार जाती हूँ। ननद जी से ज़रा कहिए न, वह घर के कार्यों में मेरा हाथ बँटाया करें।" रोमा के इतना कहने पर सास बोली–"मुझे बताओ न बहू कि क्या करना है। उसकी आजकल परीक्षा चल रही है। परीक्षा समाप्त हो जाएगी तो वह तुम्हारे कार्यों में तुम्हारी मदद अवश्य करेगी।"

रोमा चुप लगा गई। शाम को पति आया तो रोमा उससे बोली–"मुझे तो तुम पर तरस आ रहा है।"

"पत्नी को पति पर तरस आए, यह तो अच्छी बात है।" यह कहकर वह हँसने लगा।

"आपको मेरी कोई भी बात समझ में ही नहीं आती। आप दिन-भर बाहर मेहनत करते हैं और घर में मैं इतने लोगों का खाना बनाती हूँ। जूठे बरतन माँजती हूँ। यह सब क्या है?" रोमा खीझकर बोली।

"यह परिवार है। तुम नहीं समझोगी। मेरा भाई अभी छोटा है। वह पढ़ रहा है। बहन भी पढ़ रही है। ये परिवार के पौधे हैं। हम इन पौधों के माली हैं। ये पौधे पेड़ बनकर फल दें या न दें, इसकी परवाह न करते हुए इनकी सेवा करना हमारा फ़र्ज़ है। माँ ने मुझे बड़ा किया, पढ़ाया-लिखाया, मेरी तुमसे शादी की, किसलिए? मैं माँ की ज़िम्मेदारियों से मुँह नहीं मोड़ सकता। तुम मेरी पत्नी हो, मेरा साथ दो। रिश्तों की अहमियत को पहचानो। ननद, देवर, सास के रूप में तुम्हें इतने अच्छे रिश्ते मिले हैं, इनका आनंद तुम लेना क्यों नहीं चाहती?" पति कहकर ज्यों ही चुप हुआ, देवर आकर कहने लगा–"भैया, मुझे कल पाँच सौ रुपए चाहिए। एक नौकरी के लिए फार्म भरना है।"

"अभी तुम आगे और पढ़ो। नौकरी की जल्दी क्या है?" भाई के इतना कहते ही देवर बोला–"नहीं भैया, नौकरी की जल्दी है। पापा के मरने के बाद तुम अकेले ही इस परिवार को चला रहे हो। अब तुम्हारी शादी भी हो गई। मैं अब तुम्हारी मदद करना चाहता हूँ।" पति ने सुनते ही 500 रुपए निकालकर झट से दे दिए। देवर के जाते ही रोमा पति पर गरज पड़ी–"आपने उसे 500 रुपये क्यों थमा दिए? देखना, कमाने लगेगा तो फूटी कौड़ी भी नहीं देगा।"

"मैं लेने के लिए नहीं दे रहा हूँ। रिश्ते में वह मेरा सगा भाई है। मैं तो बस इतना ही चाहता हूँ कि वह मुझे दे या न दे, वह एक अच्छी ज़िंदगी जिए। देखो, तुम

अपनी सोच हमेशा सकारात्मक रखो।" पति अभी बोल ही रहा था, तभी ननद आकर बोली–"माँ की दवा लाए हो, भैया?"

"अरे मैं तो लाना ही भूल गया। अच्छा, ये ले दो सौ रुपए और तू ही मँगवा ले।"

देवर पाँच सौ रुपए और ननद दो सौ रुपए, खड़े-खड़े सात सौ रुपए बँट गए।

रोमा का तन-मन जल गया। उसने कहा–"तुम्हारी तो सारी उम्र रिश्ते-नातों को सँभालने में ही बीत जाएगी।"

"बीत जाने दो न, यही तो जीवन है। लोग अपनों से कटकर भी चैन से कहाँ जी पाते हैं। अपनों के लिए कमाना और उन पर खर्च करना कितना सुख देता है, काश तुम जान और समझ पाती।" यह कहकर वह बेडरूम में चला गया। इसके ठीक एक माह बाद रोमा अचानक ही ऐसी बीमार पड़ी कि बिस्तर पर आ गई। रोमा का पति इन दिनों में उसके साथ नहीं था। वह ऑफिस के काम से पूरे महीने भर के लिए टूर पर था।

रोमा के पापा को पता चला तो वह लेने आ गए। रोमा की ननद तथा देवर दोनों ने ही उनसे कहा–"भाभी, हमारी माँ के समान नहीं, बल्कि हमारी माँ हैं। इन्होंने हमारी बड़ी सेवा की है। ऐसे में हम इनको अपने आपसे दूर नहीं रखेंगे। हम इनका बढ़िया इलाज करवाएँगे।"

रोमा के पापा चले गए। ननद ने अपना वह गुल्लक फोड़ दिया रोमा का इलाज करवाने के लिए, जिसे उसने पाँच सालों से बचाकर रखा था। रोमा की सास रोमा की सेवा खुशी-खुशी करती थी, उनके चेहरों पर रोमा ने कभी भी शिकन तक नहीं देखी। देवर उसे अपना सारा काम छोड़कर डॉक्टर के यहाँ ले जाता और समय से उसे दवाइयाँ खिलाने में ही लगा रहता।

रोमा बहुत जल्दी ही ठीक हो गई। पति जब आया तो रोमा उसके कंधे पर सिर रखकर रोने लगी। फिर आँसू पोंछती हुई कहने लगी–"मैं रिश्तों में विश्वास न कर कितनी भूल कर रही थी। आपने रिश्तों को सँजोकर जो दौलत कमाई है, वह अनमोल है। यही तो असली कमाई है।"

"अच्छा हुआ, तुमने समय रहते ही रिश्तों की अहमियत को जान-समझ लिया। देखो, धन तो हाथ का मैल है। परिवार में जो ये देवर, ननद, ससुर, जेठानी, जेठ, भाई, बहन, माँ, पुत्र आदि रिश्ते होते हैं, वे ही इनसान की असली पूँजी और कमाई होते हैं।" पति ने यह कहते हुए रोमा का माथा चूम लिया, फिर तो रोमा ने पति को रोकना-टोकना ही बंद कर दिया और वह स्वयं भी सारे रिश्तों की कद्र करने लगी। आप भी रिश्तों को सच्चे मन से जिएँ। ये ही बुरे दिनों में काम आते हैं। माना कि पैसा से होने वाला काम बिना पैसा के नहीं होगा, लेकिन यह भी तो सच है कि पैसे से कहीं अधिक महत्त्वपूर्ण रिश्ता भी होता है। ये दोनों ही व्यक्ति के जीवन में अतिमहत्त्वपूर्ण भूमिका निभाते हैं।

उपरोक्त उदाहरण से मैंने यह समझाने या बताने का प्रयास किया है कि अपनी बेटी में चीज़ों को बाँटने की आदत अवश्य डालें। आपकी बेटी में बाँटने का गुण नहीं है तो उसकी सारी ख़ूबियाँ ज़ीरो हो सकती हैं। उससे जो भी एक बार मिलेगा, दोबारा नहीं मिलना चाहेगा। ऐसा भी नहीं है कि माता-पिता अपनी बेटी को या बेटा को भी अच्छी बातें नहीं सिखाते हैं। हर माता-पिता चाहते हैं कि उनकी बेटी जहाँ जाए इतना अच्छा काम करे कि उनकी भी प्रशंसा हो। आपने लोगों को यह कहते सुना भी होगा कि लड़की को अच्छी बातें सिखाया करो, इसे दूसरे के घर जाना है। इसे कुछ नहीं आएगा तो माता-पिता की ही बदनामी होगी। रोमा की माँ ने बहुत ही कोशिश की कि उनकी बेटी में सारी अच्छी आदतें पड़ जाएँ, लेकिन यह संभव न हो सका। रोमा में चीज़ों को दूसरों में बाँटने की आदत नहीं थी। पति ने बहुत समझाया, फिर भी उसके दिमाग में कुछ भी नहीं घुसा। जब वह बीमार पड़ गई और चारपाई पर आ गई तब उसकी अक्ल ठिकाने आ गई। जब उन लोगों ने उसकी सेवा सच्चे मन से की, जिनके साथ वह कुछ भी शेयर करना नहीं चाहती थी तो उसका हृदय परिवर्तन हो गया। उसका असहज मन सहज हो गया। वह उनके प्रति उदार हो गई। अपनी बेटी को उदार, सहज और सुशील बनाने के साथ-साथ उसमें मिल-जुलकर रहने की आदत भी डालें।

कुछ बातें ऐसी हैं, जिन्हें सबको मानना ही पड़ता है। बेटियाँ बेशक बेटों से आज किसी भी मामले में कम नहीं हैं, लेकिन यह भी तो सच है कि उनको एक दिन पिता का घर छोड़कर पति के घर जाना पड़ता है। इसलिए बेटी का उदार, सुशील, मिलनसार और सहज होना अतिआवश्यक है।

एक 26 वर्षीय युवक अपनी पत्नी की आदतों से तंग आकर विवाह सलाहकार के दफ़्तर में पहुँचा। विवाह सलाहकार से कहा–"सर, हमारी शादी को केवल दो माह ही हुए हैं। मेरी पत्नी कहती है कि अपने भाई, बहन और मम्मी-पापा को छोड़कर अलग मेरे साथ रहो। अब आप ही बताएँ क्या यह ठीक है? उन सबने ही मुझको पढ़ाया-लिखाया है। मेरी इतनी अच्छी परवरिश की है। मुझसे पता नहीं उनकी कितनी ही उम्मीदें होंगी और मैं उन लोगों से नाता तोड़कर अलग जाकर रहने लगूँ, यह कहाँ का तरीका है।" युवक ने अपनी भड़ास निकालते हुए कहा।

विवाह सलाहकार ने कहा–"आपकी पत्नी में मिलनसारिता का गुण नहीं है और इसके साथ ही अपनी चीज़ों को किसी के साथ शेयर करने की आदत नहीं है। वह मतलबी और स्वार्थी है और आपको भी अपने जैसा ही बनाना चाहती है।" विवाह सलाहकार के इतना कहने पर युवक बोला–"सर, मैं उसको कैसे समझाऊँ?"

विवाह सलाहकार ने कहा–"आप उसके साथ अच्छा व्यवहार करके, उसकी गलत लतों को नज़रअंदाज़ करके और उसको महत्त्व देकर उसे सहज और उदार बना सकते

हैं। तलाक आसान है, लेकिन किसी को खामियों के साथ स्वीकार कर उसको इनसान बनाना बहुत ही कठिन है। आप अपनी पत्नी की खूबियों को शांत रहकर विकसित कर सकते हैं। जब ख़ूबियाँ ज्यादा विकसित हो जाएँगी तब खामियाँ स्वत: ही शांत हो जाएँगी। आप अपनी पत्नी की ख़ूबियों पर नज़र रखें, उसकी प्रशंसा करें, उसमें क्या गुण हैं, इसका उल्लेख उससे करें। आपकी पत्नी धीरे-धीरे इतनी कूल हो जाएगी कि सबके साथ हिल-मिलकर रहने लगेगी।" विवाह सलाहकार ने समझाया।

मेरी समझ में भी उपरोक्त सुझाव आ रहे हैं। बिगड़ैल, शैतान और शरारती व्यक्ति को ऊँची आवाज़, थप्पड़ या फिर गाली-गलौज से सुधारा नहीं जा सकता है। किसी को सुधारने के लिए प्यार और मधुर व्यवहार की ज़रूरत पड़ती है। आपका व्यवहार मधुर है और दिल में प्यार भरे जज़्बात हैं तो आप बिगड़ैल से बिगड़ैल व्यक्ति का जीवन बना सकते हैं। विवाह सलाहकार ने युवक को सही सुझाव दिया है। बेटियों को नैतिक शिक्षा का ज्ञान कराना है तो आप उनके होश सँभालते ही अच्छी, बुरी बातें उन्हें समझाना शुरू कर दें। क्या है कि 90 प्रतिशत अभिभावक बेटियों को नैतिकता का पाठ पढ़ाते ही नहीं हैं। उनका कहना होता है कि जब सिर पर पड़ेगा तो खुद सोचेंगी। सिर पर पड़ने पर कोई भी लड़की सोच नहीं पाती है। तलाक हो जाता है या रोज़ गाली-गलौज होता है, फिर एक दिन कोई-न-कोई आत्महत्या कर लेता है, मैंने या आपने भी लोगों को यह कहते हुए सुना है कि पत्नी ने जीना हराम कर दिया है या पति ने घर में रहना मुश्किल कर दिया है।

अपनी बेटी को भी और बेटों को भी यह समय-समय पर समझाते रहें कि जीवन मिल-जुलकर चलने से चलता है।

बेटी के साथ आपका रिश्ता

बेटी पिता से अधिक माँ की ज़िम्मेदारी होती है। माँ से उसका जितना गहरा रिश्ता होता है, उतना ही वह सक्षम, आत्मविश्वासी और चरित्रवान स्त्री बनती है।

माँ ही बेटी की प्रथम शिक्षिका होती है। माँ की ही नकल बेटी करती है और उसकी तरह ही बनना चाहती है। माँ जितनी ही चरित्रवान, व्यवहार कुशल और कर्मठ महिला होती है, बेटी भी उसी की तरह बनने का प्रयास करती है। माँ की सोच जितनी ही सकारात्मक होती है, बेटी की सोच भी उतनी ही सकारात्मक होती है। माँ साहसी, हालात से लड़ने वाली और अत्यंत ही जुझारू प्रवृत्ति की है तो बेटी में भी ये ख़ूबियाँ अवश्य ही होती हैं। इसीलिए माँ के लिए यह ज़रूरी है कि वह एक आदर्श माँ बनने की यथासंभव कोशिश करें।

युवा बेटी के साथ माँ का रिश्ता कैसा होना चाहिए आप इस उदाहरण को पढ़ने के बाद अच्छी तरह से समझ जाएँगे—

संध्या को किसी चीज़ की भी कमी नहीं है। वह बहुत ही मजे के साथ रह रही हैं, लेकिन आजकल वह अपनी बीस वर्षीय बेटी के कारण बहुत ही दुखी हैं। उनके सुखद और समृद्ध जीवन में उनकी लाडली ने ही डाका डाल दिया है। घर पर बेटी के लिए प्राय: ही ब्लैंक-कॉल्स आते हैं। वह कॉलेज से भी देर से आती है और उनके कुछ टोकने पर गुस्सा हो जाती है। वह उसकी सुरक्षा को लेकर बहुत ही परेशान रहती हैं। उनकी समझ में नहीं आता वह उसको कैसे समझाएँ?

यह आज का सबसे बड़ा सवाल है। किसी को भी समझाना बहुत ही कठिन है। विशेषज्ञों का कहना है कि जो लोग स्वयं को समझाने में सफल हो जाते हैं, वे लोग ही दूसरों को समझाने में निपुण होते हैं। ज्यादातर पैरेंट्स जवान होते बच्चों की विभिन्न समस्याओं को सुलझाने में जी जान से लगे हुए हैं, लेकिन समस्या हल नहीं हो पा रही है। सबसे बड़ी परेशानी यह है कि आजकल के युवा हो रहे बच्चे अपनी व्यक्तिगत ज़िंदगी में किसी का भी दखल बर्दाश्त नहीं करते हैं। इसकी एक वजह सख्त गार्जियनशिप है। सख्ती जहाँ भी होती है या कठोर अनुशासन और तरह-तरह की बंदिशों में जहाँ बच्चों का बचपन बीतता है, वहाँ बच्चे अपनी निजी ज़िंदगी को सुरक्षित रखने के लिए गोपनीय ही रखना चाहते हैं। लड़कियाँ इस मामले में कुछ ज्यादा ही सावधानी बरतती हैं। जब युवा लड़कियाँ घर में ख़ामोशी के साथ रहना शुरू कर देती हैं तब वे सही होती हैं, फिर भी विशेष रूप से माँ को तरह-तरह की चिंताएँ अनायास ही घेर लेती हैं और तमाम तरह के सुख-साधन भी फीके लगने लगते हैं। संध्या का भी यही हाल है। वह बेटी से तरह-तरह के सवाल बिना किसी आधार के ही पूछती रहती है और वह उन पर नाराज़ हो जाती है। फिर वह उल्टा ही जवाब दे देती है। संध्या पति से इस विषय पर बात करना ठीक नहीं समझती है। उनकी इच्छा है कि उन्हें तनाव न देकर वह स्वयं ही अपने हिसाब से बेटी पर नज़र रखेगी किंतु उसकी सख्ती और बेतुके सवाल उसे बेटी से दूर लेते जा रहे हैं।

उस दिन बेटी देर से आई तो संध्या ने सवाल कर दिया–"घर आने में इतनी देर कैसे हो गई?"

"मम्मी, मेरी भी तो कोई पर्सनल लाइफ है। मैं क्या आपको इतनी मूर्ख लगती हूँ कि आप जो पूछेंगी उसका जवाब आसानी से दे दूँगी?" बेटी के तुनक कर बोलने पर संध्या चुप हो गई।

ऐसे में उन्हें यही अच्छा लगा कि वह क्यों न किसी काबिल साइकियाट्रिस्ट से इस समस्या पर बात करें? पति जब ऑफिस चले गये तो वह घर से निकल गई। शहर के मशहूर साइकियाट्रिस्ट से मिलीं तो उसने पूछ लिया–"कहिए, मैं आपकी क्या सेवा कर सकती हूँ?"

संध्या ने अपनी समस्या बता दी। साइकियाट्रिस्ट बोली–"अपनी युवा बेटी के लिए पैरेंट्स अक्सर ही चिंतित रहते हैं। आपकी बेटी हेतु ब्लैंक-कॉल्स आते हैं और वह कॉलेज से देर से भी आती है। ऐसे में एक माँ होने के नाते आपका परेशान होना ज़रूरी है, लेकिन आपको एक बात बता दूँ आजकल के बच्चे बहुत ही समझदार हैं। वे भले ही इंज्वॉय करें पर गलत जल्दी नहीं हो सकते। आपको चिंता छोड़कर थोड़ा व्यावहारिक रुख अपनाना पड़ेगा।"

"मैं माँ हूँ। अपनी बेटी के प्रति अव्यावहारिक भला कैसे हो सकती हूँ?" संध्या ने आश्चर्य से कहा।

"अव्यावहारिक भले नहीं हों, लेकिन सख्त तो हैं। आपकी उसके प्रति यह जो शंकालु प्रवृत्ति और सख्ती है न, वही उसको एक दायरे में रहने के लिए मजबूर कर रही है। आपको घर के फोन पर सबसे पहले कॉलर आई.डी. लगवाना चाहिए ताकि, आपको इस बात की जानकारी हो कि कौन कहाँ से फोन कर रहा है। दूसरी उतनी ही महत्त्वपूर्ण बात यह है कि आप अपनी बेटी की दोस्त बनकर उससे धीरे-धीरे पूछें कि वह कॉलेज से देर से क्यों आती है? उम्र के इस नाजुक मोड़ पर आपको उसके साथ दोस्ताना व्यवहार रखना चाहिए।"

संध्या कहाँ गलत है? इसका अंदाजा अब उसे लग गया है। बेटी की जासूसी पिछले कुछ महीनों से ही करना शुरू किया है, जिससे युवा बेटी के मन में माँ के प्रति दुर्भावना आ गई है। वह यह सोचने लगी है कि माँ दूसरे से उसके संबंधों पर विश्वास नहीं करती है। उसके फोन-कॉल्स पर नज़र रखती है और उसके घर देर से आने पर तरह-तरह के शक करती हैं। ये तमाम तरह की बातें युवा बेटी को ईर्ष्यालु माँ के प्रति बना रही है और वह माँ को जलाने के लिए घर देर से आ रही है। घर देर से पहुँचने का मतलब यह नहीं हुआ कि बेटी गलत है या किसी से गलत संबंध है या किसी लड़के के साथ घूमती-फिरती है। बात यह है कि 19 साल की उम्र में लड़का या लड़की पूरी तरह से परिपक्व नहीं होते हैं। उनमें बचपना होता ही है। आप युवा बेटी या बेटे को बड़ों की तरह समझकर उनके साथ व्यवहार करने लगते हैं, तो कम उम्र के लड़के और लड़कियाँ हठी स्वभाव के बन जाते हैं। वे और भी अधिक शैतानी करने लगते हैं और आप जो मना करते हैं, वे वही बार-बार दोहराते हैं क्योंकि वे अभी पूरी तरह से मैच्योर नहीं होते हैं। उन्हें इस बात का बोध नहीं होता कि पैरेंट्स उनसे कितना प्यार करते हैं या उनके भले के लिए उन पर नज़र रख रहे हैं। उनका युवा सुलभ मन तो आज़ादी माँगता है।

संध्या की बेटी भी तो खुले आकाश में उड़ना चाहती है और वह ज़रा-सा भी नहीं चाहती कि माँ उसकी गतिविधियों पर नज़र रखें। युवा बेटी की एक्टिविटी पर

नज़र उतनी ही रखनी चाहिए, जितना वह बर्दाश्त कर सके और यदि वह घर देर से रोज़ ही आती हो तो यह न पूछें कि बाहर क्या करती है कि घर आने में देर क्यों हो जाती है, बल्कि समझाने के अंदाज़ में उससे कहें कि घर समय से आ जाना अच्छा रहता है। उसके घर पहुँचने में देर हो जाती है तो आपको टेंशन हो जाती है क्योंकि आप उनसे बहुत ही प्यार करते हैं। ऐसे शब्दों से युवा बेटी को बुरा नहीं लगता या उसकी बेइज़्ज़ती नहीं होती। याद रखें बड़ों की तरह युवा बच्चे भी शंका करने पर खुद को अपमानित महसूस करते हैं और आपको तो पता ही है युवा बच्चों में धैर्य का अभाव होता है, बुरा-भला का भी बोध नहीं होता और जवानी का जोश उन्हें जल्दी किसी एक बात पर टिकने नहीं देता। हर किसी की भली-बुरी बातें उन्हें ठीक लगती हैं, जो जैसा कहता है, वैसा ही मान लेते हैं। शायद यही कारण है कि वे आसानी से भटक जाते हैं। इसलिए युवा होती बेटी को अपमानित न करें। उसके संबंधों को लेकर मन में वहम न पालें और वह घर देर से आती है या घर पर फोन-कॉल्स आते हैं तो अनर्गल सवाल-जवाब न करें। पैरेंट्स से बेटी का रिश्ता पारदर्शी होता है तो वह लाख मौज-मस्ती करती है, लेकिन गलत क्या है इसका नाज़ुक क्षणों में भी उसे ख़याल रहता है। संध्या साइकियाट्रिस्ट से मिलने के बाद जान पाई कि कैसे वह अपनी युवा बेटी की तरफ़ से निश्चिंत रह सकती है। यह नोट करने वाली बात है, बेटी पर नज़र रखें, लेकिन अपना नज़रिया सकारात्मक ही रखें। नकारात्मक न सोचें। जैसे घर देर से आती है, कहीं गलत लोगों की मोहब्बत में तो नहीं पड़ गई है या फोन-कॉल्स आते हैं, कहीं गलत काम तो नहीं करने लगी है आदि बातें आपको आपकी बेटी से दूर ले जाती हैं और बेटी आपको लेकर बेवजह ही गुमराह हो जाती है। ख़ुश रहें और अपना नज़रिया भी बेटी के प्रति सहज तथा सकारात्मक रखें।

बेटी सबकुछ कर सकती हैं, यह बात आप नोट कर लें, लेकिन आपको बेटी को उस काबिल बनाना पड़ेगा। परवरिश में थोड़ा-सा भी भेदभाव करेंगे तो बेटी का विकास नहीं होगा।

वह दब्बू और कमज़ोर जीवन-भर ही रहेगी। उसको कोई भी मजबूत और कठोर नहीं बना सकता। जिस पौधे को पानी, हवा और धूप पर्याप्त तथा संतुलित मात्रा में नहीं मिलते हैं, वह पौधा सूख जाता है या कुपोषित होकर बढ़ता ही नहीं है। बाल्यावस्था किसी प्राणी की हो या वनस्पति की हो, वह कुपोषण की मार नहीं सह पाती है। इसलिए मेरी यह सलाह है कि आप अपनी बेटी को कुपोषण की शिकार गलती से भी न होने दें। कुपोषित बचपन कभी भी उन्नति नहीं कर पाता है। लड़कियों की परवरिश लोग करते तो हैं, लेकिन रो-धोकर करते हैं और रो-धोकर जब किसी की परवरिश की जाती है तो उसके साथ जगह-जगह पर अन्याय ही होता है। मैंने महिलाओं को

यह कहते हुए सुना है कि लड़कियों को ज्यादा पौष्टिक भोजन देने की ज़रूरत नहीं है क्योंकि ये जल्दी सयानी हो जाएँगी। अब यह सवाल उठता है कि लड़कियों को अभिभावक क्यों जल्दी युवा नहीं होने देते हैं और लड़कों को जल्दी युवा होने के लिए पौष्टिक चीज़ें क्यों खिलाते हैं?

लड़कियाँ जल्दी खा-पीकर सयानी हो जाएँगी तो फिर उनका विवाह करना पड़ेगा और लड़कियों का विवाह करना आसान किसी भी समय में नहीं रहा है। दहेज-प्रथा हर काल में रही है और यह प्रथा लड़कियों की सबसे बड़ी शत्रु भी रही है। दहेज प्रथा के कारण ही अभिभावक लड़कियों को पसंद नहीं करते हैं। यह कहना गलत न होगा कि आज के समय में लड़कियों को पसंद किया जा रहा है, लेकिन दहेज प्रथा पहले से भी कहीं ज्यादा विकसित हुई है। दहेज प्रथा यदि खत्म हो जाए तो निश्चित रूप से लड़कियों के जन्म पर माता-पिता मातम नहीं मनाएँगे।

पहले की अपेक्षा समाज में, परिवार में और दफ़्तर में लड़कियों को काफी महत्त्व दिया जा रहा है, लेकिन उतना नहीं, जितना लड़कों को अभी महत्त्व दिया जाता है। लड़कियाँ अत्यंत ही कोमल, मासूम, अबोध, चंचल और हसीन होती हैं। वे ईश्वर की अनमोल रचना हैं। उनको मान-सम्मान देने से उनमें आत्मविश्वास और साहस की वृद्धि होती है।

चूड़ी, बिंदी, गहने उन्नति में बाधक

बेशक चूड़ियाँ, बिंदी तथा विविध प्रकार के आभूषण स्त्रियों तथा लड़कियों की उन्नति में बाधक हैं। ये चीज़ें उनको कमज़ोर और हीनभावना की शिकार बनाती हैं और वे इनकी वजह से किसी के साथ हाथापाई भी ज़रूरत पड़ने पर नहीं कर पाती हैं और स्वयं को कभी सबला नहीं महसूस कर पाती हैं। समय की माँग है कि लड़कियाँ चूड़ी, बिंदी, गहनों के आकर्षण से बाहर आएँ। ये चीज़ें उनको अबला बनाती हैं। वे चाहकर भी उन्नति नहीं कर पाती हैं और उनकी सोच तथा उनके व्यक्तित्व का विकास नहीं हो पाता है।

रजनी यही कोई अठारह वर्षीय एक ख़ूबसूरत युवती थी। वह पुलिस में भर्ती होना चाहती थी। भर्ती निकली तो रजिस्ट्रेशन करवा लिया, उसने परीक्षा दी और मेरिट में भी आ गई। रजनी बहुत ही प्रसन्न हुई कि अब वह भी पुरुषों की तरह पुलिस की वर्दी पहनकर शान से जनता की सेवा करेगी, लेकिन उसको पता था कि अभी दौड़ में भी अव्वल आना है। वह रोज़ सुबह-सुबह दौड़ लगाने लगी। साँस और दम बढ़ाने के लिए रोज़ सुबह-शाम दौड़ लगाना अतिआवश्यक था।

रजनी ने 250 उम्मीदवारों के साथ मैदान में दौड़ लगाई। वह दौड़ में नहीं आई क्योंकि पाँच मिनट में सोलह सौ मीटर दौड़ना था। रजनी जब शाम को घर पहुँची तो

उसकी माँ ने पूछा–"क्या हुआ?" रजनी गुस्से में थी और वह स्वयं पर सबसे अधिक गुस्सा थी। वह बार-बार स्वयं से सवाल कर रही थी कि मैं लड़की क्यों हूँ? मैं लड़का क्यों नहीं हूँ? लड़कियों को माता-पिता इतना दब्बू और कमज़ोर क्यों बना देते हैं। लड़कों की तरह साहसी, निष्ठुर, लड़ाकू और मजबूत लड़कियों को बनाने में क्या नुकसान है? लड़की को कमज़ोर, अबला, शक्तिहीन, अनपढ़ और दीनहीन माता-पिता ही बनाते हैं। रजनी अभी और स्वयं से बातें करती, इतने में ही उसकी माँ उसके सामने आकर खड़ी हो गईं और वह पूछने लगीं–"बोलती क्यों नहीं?"

रजनी तल्ख और तेज़ आवाज़ में बोली–"मम्मी, क्या बोलूँ? लड़कियों की परवरिश ही माता-पिता इस तरह से करते हैं कि लड़कियाँ शरीर और मन से मजबूत हो ही नहीं पाती हैं। वे कमज़ोर रह ही जाती हैं। इसके साथ ही लड़कियों को चूड़ी, बिंदी, गहने भी कमज़ोर बनाते हैं।

इसका बोध मुझे तब हुआ जब मेरे कान से लटक रही कानबाली मेरे बगल में दौड़ रही लड़की के हाथ से लग कर नीचे गिर गई।

कानबाली गिरते ही मैं रुक गई क्योंकि वह सोने की थी और मेरा कान भी जख्मी हो गया था। मम्मी, कानबाली नहीं मिली और उसको ढूँढ़ने के चक्कर में मैं दौड़ में पीछे रह गई। यदि कानबाली कान में नहीं होती तो आज मैं भर्ती हो गई होती।" रजनी यह कहते-कहते सुबकने लगी।

यह सत्य है कि कलाई में पड़ीं चूड़ियाँ, गले में लटक रहा हार, कान में लटक रहा झुमका या कोई अन्य गहना और नाक में नथुनी होने पर एक स्त्री स्वाभाविक रूप से कमज़ोर हो जाती है, क्योंकि वह इन आभूषणों की रक्षा संकटकाल में स्वयं की अस्मिता से अधिक करती है और इस वजह से वह हार जाती है। औरत को ऑलराउण्डर बनना है तो उसको एक पुरुष की तरह पहले इन आभूषणों से अपना मोह भंग करना पड़ेगा। आभूषण और पोशाक के प्रति मोह उनकी प्रगति में बेशक बाधक हैं। अब वह समय आ गया है, जब लड़कियों को भी लड़कों वाली ड्रेस पहनाई जाए। एक लड़की को बाल्यावस्था से ही जब लड़कों वाली पोशाक पहनाई जाती है तो उसमें लड़का होने की सोच उत्पन्न होती है, जो उसको लड़के की तरह मजबूत, साहसी और कर्मठ बनाती है।

'जैसा अन्न वैसा मन और जैसी पोशाक वैसी सोच' अनुभवी व्यक्तियों ने कहा है। लड़कियाँ कोई भी कार्य ज़रूर कर सकती हैं, लेकिन उनमें वह जज़्बा पैदा करना पड़ेगा, जो जल्दी संभव नहीं है क्योंकि लड़कियों की परवरिश न तो लड़कों की तरह होगी और न ही लड़कियों की सोच में बदलाव आएगा। लड़कियों में बेशुमार संभावनाएँ हैं, बस उनको महत्त्व देने की ज़रूरत है।

लड़कियों को बताएँ यौन-संबंधों का मतलब

स्त्री और पुरुष के जीवन में सेक्स का सर्वाधिक महत्त्व है और आजकल यौन-जीवन में कई तरह की विषमताएँ स्वाभाविक रूप से उत्पन्न हो जाती हैं और शादीशुदा दंपत्ति यौन विशेषज्ञों के क्लीनिक का चक्कर लगाते रहते हैं, फिर भी उनकी यौन-संबंधी समस्याओं का समाधान नहीं होता है। आचार्य वात्स्यायन ने अपने ग्रंथ कामसूत्र में लिखा है–'सेक्स आनंद और ज़रूरत से ज्यादा मर्यादा है।' लेकिन आज सेक्स केवल आनंद का ही विषय है। वह आनंद के लिए ही किया जाता है। आपको शायद नहीं पता, कामसूत्र में इस बात का उल्लेख है कि यौन-संबंधों के बाद स्त्री-पुरुष की एक-दूसरे के प्रति कैसी सोच होनी चाहिए और क्या महसूस करना चाहिए। अनुभूति यानी एहसास का सेक्स में बहुत महत्त्व है।

पुरुष की अनुभूति से कहीं अधिक स्त्री की अनुभूति सेक्स में महत्त्व रखती है क्योंकि सेक्स को रंगीन वही बनाती है। माँ एक स्त्री होती है, युवा बेटी का उससे बेहतर मित्र, शुभचिन्तक और सलाहकार अन्य कोई भी नहीं हो सकता है। युवा लड़की को यौन संबंधी ज्ञान माँ से मिलेगा तो फिर लड़की को पर्याप्त लाभ मिलेगा। माँ से बेटी यौन संबंधी बातें तभी करती है जब दोनों अच्छी सहेलियाँ होती हैं। शास्त्रों में कहा गया है कि बेटा बड़ा हो जाता है तो पिता को उसके साथ मित्रवत व्यवहार करना चाहिए और वह जिस विषय पर भी सवाल करे उसका जवाब नि:संकोच भाव से देना चाहिए। इसी तरह से बेटी जब बड़ी हो जाती है तो माँ को उससे दोस्ती कर लेनी चाहिए और उसको यौन संबंधी ज्ञान उम्र को ध्यान में रखकर देते रहना चाहिए ताकि उसके चरित्र का निर्माण अच्छी तरह से हो। यह कहना गलत न होगा कि आज के दौर में लड़कियाँ यौन-जीवन संबंधी बहुत-सी बातों को इंटरनेट के माध्यम से जान जाती हैं। आपको पता होना चाहिए कि जब सत्रह-अठारह वर्षीय युवती को यौन जीवन से संबंधित जानकारियाँ प्राप्त हो जाती हैं तो विपरीत लिंगीय संबंधों के प्रति उसकी रुचि स्वाभाविक रूप से बढ़ने लगती है फिर ऐसे में ही लड़की ब्वॉयफ्रेंड के साथ शारीरिक संबंध बनाने की कोशिश करती है और लड़का भी कोशिश करता है।

इस गलत कोशिश पर रोक तभी लग सकती है जब माँ लड़की की घनिष्ठ सहेली हो और लड़की से हर विषय पर स्पष्ट शब्दों में अक्सर ही बात करती हो। माँ का बेटी के साथ बेहतर संबंध नहीं होता है तो फिर वह बहक जाती है या फिर ब्वॉयफ्रेंड के साथ उसके अनैतिक संबंध बन जाते हैं। माँ का अपनी बेटी के साथ मैत्रीपूर्ण संबंध बनाना अतिआवश्यक है। अपनी बेटी को यौन संबंधी मामलों

की जानकारी आप नहीं देंगे तो वह किसी और से जानकारी लेगी और फिर आपके हाथ आपकी लड़की लाख कोशिश करने के बावजूद नहीं आने वाली। सेक्स संबंधी जानकारी लड़की को आज की तिथि में अवश्य ही मिलती रहनी चाहिए, वह भी माँ के मुखारविंद से जानकारी मिलती है तो वह विश्वसनीय, परफेक्ट तथा प्रामाणिक होती है। भारत में माता-पिता यौन-जीवन पर न तो बच्चों के साथ कोई बात करते हैं और न ही उनके सेक्स संबंधी सवालों के जवाब ही देते हैं। स्त्री और पुरुष दोनों ही यौन जीवन पर बात करना किसी अपराध से कम नहीं समझते हैं और जब यौन-संबंध बनाने की बारी आती है तो बढ़-चढ़कर उसमें रुचि लेते हैं। मैंने प्रौढ़ उम्र वाले स्त्री और पुरुषों को छुपकर अश्लील तसवीरों को निहारते हुए देखा है, उनको चूमते हुए देखा है और नंगी तसवीरों को पर्स में छुपाकर रखते हुए देखा है। यही लोग सबके सामने ऐसा व्यवहार करते हैं और सेक्स के नाम पर शरमाने का इतना कुशल अभिनय करते हैं मानो सेक्स से पहली बार वाकिफ हो रहे हों। दोहरी मानसिकता वाले लोगों ने ही व्यवस्था को ख़राब कर रखा है। उनका एक चेहरा अश्लील और नंगी तसवीरों का आशिक है तो दूसरा चेहरा अश्लील चीज़ों का नाम सुनना भी पसंद नहीं करता है। ऐसे लोगों की पहचान करके इनका विरोध करने की ज़रूरत है क्योंकि इन लोगों ने ही सेक्स की ब्यूटी को ख़राब कर दिया है।

आप माँ हैं तो अपनी बेटी से यौन जीवन पर बात करने में रूचि लें। वह इससे संबंधी कोई सवाल करे तो सौम्य और श्लील शब्दों में जवाब दें। डाँटकर उसको गलती से भी चुप न कराएँ। यह भी मैं आपको बता दूँ कि बेटी आपके साथ जब तक खुलेगी नहीं तब तक आपके साथ ऐसी बातें वह जल्दी शेयर नहीं करेगी। जहाँ तक मुझे पता है, ज्यादातर स्त्रियाँ अपनी बेटी के साथ इतना सख्त व्यवहार करती हैं कि बेटी के साथ मैत्रीपूर्ण संबंध बन ही नहीं पाता है और ऐसे में ही बेटी अपने मन की बातें किसी अन्य के साथ शेयर करने लगती है और वह इनका गलत लाभ उठाने लगता या लगती है। आपकी बेटी दूसरों के साथ अपने मन की बातें क्यों शेयर करती है और, आपके साथ वह मन की बातें शेयर क्यों नहीं करती है, यह सवाल जब आपके मन में बनने लगता है तो फिर आपको दिक़्क़त होने लगती है।

भारतीय समाज में यही तो दिक़्क़त है कि लड़की और लड़का से माँ, हर विषय पर बात खुलकर कर लेती हैं, लेकिन सेक्स पर बात बिलकुल ही नहीं करती हैं। सेक्स पर बात करना अपराध की श्रेणी में आता है। यह गलत है। जो सृष्टि का आधार है, हर प्राणी, जीव-जंतु के आकर्षण का केन्द्र है, भला वह सेक्स अनुकरणीय कैसे नहीं हो सकता है।

रूपा को अपनी तरफ़ जब हरि ने खींचा तो वह छिटक कर दूर चली गई। हरि को अचानक ही गुस्सा आ गया—"मूड ख़राब मत करो।"

रूपा वहीं से खड़ी-खड़ी बोली–"मैं कोई आनंद ही नहीं ले पाती हूँ तो..." रूपा की बात अधूरी ही रह गई। वह पूरी बात बोल ही नहीं सकी, लेकिन हरि ने आगे की बात का अनुमान लगा लिया–"तुम्हें जब आनंद लेना आता ही नहीं तो इसमें मेरा क्या कसूर है?"

"कसूर क्यों नहीं है। तुम महास्वार्थी हो। केवल अपने ही आनंद का ध्यान रखते हो।" रूपा ने उलाहना भरे शब्दों में कहा तो हरि का गुस्सा छू-मंतर हो गया।

"बोलो, तुम कभी मेरे मन की मुझसे पूछते हो कि तुम्हें कैसा लगा? आनंद मिला या नहीं?"

हरि आश्चर्य से बोला–"सेक्स का दूसरा नाम ही आनंद है। इसमें आनंद न मिले यह तो हो ही नहीं सकता।"

"यही तो तुम्हारी गलतफहमी है। जब तक तुम मेरे लिए सेक्स संबंध या मैं तुम्हारे लिए सेक्स-संबंध नहीं बनाऊँगी तब तक आनंद नहीं मिल सकता।" रूपा इतना कहकर शांत हो गई।

"तो तुम यही बात उस समय क्यों नहीं बताती?"

"अपने नारीगत स्वभाव के कारण मैं चुप रहती हूँ। तुम्हें सेक्स में असफल होने की अनुभूति न हो, तुम मेरे सामने शर्मिंदा न हो, यह सोचकर मैं शांत रहती हूँ। तो क्या तुम्हारा मेरे प्रति कर्तव्य नहीं बनता कि तुम मेरी अनुभूतियों को महसूस करो, जानो...?" रूपा ने कई वर्षों से मन में दबे दर्द को बाहर निकाल दिया।

यह सच है कि कई स्त्रियाँ पूरी तरह से आनंद नहीं मिलने पर भी पुरुष को इसका ज्ञान तक भी नहीं होने देतीं। पुरुष को स्त्री का आभारी होना चाहिए कि वह ऐसी सोच रखती है। पुरुष तो ऐसी सोच रखता ही नहीं है। आनंद में थोड़ी-सी भी कमी आने पर या स्त्री की तरफ़ से ज़रा-सी भी सेक्स के प्रति उदासीनता होने पर वह टोक देता है कि दिमाग कहाँ है? तुम एकदम से ठंडी हो गई हो या फिर बेझिझक यह सुना डालता है कि पहले वाली बात तुममें अब नहीं रही।

वात्स्यायन ने पुरुष की तरफ़ इशारा करते हुए कहा है कि स्त्रियों जैसी अनुभूति पुरुषों की क्यों नहीं होती? स्त्रियों जैसी सोच न होने के कारण पुरुषों को सेक्स के मामले में वह आनंद कभी प्राप्त नहीं हो पाता, जो आनंद स्त्रियाँ महसूस कर पाती हैं, लेकिन स्त्रियों को सेक्स में चरम सुख की अनुभूति तभी मिल पाती है जब पुरुष उनकी अनुभूति को समझते हैं।

वात्स्यायन सेक्स को जीवन का सर्वाधिक महत्त्वपूर्ण अंग मानते हैं और साथ ही मर्यादा की भी बात करते हैं। वह कहते हैं कि सेक्स ज़रूरत और आनंद से ज्यादा

मर्यादा है। आप कहेंगे कि सेक्स ज़रूरत और आनंद से ज्यादा मर्यादा कैसे हो गया? इसमें मर्यादा कहाँ से आ गई? हमारे संस्कारों में तो सेक्स की बात करना भी गुनाह है। आचार्य वात्स्यायन की इसी गूढ़ बात को समझने की ज़रूरत है। सेक्स आनंद और ज़रूरत से ज्यादा मर्यादा तब बन जाता है जब स्त्री और पुरुष एक-दूसरे की अनुभूति को सहवास के पलों में बख़ूबी समझने की कोशिश करते हैं। वात्स्यायन कहते हैं कि मर्यादित सेक्स वही है, जिसमें स्त्री और पुरुष दोनों ही समान रूप से संतुष्ट हों और गिले-शिकवे की इंचमात्र भी गुंजाइश न हो। रूपा और हरि जब भी यौन-संबंध बनाते हैं, सेक्स एकतरफा बन जाता है। हरि आनंद की अनुभूति करता है और रूपा को कोई आनंद नहीं मिलता है, वह केवल हरि के लिए सेक्स संबंध बनाती है। जिस दिन बर्दाश्त करने की क्षमता क्षीण हो जाती है, उस दिन बात बिगड़ ही जाती है और यही हुआ, रूपा ने अपने दर्द को बाहर ला ही दिया। युवा होती लड़कियों को इसका ज्ञान होना चाहिए। सहवास में अधूरापन वैवाहिक जीवन को बेमजा बनाता है।

जिस सेक्स संबंध में किसी एक को आनंद मिलता है और दूसरा उससे वंचित रहता है तो ऐसे सेक्स संबंध में मर्यादा नहीं होती है। वह अमर्यादित हो जाता है। सेक्स में एहसास की बात इसीलिए तो कही जाती है। पुरुष का यह कर्तव्य बनता है या यह उसकी ज़िम्मेदारी बनती है कि वह सेक्स संबंध जब भी बनाए इसका पूरा ध्यान रखे कि वह स्त्री को संतुष्ट और आनंदित करने के लिए संबंध बना रहा है। पुरुष की जब ऐसी सोच होती है तो वह स्त्री के प्रति बिलकुल ही सहज रहता है और उसके अंग-अंग से वह जुड़ जाता है। सेक्स केवल एक अंग का मामला नहीं है, बल्कि पूरा शरीर इसमें शामिल होता है। शरीर का हर अंग हरकत करता है और अपना एक अलग ही महत्त्व रखता है। स्त्री चाहती है कि पुरुष उसके हर अंग से प्यार करे और उसे अपने हाथों से सहलाए, मुँह से चूमे तथा अपनेपन का अहसास करवाए।

अधिकतर पुरुष सेक्स में जल्दबाजी दिखाते हैं। उन्हें इस बात का डर रहता है कि पता नहीं वे कितनी देर तक सेक्स को जी सकेंगे? यदि मिनट-दो-मिनट में स्खलित हो गए तो स्त्री क्या महसूस करेगी? इस तरह के तमाम भाव उसे सेक्स में जल्दी करने की ओर अग्रसर कर देते हैं, जिससे वे जाने-अनजाने में ही इन पलों में स्वार्थी हो जाते हैं। उन्हें इस बात की ज़रूरत ही महसूस नहीं होती कि वे स्त्री की अनुभूति का भी पता लगाएँ? दूसरे शब्दों में कहें तो उनके पास इतना समय ही नहीं होता कि वे स्त्री के शरीर का स्पर्श करें। कुछ पलों तक नारी देह से प्यार करें। हरि के साथ भी तो यही समस्या है। यही डर भाव है कि सेक्स में असफल हो गया तो क्या होगा?

आचार्य वात्स्यायन कहते हैं कि सेक्स में पुरुष का डर उसका सबसे बड़ा शत्रु होता है। जब भी वह डर के साथ स्त्री से यौन-संबंध बनाता है तो सेक्स को लेकर उसके

मन में न तो कोई एहसास होता है और न ही उसे स्त्री की अनुभूतियों की कोई चिंता ही रहती है। वह तो बस आनंद लेकर हट जाता है। स्त्री फूल की तरह नाज़ुक होती है और उसके एहसास उससे भी नाज़ुक होते हैं। उसे प्रेम और नज़ाकत से ही पूरी तरह से हासिल किया जा सकता है। जब तक वह सुरक्षित महसूस नहीं करेगी यानी इसका बोध उसे जब तक न होगा कि पुरुष उसको पूरी तरह से संतुष्ट कर सकता है तब तक वह खुद को समर्पित नहीं कर पाती है। हिंसात्मक तरीका उसके भीतर से प्रेम का निशान मिटा देता है। संबंध की शुरुआत में जैसे चुंबन महत्त्व रखता है, उसी तरह सेक्स के पहले स्त्री को तैयार करने या सहज करने की क्रिया भी उतना ही महत्त्व रखती है। हरि यही क्रियाएँ तो नहीं करता है और न ही अनुभूतियों को समझता है। इन दोनों ही बातों को समझना आवश्यक है।

उपरोक्त सुझावों को पढ़ने के बाद एक पल के लिए आप अवश्य ही सोचेंगे कि सेक्स के बारे में इतना लिखने की क्या ज़रूरत थी। यह तो सबको ही पता है यहाँ तक कि जानवर भी सेक्स को जीते हैं। हाँ, यह सच है कि सेक्स को हर प्राणी जानता है, लेकिन सेक्स कितना महत्त्वपूर्ण है यह पता सबको नहीं है। आज की युवा लड़कियों को तो बिलकुल ही नहीं है। वे सेक्स को केवल आनंद और मनोरंजन का विषय मानती हैं, जिससे इससे आगे बढ़ ही नहीं पाती हैं। वैवाहिक जीवन को आनंदित और सुखद बनाने के लिए यह आवश्यक है कि सेक्स को फूहड़ और अश्लील मानकर उससे एक उम्र में आकर मुँह न मोड़ें।

8

रिश्तों को बहुत करीब से जीती हैं बेटियाँ

तान्या की उम्र यही कोई 28 या 29 की थी। वह ग्रेजुएशन करने के बाद एक मल्टी नेशनल कंपनी में नौकरी करती थी और वह एक अत्यंत ही ज़िम्मेदार युवती थी। उसने अभी तक विवाह नहीं किया था क्योंकि उसके पापा बीमार रहते थे और कोई काम नहीं करते थे। माँ को मरे हुए यही कोई पाँच साल हो गए थे। तान्या जब मात्र 19 साल की थी तो वह एक लड़के से बेपनाह प्यार करती थी। वह उस लड़के के साथ विवाह करने ही वाली थी कि उसके पापा की नौकरी छूट गई क्योंकि कंपनी अचानक बंद हो गई थी। तान्या के दोनों भाई उससे छोटे थे और अभी पढ़ रहे थे।

तान्या ने अपने प्रेमी से कहा–"मैं अभी शादी नहीं कर सकती।" प्रेमी अचानक ऐसी बात सुनकर काफी डिस्टर्ब हो गया। फिर उसने पूछा–"क्यों, तुम तो शादी करने के लिए तैयार थीं? अचानक ऐसा क्या हो गया कि तुमने मना कर दिया?" प्रेमी ने कारण जानना चाहा तो तान्या ने कहा–"माँ का निधन हो गया है और पापा की नौकरी छूट गई है तथा वह बीमार भी रहने लगे हैं। भाई-बहनों में मैं ही सबसे बड़ी हूँ। मैं अपने दोनों छोटे भाइयों को अकेला छोड़कर कैसे विवाह कर लूँ? यह तो नैतिक रूप से ठीक नहीं होगा।" तान्या यह कहते-कहते काफी मायूस हो गई। उसकी ज़िंदगी शुरू होने से पहले ही सिमट गई थी।

प्रेमी ने पूछा–"क्या मैं तुम्हारा इंतजार कर सकता हूँ?"

तान्या ने सोचने-समझने के बाद कहा–"नहीं, मेरे दोनों भाई अभी दसवीं और ग्यारहवीं में ही तो पढ़ रहे हैं। वे जबतक आत्मनिर्भर नहीं हो जाएँगे मुझको उनके साथ ही रहना पड़ेगा। मैं तुमको इंतजार करने के लिए नहीं कहूँगी क्योंकि मैं नहीं चाहती कि तुम मेरे लिए वैवाहिक जीवन का सुख न लो। तुम मेरा इंतजार न करो। तुम विवाह कर लो।" तान्या ने इतना कहकर अपने प्रेमी को लौटा दिया था और स्वयं को भी दुखी कर लिया था। उसने कर्तव्य के आगे प्रेम को ठुकरा दिया था।

मैं आपको बता दूँ कि इतना बड़ा निर्णय लेने की क्षमता केवल बेटियों में ही होती है, लड़के ऐसे समय में इतना बड़ा निर्णय कतई नहीं ले सकते हैं। वे बेटियों की तरह त्याग तो बिलकुल ही नहीं कर सकते हैं। त्याग करने में तो बेटियाँ बेटों से आगे रहती हैं। उनका कोई जवाब नहीं है।

तान्या की आयु 29 वर्ष भाइयों को पढ़ाने में, पिता की सेवा और इलाज कराने में ही हो गई थी। उसको तो इस बात का भी ध्यान अब नहीं था कि वह एक लड़की है और उसको विवाह भी करना चाहिए। उसकी नज़र में व्यक्तिगत जीवन से कहीं अधिक महत्त्वपूर्ण रिश्ते थे, जिनको वह माँ के मरने के बाद सबकुछ भूल-भालकर जी रही थी।

समय यूँ ही बीतता रहा। बड़े भाई ने पढ़ाई पूरी कर एक कंपनी में नौकरी कर ली। तान्या ने बड़े भाई की शादी भी कर दी। उसका था ही कौन? अपनी अब तक की कमाई उसने भाइयों पर ही तो खर्च कर दी थी। बड़ा भाई शादी होने के मात्र एक हफ़्ते के बाद ही अपनी पत्नी को लेकर दूसरे शहर में जाने लगा तो तान्या ने कहा–"भाई, अब तुम आर्थिक रूप से आत्मनिर्भर हो। अपने छोटे भाई और बीमार पापा की देखभाल के लिए यहीं पर शिफ्ट हो जाओ। मैं लड़की हूँ और लड़की का घर पति का घर होता है। अब मुझको विवाह कर अपने तरीके से जीने दो।"

बड़ा भाई बोला–"दीदी, छोटे भाई और पापा की ज़िम्मेदारी तुम्हारी है। मैं इनके साथ रहकर अपना वैवाहिक जीवन बेमजा नहीं करना चाहता।" इतना कहकर बड़ा भाई पत्नी के साथ चला गया। तान्या चिल्लाती हुई बस, दरवाज़े तक गई और भाई को पत्नी के साथ जाते हुए तब तक देखती रही जब तक वे दोनों उसकी आँखों से ओझल न हो गए। वह इस उम्मीद में कुछ देर तक खड़ी रही कि शायद भाई लौटकर आ जाए, लेकिन वह लौटकर नहीं आया। उम्मीद टूटते ही उसने धड़ाम से दरवाज़ा बंद किया और अपने बीमार पापा के पास बैठ गई। उसके पापा ने कहा–"बेटी, तुमको उदास होने की ज़रूरत नहीं है। तुम अपना जीवन हमारे लिए ख़राब मत करो। तुमको जो अच्छा लगे वह करो। रिश्तों के भँवर में पड़कर स्वयं को बर्बाद न करो।" यह कहते-कहते उसके पापा की आँखों में आँसू आ गए।

तान्या ने कहा–"पापा, आप बीमार हैं और वृद्ध भी हैं। आपके पास बैंक-बैलेंस भी नहीं है। मैं आपको कैसे छोड़ दूँ। छोटे भाई ने भी अपनी पढ़ाई पूरी कर ली है और जॉब की तलाश में है। उसकी पत्नी आ जाए और उसको नौकरी मिल जाए तब मैं इन ज़िम्मेदारियों से मुक्त होकर अपने जीवन की शुरुआत करूँगी।" उसके पापा ने कुछ नहीं कहा। वह चुप हो गए।

छोटे भाई की जॉब मिलने के बाद बड़ी धूमधाम के साथ शादी हो गई। तान्या को छोटे भाई से बड़ी ही उम्मीद थी। उसने छोटे भाई से कहा–"भाई, अब तुम नौकरी करने

लगे हो और तुम्हारा विवाह भी हो गया है। पापा की देखभाल करने की ज़िम्मेदारी मैं तुमको सौंपकर अपने जीवन की नई शुरुआत करना चाहती हूँ।" तान्या इतना कहकर जवाब की प्रतीक्षा करने लगी।

छोटे भाई ने पहले अपनी पत्नी को देखा, फिर अपने पापा को देखा, फिर तान्या को देखा, इसके बाद वह बड़ी ही बेशर्मी के साथ बोला–"दीदी, अब आपकी उम्र तो शादी की रही नहीं। पापा की सेवा में आप इनके साथ ही रह जाएँ। आपको इसका पुण्य मिलेगा। मुझको इस झमेले में मत फँसाएँ। मेरी नौकरी दूसरे शहर में है। मैं अपनी पत्नी के साथ वहीं शिफ्ट होने वाला हूँ। पापा आपकी ज़िम्मेदारी हैं। आप उनके साथ रहें।" छोटा भाई इतना कहकर कमरे में चला गया।

वृद्ध पिता अपने दोनों बेटों की सोच और व्यवहार से इतना आहत हो गया कि वह फूट-फूटकर रोने लगा। तान्या अपने पापा के पास आते हुए बोली–"पापा, इसमें आपकी गलती ही क्या है?" तान्या के इतना कहते ही उसके पापा बोले–"बेटी, तुमने तो भाइयों की परवरिश करने की धुन में यह भी नहीं देखा कि तुम्हारी शादी की उम्र निकल रही है और तुम्हारी सारी कमाई भाइयों को पढ़ाने-लिखाने में खर्च हो रही है। बेटी, तुमने मम्मी और पापा दोनों की ज़िम्मेदारी एक साथ निभाई है। तुम्हारे त्याग, बलिदान और समर्पण का इस तरह से मूल्य उन्होंने चुकाया है। मैं आज बहुत ही आहत हूँ बेटी। मेरी बात तुम मानो और मुझको मेरे हाल पर छोड़कर किसी योग्य और हमउम्र पुरुष से विवाह कर लो। मेरी परवाह न करो। मुझको मेरे कर्मों का फल भोगने दो। बेटी, तुमने तो भाइयों के मोह में अपना सर्वस्व लुटा दिया और भाइयों ने तुम्हारी तो थोड़ी-सी भी कद्र नहीं की।" उसके पापा यह कहते-कहते काफी शर्मसार हो गए।

"पापा, शर्मिंदा होने की कोई ज़रूरत नहीं है। मैं बहुत पहले से जानती थी कि मेरे दोनों भाई मतलबी, अवसरवादी तथा स्वार्थी हैं। काम निकल जाने पर वे हाथ नहीं आएँगे, लेकिन मैं फिर भी यह सोचकर उन पर अपना समय, धन और ऊर्जा लगाती रही कि कहीं आप मुझको दोषी न ठहराएँ। इसके अतिरिक्त मैंने यह सोचकर भी उनकी परवरिश की कि मैं उनसे बड़ी हूँ और बहन भी हूँ। अपना कर्तव्य कर दूँ, वे जैसा करेंगे वैसा भरेंगे। पापा, मुझे अफसोस नहीं है।" तान्या यह कहते-कहते बिलकुल ही सामान्य हो गई, फिर कहने लगी–"पापा, आप मेरे साथ रहेंगे।"

"नहीं बेटी, तुम मेरी वजह से अपनी ज़िंदगी को कष्ट क्यों दे रही हो। मुझको किसी वृद्धाश्रम में छोड़कर तुम अपनी ज़िंदगी जियो।" पापा के इतना कहते ही तान्या की आँखें भर आईं। वह सोच रही थी कि जिस पिता के एक नहीं, तीन बच्चे हैं, वह वृद्धाश्रम में रहने की बात कर रहा है। तान्या यह सोचते-सोचते काफी भावुक हो गई। उसका रोम-रोम काँप गया।

“पापा, मैं आपकी सेवा करूँगी। मैं आपकी देखभाल करूँगी। आप अपना मन ख़राब न करें।” तान्या इतना कहते-कहते चुप हो गई।

तान्या को बहुत ख़राब लगा। उसके त्याग को, उसके जज़्बातों को भाइयों ने स्वार्थ का नाम देकर नकार दिया था। शहरों में और महानगरों में अधिकतर परिवारों में ऐसी स्त्रियाँ मिल जाएँगी, जो परिवार के प्रति जी-जान से समर्पित रहीं, लेकिन उन्हें समझने वाला कोई नहीं, उनके प्रति घर का एक भी सदस्य समर्पित नहीं। गाँवों और कस्बों में भी ऐसी स्त्रियाँ हैं, जिन्होंने परिस्थितियों के कारण भाई-बहनों को पालने-पोसने में ही पूरा जीवन लगा दिया और जब उन्हें होश आया तो स्वयं को वहाँ पाया जहाँ फिसलन के सिवा कुछ भी नहीं।

तान्या जैसी महिलाएँ अवश्य ही प्रशंसा के योग्य हैं, जो बहुत प्यार से अपने मम्मी-पापा की ज़िम्मेदारियों में उनका हाथ बँटा रही हैं, लेकिन यह कितना अच्छा होता कि मम्मी-पापा और भाई भी उनके त्याग, समर्पण और इस जज़्बात की कद्र करते और उनके अकेलेपन का साथी बनने की कोशिश करते। जहाँ तक भाइयों का सवाल है तो तान्या जैसी स्त्रियों को भाइयों से स्पष्ट शब्दों में बात करनी चाहिए कि मम्मी-पापा की ज़िम्मेदारी, नौकरी और भाइयों की अतिरिक्त ज़िम्मेदारी वे अकेले नहीं उठा सकतीं, लेकिन उन्हें यह बात प्यार से ही समझाने की ज़रूरत है। इस संबंध में उन्हें इस बात का भी ध्यान रखना ज़रूरी है कि प्यार के रिश्ते जुड़ने में सालों लग जाते हैं, लेकिन टूटने में पल-भर की भी देर नहीं लगती है। तान्या से और अपने पापा से उसके दोनों भाई ऐसे संबंध तोड़कर चले गए मानो वे ट्रेन में बैठे सहयात्री थे। यह तो वही बात हो गई न कि चिड़िया के पंख आते ही घोंसले से उड़ गई और उड़ते-उड़ते इतनी दूर निकल गई कि फिर कभी दोबारा घोंसला में आई ही नहीं।

रिश्ते ख़ून के हों या भावनात्मक थोड़ी-सी भी तल्खी उन्हें तोड़ने के लिए काफी होती है। तान्या ने उम्र के सारे हसीन पल भाइयों और पिता की देखभाल में लगा दिए और अब पापा की ज़िम्मेदारी उस पर आ पड़ी है। तान्या ने अपना पैसा, समय और उम्र उन पर लुटा दी और उफ् तक भी उसने नहीं की, लेकिन भाइयों ने उसके इस त्याग की कोई कीमत नहीं लगाई। तान्या जैसी स्त्रियों के सामने इस तरह की परिस्थितियाँ बन जाएँ तो उन्हें थोड़ा बोल्ड बनने की आवश्यकता है क्योंकि इनसान आवश्यकता से कहीं अधिक ही स्वार्थी और मतलबी होता है। यदि कोई उसका ध्यान रखता है, उसकी इज़्ज़त करता है, उसकी सुविधा-असुविधा का ध्यान रखता है और उसकी सुख-सुविधाओं के साधन जुटाता है, तो वह व्यक्ति ग़ैर-ज़िम्मेदार बनता चला जाता है। तान्या ने अपने भाई-बहनों की ज़रूरत से ज्यादा मदद करके उन्हें ग़ैर-ज़िम्मेदार और मतलबी बना दिया है। ऐसे अवसरवादी लोगों को यह बताना ज़रूरी है कि मैंने पापा का बोझ, तनाव कम

करने के लिए तुम सब की परवरिश में उनकी मदद की। पापा को नहीं रख सकते तो कम-से-कम उनके इलाज के लिए पैसे तो दो।

तान्या जैसी बहुत-सी बेटियाँ हैं, जिनकी पूरी उम्र पैरेंट्स की ज़िम्मेदारियों को निभाने में ही खतम हो गई। आश्चर्य और अफसोस की बात तो यह है कि उनको एक शाबाशी तक भी नहीं मिली। विशेषज्ञों की मानें तो उनका कहना है कि बेटी और बेटा में जो भी अंतर किया जाता है, उन दोनों के गुणों में भी अंतर होता है। बेटी भावुक, सुशील, दयालु, दूसरों की चिंता करने वाली होती है और बेटा मतलबी, निरंकुश, बेईमान तथा दूसरों की परवाह नहीं करने वाला होता है।

मैं अपना अनुभव यहाँ जोड़ रहा हूँ—बेटों में सेवाभाव का अभाव होता है और बेटी में सेवाभाव का कोई अभाव नहीं होता है। तभी तो नर्स की नौकरी केवल महिलाओं के लिए ही सुरक्षित है। आपने एक भी पुरुष को नर्स का काम करते हुए नहीं देखा होगा। हॉस्पिटलों में जहाँ भी सेवा से संबंधित काम होता है, वहाँ पर पुरुष नहीं, बल्कि महिलाएँ ही होती हैं। पुरुष को यदि नर्स का काम दे दिया जाए तो उस काम को वह एक घंटा भी नहीं करेगा और उस नौकरी के साथ वह न्याय भी नहीं कर सकेगा। पुरुष चाहता है कि उसकी सेवा कोई करे, लेकिन वह नहीं चाहता है कि उसको किसी की सेवा करनी पड़े। बेटी सेवाभाव के गुण के कारण ही बेटा से कई गुना ज्यादा माता-पिता के लिए बेहतर साबित होती है। तान्या भी तो एक बेटी ही है। भाइयों के धोखा देने के बाद भी वह अपने पापा के प्रति वफ़ादार तथा समर्पित है। उसके भाई आत्मनिर्भर होते ही उससे नाता तोड़कर चले गए, यदि तान्या भी भाइयों की तरह होती तो वह भी अपने पापा से नाता तोड़कर कहीं दूसरी जगह रहने लगती, लेकिन उसने ऐसा नहीं किया क्योंकि उसको वास्तव में ही अपने पापा से दिली लगाव था।

विशेषज्ञों का कहना है कि बेटी में बेटा से दोगुना प्यार होता है। यही वजह है कि स्त्री यदि पुरुष से प्रेम करती है तो उसके प्रेम में कोई छल, कपट और पतलापन नहीं होता है। प्रेम पुरुष नहीं करता है, प्रेम तो स्त्री करती है। वह मुस्कराकर, हँसकर और अपनी हसीन भावनाओं को व्यक्त कर पुरुष को केवल अपना दीवाना बनाती है और उससे प्रेम वह खुद करती है। स्त्री के पास सेवाभाव, प्रेमभाव, दयाभाव, त्यागभाव और लगभग सभी भाव होते हैं। यही वजह है कि वह इतनी भावुक होती हैं। उसकी भावुकता का कोई जवाब नहीं। क्या इतने भाव पुरुष में होते हैं? नहीं होते हैं तो फिर पुरुष स्त्री से अधिक महान और सर्वगुण सम्पन्न कैसे हो सकता है? पुरुष प्रधान समाज होने के बाद भी आज हर घर में स्त्रियों की ही प्रधानता है। उनके बिना घर एक पल भी चल नहीं सकता है।

यहाँ एक उदाहरण प्रस्तुत है। इस उदाहरण को पढ़कर मेरा कहने का भाव क्या है, आप बख़ूबी समझ सकते हैं—

प्रीति अभी मायके में आकर सोफे पर बैठी थी तभी अयन का फोन आ गया। प्रीति ने फोन नहीं उठाया। वह अयन से बहस होने के बाद ऑफिस से ही सीधे मायके चली आई थी। प्रीति फ्रेश होने के बाद ड्राइंग-रूम में आई तो अयन का फिर फोन आ गया। उसने कहा–"अब क्या हो गया? मुझको फोन करने की कोई ज़रूरत नहीं है। मैं दो-तीन हफ़्ते यहीं पर रहूँगी। मायके से ही ऑफिस आया और जाया करूँगी।" प्रीति के इतना कहते ही अयन का चेहरा उतर गया। वह कहने लगा–"वापस आ जाओ। तुम्हारे बिना घर, घर लगता ही नहीं है। मम्मी मुझ पर नाराज़ हो रही हैं और कह रही हैं कि बहू नौकरी भी करती है, बच्चों का भी ध्यान रखती है और अपना ध्यान भी रखती है, तू तो केवल एक नौकरी करता है, इसके सिवा क्या करता है? बहू से बहस मत किया कर केवल उसकी सुना कर क्योंकि उसके बिना तेरा कोई भी वजूद नहीं है।" अयन बोल रहा था, तभी अयन के पापा बोलने लगे–"हाँ बेटा, वैवाहिक जीवन का सुख महसूस करना है तो पत्नी की इज़्ज़त करो और उसके प्रति ईमानदार बनने का प्रयास करो। वह स्त्री है और उसके पास दया-धर्म है। तुम पुरुष हो। तुम्हारे पास दया-धर्म नहीं है। स्त्री सम्पूर्ण है क्योंकि उसमें धारण करने की शक्ति होती है। यह शक्ति पुरुष के पास नहीं होती है।" उसके पापा इतना कहकर बेडरूम में चले गए।

अयन ने बाइक स्टार्ट किया और प्रीति के मायके जाने वाली सड़क पर उसे दौड़ा दिया। कहने का भाव है कि स्त्री के बिना सब बेकार है। कहने को पुरुष प्रधान समाज है, लेकिन स्त्री के बिना पुरुष प्रधान समाज का तो कोई भी वजूद नहीं है।

ज्यादा उम्र के पुरुष से न करें विवाह

साधना घर पर आई तो वह काफी डिस्टर्ब थी। उसकी समझ में नहीं आ रहा था कि वह अपने मम्मी-पापा से कैसे बताए कि मैं एक पैंतालीस वर्षीय पुरुष से प्रेम करती हूँ और अब उससे ही विवाह कर जीवन की शुरुआत करना चाहती हूँ? माँ ने आकर देखा तो पूछ लिया–"कब आई दफ़्तर से? आजकल तो पता ही नहीं चलता कि तुम घर में रहती हो। तुम्हारी मुस्कान जाने कहाँ गायब हो गई? हमेशा न जाने क्या सोचती रहती हो। बेटी, इतना सोचना सेहत के लिए कतई सही नहीं। जो मन में चल रहा है, उसको बाहर कर दो ताकि तुम्हारी हँसी, तुम्हारी आवाज़ और तुम्हारे चेहरे पर पुनः रौनक लौट आए।"

"कुछ भी तो नहीं है, माँ। तुम भी बेवजह बोलती रहती हो। मैं बिलकुल ही ठीक हूँ। अब मूड हमेशा एक जैसा नहीं रहता है न। चलो खाना लगाओ। छोड़ो अनर्गल बातें।" इतना कहकर साधना फ्रेश होने के लिए बाथरूम में चली गई। माँ की अनुभवी आँखें यह कतई मानने को तैयार नहीं थीं कि कोई भी बात नहीं है, लेकिन वह उस

पर कोई दबाव बनाना नहीं चाहती थीं। वह चाहती थी कि साधना खुद अपने मुख से बताए।

अगले दिन साधना दफ़्तर आई तो रूपेश ने उसके चेहरे पर एक नज़र डालते हुए कहा–"साधना, आज काफी सुंदर लग रही हो।"

रूपेश इतना कहते हुए उसके बहुत करीब आ गए। यह वही रूपेश थे, जिनसे साधना बेहद ही प्रेम करती थी और इनके साथ विवाह करके अपने जीवन की नई शुरुआत करना चाहती थी। रूपेश ने कहा–"मैंने अपनी पत्नी को तलाक दे दिया है। अब हम दोनों विवाह कर एक हो सकते हैं।"

"हाँ, हो सकते हैं, लेकिन समझ में नहीं आता कैसे कहूँ कि मैं एक पैंतालीस वर्षीय पुरुष से प्यार करती हूँ।" साधना यह कहते-कहते काफी परेशान हो गई। उसके माथे पर यह कहते-कहते बल पड़ गए।

रूपेश ने कहा–"तुम्हें कहना तो पड़ेगा ही। नहीं कहोगी तो बात आगे कैसे बढ़ेगी। हिम्मत करके आज कह देना।" साधना कुछ नहीं बोली। अच्छा या बुरा क्या है, वह समझ नहीं पा रही थी।

शाम को घर पहुँची तो मम्मी और पापा को एक साथ देखकर ख़ुश हो गई कि यही समय है, जब मैं अपनी बात स्पष्ट शब्दों में कह सकती हूँ। वह धीरे-धीरे चलकर नज़दीक आई और कहने लगी–"पापा, मैं किसी से प्यार करती हूँ और उससे ही विवाह करना चाहती हूँ।" साधना की बात समाप्त होते ही उसके पापा के माथे पर शिकन आ गई। उन्होंने कहा–"किससे प्रेम करती हो? उसकी क्या उम्र है? देखने में वह कैसा है? वह करता क्या है? तुम्हें वह कहाँ मिला कि तुमको उससे प्यार हो गया?" एक साथ इतने सवाल सुनकर साधना हड़बड़ा गई और सिर खुजलाते हुए कहने लगी–"वह हमारे दफ़्तर में मेरे साथ काम करता है। उसकी उम्र यही कोई पैंतालीस है।" साधना आगे और बोलती, तभी बीच में ही साधना के पापा बोल पड़े–"बेटी, यह शादी नहीं हो सकती है। यह सम्भव ही नहीं है। यह तो अनमेल विवाह होगा। लड़का पैंतालीस साल का और लड़की बीस साल की, लोग क्या कहेंगे। बेटी, ज़रा हमारे बारे में तो सोचो। हमें लोग कितना कोसेंगे और कितना बुरा-भला कहेंगे। तुम बीस की हो और वह पैंतालीस का है, भला कैसे विवाह हो सकता है?" उसके पापा बोल ही रहे थे, तभी माँ बोलने लगी–"मैं तो यह शादी कतई नहीं होने दूँगी। भला बताओ जब यह चालीस की होगी तब वह पैंसठ का हो जाएगा। बेटी, मेरी बात मान जा। यह शादी नहीं खुदकुशी है। शादी हमउम्र पुरुष से होती है तो अच्छा लगता है। बेटी प्रेम करना अलग बात है और विवाह करना अलग बात है। यह कोई तरीका है, हमने तुम्हें नौकरी करने के लिए भेजा है, प्यार कीपींगें बढ़ाने के लिए नहीं।

साधना का मुँह इतना-सा हो गया। वह बोली–"मैं तो रूपेश से ही शादी करूँगी।"

"बेटी, वह तुम्हारी ज़िंदगी ख़राब कर देगा। जब तुम चालीस की होगी तो वह पैंसठ का हो जाएगा। बेटी, तेरी और उसकी उम्र में बहुत ही फासला है। जग हँसाई हमारी होगी। वह पहले से ही तलाकशुदा है और दो बच्चों का पिता भी है। तुम जाते ही दो बच्चों की माँ बन जाओगी। तुम तो ज़िंदगी का आनंद ले ही नहीं पाओगी। बेटी, अपना निर्णय बदल दो। वह बूढ़ा हो जाएगा तो तुम जवान रहोगी। बच्चे जवान होंगे तो उनका पिता गुज़र चुका होगा। मेरी तो कुछ समझ में ही नहीं आ रहा है। मैं तो इजाज़त नहीं दूँगी। तुम्हें रोकूँगी भी नहीं। तुम्हारी मर्ज़ी, तुम जो चाहो कर सकती हो।" साधना की माँ इतना कहते-कहते वहाँ से चली गई।

साधना नहीं मानी। उसने पैंतालीस वर्षीय रूपेश से शादी कर ली।

माँ ने हर तरह से साधना को समझाने का प्रयास किया, लेकिन साधना ने किसी की भी कहाँ सुनी? आजकल के बच्चे जो जिद पकड़ लेते हैं, बस पकड़ ही लेते हैं और अपने मन की करके ही दम लेते हैं, फिर बाद में अपने निर्णय पर पछताते भी हैं। तलाक गलत निर्णय का ही तो परिणाम है। उम्र से परिपक्व बच्चे अपने जीवन के बारे में फैसला लेने का पूरा हक रखते हैं। अपने प्रेमी से विवाह करने से पहले साधना जैसी लड़कियों को कुछ अन्य तथ्यों पर भी ध्यान देने की आवश्यकता है। यह सच है कि प्रेम करने के लिए कोई उम्र नहीं होती और यह भी सच है कि विवाह की एक उम्र होती है। हमउम्र साथी ही वे सारी खुशियाँ दे पाता है, जो एक युवा लड़के या लड़की को चाहिए। जब साधना 30 की होगी तब रूपेश 55 का होगा। जब वह 40 की होगी तब रूपेश 65 का होगा और जब वह 50 की होगी तो रूपेश 75 का होगा। तो क्या आपकी दृष्टि में इस तरह का वैवाहिक रिश्ता बनाना उचित है? एक पुरुष के साथ रिश्ता बनाए रखने और एक पुरुष से शादी करने के बीच अंतर है। किसी के प्रति लगाव है, तो उससे रिश्ता बनाए रख सकते हैं, लेकिन वैवाहिक रिश्ता बनाने का फैसला दिल से नहीं दिमाग से लेना ज़रूरी है। स्त्री के लिए यह और भी आवश्यक हो जाता है।

शादी आपको बहुत कुछ दे सकती है, यदि आप अपने अनुकूल व्यक्ति को जीवनसाथी बनाते हैं। एक ऐसा व्यक्ति, जो आपकी उम्र का हो, आपका भला चाहने वाला हो, प्यार करने वाला हो और सेक्सुअल रिलेशन बनाने में सक्षम हो, जो आपके बच्चे का पिता बन सके और जो दूर तक आपका साथ दे सके। यह आप दोनों के ही भविष्य में बेपनाह खुशियाँ देगा। ऐसे में अपना फैसला ठंडे दिमाग से और सकारात्मक रूप से सोच-समझकर लेने में ही भलाई है।

मैं यहाँ रिश्ते को जानने की बात कर रहा हूँ। वैसे देखा जाए तो वैवाहिक रिश्ता सबसे अधिक महत्त्वपूर्ण है। दो अजनबी स्त्री-पुरुष विवाह कर खुद को एक-दूसरे

के साथ एडजस्ट करने की कोशिश करते हैं। एडजस्टमेंट तभी हो पाता है जब दोनों ही एक-दूसरे की ज़रूरतों और इच्छाओं की पूर्ति कर पाने में सक्षम होते हैं अन्यथा इस रिश्ते में प्रगाढ़ता नहीं आ पाती है। आधुनिक परिवेश में प्यार की कुछ ज्यादा ही बात होने लगी है। भले ही प्यार और रिश्ते का ए.बी.सी. मालूम न हो। यह किसी को नहीं पता कि पहले किसी से रिश्ता बनता है, उसके बाद ही प्यार जैसे अहसास उत्पन्न हो पाते हैं। रिश्ता अगर आपका स्वयं से दो गुने या तीन गुने उम्र के पुरुष से केवल भावनाओं और प्यार के सहारे बनता है, तो इस बात की कोई गारंटी नहीं कि यह रिश्ता कब तक चलेगा; क्योंकि वैवाहिक रिश्ते को मजबूती देने के लिए केवल प्यार, पैसा ही सबकुछ नहीं होता या सुख-सुविधाओं का साजो-सामान ही जुटाना नहीं होता। यौन-संबंध भी वैवाहिक रिश्ते को मजबूती देते हैं और स्थायित्व भी विवाह को इसी से मिलता है।

जो युवा लड़के-लड़कियाँ इस तरह के रिश्ते बनाते हैं, उन्हें इन सब बातों का ज्ञान नहीं होता या वे इतनी दूर की नहीं सोचते, उन्हें तो बस अपने प्यार को वैवाहिक रिश्ते में बाँधने की जल्दी होती है। उन्हें यह समझने की ज़रूरत है कि वैवाहिक रिश्ता बहुत कुछ माँगता है, उसको निभाने में ढेर सारी ज़िम्मेदारियों की ज़रूरत होती है, इनके पूरा न होने पर खटास आने में देर नहीं लगती।

आजकल पैरेंट्स बच्चों की सारी ज़रूरतें पूरी करते हैं, उनके नखरे बर्दाश्त करते हैं, उन्हें अच्छी-से-अच्छी शिक्षा दिलाते हैं, लेकिन सामाजिक मूल्यों को न तो वे बच्चों को ही बता पाते हैं और न ही खुद इनका पालन कर पाते हैं। नतीजा यह होता है कि बड़े होकर बच्चे ऐसे ही फैसले लेते हैं, फिर विरोध करने के बाद भी युवा लड़के-लड़कियाँ समझ नहीं पाते हैं। साधना को भी तो पूरा लाड-प्यार मिला, उसकी सारी जिद पूरी की गई, लेकिन उसे गलती से भी कभी यह न बताया गया कि प्यार क्या है, रिश्ता क्या है और जीवन के मूल्य क्या हैं। आप जब तक बच्चों को यह शुरू से ही नहीं बताएँगे कि वैवाहिक रिश्ता हमउम्र व्यक्ति से ही बनता है और तभी जीवन के सारे सुख मिल पाते हैं तब तक युवा पीढ़ी ऐसे ही अनर्गल फैसले लेती रहेगी और उसका दुखद अंत होता रहेगा।

जो आज के सेलिब्रेटी हैं, जो युवाओं के आदर्श हैं, वे नैतिक और चारित्रिक रूप से ठीक नहीं हैं क्योंकि वे विवाह का सबसे अधिक मज़ाक बनाते हैं। 'लिव इन रिलेशनशिप' में रहने की प्रथा भारत की नहीं है। यह तो विदेशों की प्रथा है। सेलिब्रेटी विवाह तो नहीं करते हैं, लेकिन लिव इन रिलेशनशिप में अवश्य ही रहते हैं और पाँच-छः सालों के बाद एक-दूसरे से मन भर जाता है तो अलग हो जाते हैं, फिर किसी अन्य के साथ लिव इन रिलेशनशिप में रहते हैं। शादी तब करते हैं जब

देखते हैं कि उम्र ढलने लगी है और इसको एक किनारा चाहिए। मैं यहाँ किसका नाम लूँ। अधिकतर अभिनेत्रियों ने उन अभिनेताओं या उद्योगपतियों से शादी की है, जो पहले से ही शादीशुदा हैं और युवा बच्चों के पिता हैं। एक बात यह भी है कि जो स्त्री दस साल या पन्द्रह साल किसी के साथ लिव इन रिलेशनशिप में रह चुकी है उससे अन्य व्यक्ति शादी करने के लिए जल्दी तैयार भी तो नहीं होगा। फिर ऐसे में ऐसी स्त्रियाँ शादीशुदा पुरुषों को ही पति के रूप में चुनती हैं।

महान और कलाकार लोगों में ही अधिक उम्र में शादी करने का चलन है। लगभग सभी स्त्रियाँ तीस के बाद ही शादी के बारे में सोचती हैं क्योंकि तीस के बाद उन्हें फिल्मों में काम मिलना बहुत ही कम हो जाता है, फिर ऐसे में वे किसी से शादी कर अपना घर बसा लेने में ही बुद्धिमानी समझती हैं।

अधिक उम्र में शादी करना, विवाहित पुरुष से विवाह करना और रिलेशनशिप में रहना–ये सभी चलन सेलिब्रेटी लोगों में ही हैं। सेलिब्रेटी लोगों से आज के युवक-युवतियाँ सबसे अधिक प्रभावित हैं और उनकी नकल करने में थोड़ा-सा भी पीछे नहीं रहते हैं। यही वजह है कि अब आम लोगों में भी बिना शादी के ही रिलेशनशिप में रहने की प्रथा ज़ोर पकड़ती जा रही है और इसका सबसे बुरा परिणाम सामने आ रहा है। चालीस साल की महिला और दो युवा बच्चों की माँ यदि पति से तलाक लेकर बीस वर्षीय युवक के साथ रिलेशनशिप में रहती हो तो आपको, क्या अच्छा लगेगा? मैं यहाँ किन-किन का नाम लूँ। वे महिलाएँ और वे युवक रिलेशनशिप में रह रहे हैं, जो आपकी युवा पीढ़ी के आदर्श हैं और महान हैं।

मैं यहाँ केवल यह बताना चाहता हूँ कि आप अपनी युवा होती बेटी को उपरोक्त बातों को समझाएँ। उसके चरित्र का निर्माण करने में उसकी मदद करें और यह भी समझाने का प्रयास करें कि आदर्श व्यक्ति कैसा होना चाहिए। नैतिक बल उसी के पास होता है, जो ईमानदार और चरित्रवान होता है। आजकल सबसे अधिक किसी चीज़ का नुकसान हुआ है तो वह नैतिक पक्ष ही है। लोग अपनी सुविधानुसार व्यवस्थाएँ देते रहते हैं और नियम बनाते रहते हैं।

कोई मशहूर और खूबसूरत अभिनेत्री आपकी बेटी की आदर्श महिला है और वह उससे प्रेरित होकर कोई भी निर्णय लेती है या उसकी तरह ही हेयर स्टाइल रखती है, उसकी तरह ही ड्रेस पहनती है और उसके नक्शे कदम पर ही चलना चाहती है तो आप माँ होने के नाते उसको समझाएँ कि बेटी ड्रेस, हेयर स्टाइल की नकल करना तो ठीक है, लेकिन व्यावहारिक जीवन में तुम्हारी आदर्श महिला जो करती है, वह करना गलत है। तुम्हारी आदर्श महिला बिना शादी के ही रिलेशनशिप में रहती है, नशा करती है, शादीशुदा अधिक उम्र के पुरुष से विवाह करती है तो उससे प्रेरित होकर तुम भी

ऐसा करोगी तो तुम्हें कोई भी स्वीकार नहीं करेगा। क्योंकि उनका समाज आम लोगों के समाज से बिलकुल ही अलग है। आजकल पढ़ी-लिखी, अच्छी-भली और समझदार लड़कियाँ भी रिलेशनशिप में रहने की कोशिश करने लगी हैं। महानगरों में आम घरों की लड़कियाँ रिलेशनशिप में रह भी रही हैं। यह सरासर गलत है।

जिस भी किसी व्यक्ति का नैतिक पतन हो जाता है तो उसके पास खाने के लिए कुछ भी नहीं रह जाता है। आपकी यह कोशिश रहनी चाहिए कि आपकी बेटी का नैतिक पतन न हो और वह सच्चाई को समझने में कभी भी पीछे न रहे या कभी भी मार न खाए। जिस समाज में हम सब रहते हैं, उसमें हर तरह की घटनाएँ घटती रहती हैं और सभी घटनाएँ ही मन को भाती हैं। कौन-सी घटना आपकी बेटी के लिए उपयुक्त रहेगी यह केवल माँ ही बता सकती है क्योंकि उसके पास जीवन के अनुभव जो हैं।

मैं कुल मिलाकर यह बताना चाहता हूँ कि बेटियों का मार्गदर्शन समय-समय पर आप करते रहें और चारित्रिक रूप से उन्हें कभी कमज़ोर न बनने दें या गलत बातों के सामने झुकने की आदत न पड़ने दें। एक बार आपकी बेटी ने गलत निर्णय ले लिया तो फिर ताउम्र वह उस गलत निर्णय को भोगती रहेगी और एक आदर्श परिवार का उसका सपना अधूरा ही रह जाएगा।

एक बाइस वर्षीय बहुत ही हसीन युवती विवाह सलाहकार के दफ़्तर में पहुँची। वह बहुत ही ज्यादा परेशान थी। विवाह सलाहकार ने पूछा—"जब आप यहाँ तक आ गई हैं तो क्या समस्या है बताएँ। संकोच करेंगी तो बात नहीं बनेगी।" वह युवती शादीशुदा थी और एक बच्चे की माँ भी थी। वह अपने हसीन और सुखद परिवार को तहस-नहस करना नहीं चाहती थी।

उसने झिझकते हुए कहा—"सर, मेरे पति सड़क हादसे में जख्मी हो गए हैं और उनके एक पाँव पर प्लास्टर चढ़ा है। मेरी इस कमज़ोरी को बॉस ने जान लिया है। वह रोज़ ही मुझपर शारीरिक संबंध बनाने के लिए दबाव बनाता है। मैं टालती आ रही हूँ। सर, मैंने उसके साथ यौन संबंध नहीं बनाए तो वह मुझको नौकरी से निकाल देगा। समझ में नहीं आता, मैं क्या निर्णय लूँ ताकि मेरा भविष्य सुरक्षित रहे और मेरी अस्मिता भी सुरक्षित रहे?"

विवाह सलाहकार ने कहा—"आप यही चाहती हैं न कि आपकी नौकरी भी बची रहे और आपको बॉस के साथ संबंध भी बनाना न पड़े?"

युवती बोली—"हाँ सर, मैं यही चाहती हूँ। मेरे पति हॉस्पिटल के बेड पर हैं।

वह स्वस्थ होते तो मुझको इतना बर्दाश्त न करना पड़ता।"

विवाह सलाहकार बोला—"आप बॉस से स्पष्ट शब्दों में कहें कि आप ज्यादा तंग करेंगे तो मैं कपड़े फाड़कर आपकी पत्नी को फोन कर दूँगी और पुलिस को

भी फोन करके बुला दूँगी। आप जब बोल्ड बन जाएँगी तो बॉस आपके सामने हाथ जोड़ लेगा। नौकरी से निकाल भी नहीं सकेगा।" विवाह सलाहकार ने समझाया।

आप मानें या न मानें औरतों का शोषण पुरुष इसीलिए करते आ रहे हैं क्योंकि वे चुपचाप पुरुषों की ज्यादतियों को बर्दाश्त करती रही हैं। सच्चाई तो यही है कि पति अपनी पत्नी को भी हाथ नहीं लगा सकता है यदि वह एक बार झड़प दे। फिर अन्य पुरुष उसकी इच्छा के बिना उस पर हाथ कैसे डाल सकता है। अपनी बेटी की परवरिश इस तरह से करें कि उसमें साहस का विकास हो, उसके चरित्र का निर्माण हो और वह इतना मजबूत और बोल्ड बन जाए कि गलत नज़र रखने वालों को सबक सीखा सके। डरपोक, दब्बू और समझौता करने वाली प्रवृत्ति बेटी में गलती से भी विकसित न होने दें। गलत बातों का विरोध करने की शक्ति लड़की में अवश्य ही होनी चाहिए। ताकि वह कभी भी अपना शोषण न होने दें।

लड़कियों को बताएँ रिश्तों को बचाने के तरीके

बेटी यानी लड़की ही आगे चलकर स्त्री बनती है और जिन घरों की स्त्रियाँ सुशील, शीलवान तथा उदार होती हैं, उन घरों की व्यवस्था बहुत ही उन्नतिशील होती है और बच्चे भी होनहार तथा मेधावी उत्पन्न होते हैं। लड़कियों की परवरिश करते समय इस बात का विशेष रूप से ध्यान रखें कि वे कभी भी हीनभावना की शिकार न हों, स्वयं को सबसे अलग न समझें, और उनके साथ भेदभाव हो रहा है ऐसा वे गलती से भी महसूस न करें।

1. बात करने का समय नहीं होता

आजकल किसी के भी पास समय नहीं है। चाहकर भी किसी से किसी की खुलकर बात नहीं होती। सब, कोई-न-कोई जॉब करते हैं। समय कम होता है और काम अधिक होता है। पति दस बजे रात को घर आ रहा है और पत्नी आठ बजे रात को आ रही है। बच्चे होमवर्क निपटाने के बाद अपना मनपसंद टी.वी. प्रोग्राम देखने में बिज़ी हैं। आने का समय फिक्स नहीं है, इसलिए एक साथ डिनर करने की प्रवृत्ति ही नहीं है। सुबह में भी सब अपने ऑफिस टाइम के हिसाब से उठते हैं। बातचीत करने का मौका ही नहीं मिलता है। फिर भला ऐसे में रिश्ते रिचार्ज कैसे होंगे? अपनी बेटी की परवरिश करते समय उसमें यह गुण डालें कि वह इन बातों को बड़ी होकर महत्त्व दे।

बेटी को बताएँ कि खुलकर हँसने, बात करने और थोड़ा ही सही पर समय निकालने से मन की गाँठ खुल जाती है। मोबाइल या टी.वी. पर समय बिताने से अच्छा आपस में बातचीत करना ज़रूरी है। कोई हँसी-मज़ाक या बातचीत न होने पर आपस की मधुरता कम हो जाती है और एक-दूसरे के प्रति सहानुभूति या हमदर्दी नहीं रह

जाती है, फिर ऐसे में थोड़ी-सी भी उलझन रिश्ते को तोड़ डालती है। युवा होती बेटी को बताएँ कि तुम कितनी भी बिज़ी क्यों न हो, थोड़ा ही सही, लेकिन खुद के लिए और अपने चाहने वालों के लिए भी समय अवश्य ही निकालो।

2. मिलना-जुलना बहुत ही ज़रूरी

लाइफ बिज़ी है तो स्पष्ट है थकान और तनाव होंगे ही, मन में क्रोध, एकरसता पसरेगी ही। ऐसे में आप यही चाहेंगे किसी से मिलना-जुलना न हो और आप खाना खाकर बस बिस्तर पर लेट जाएँ। यह सोच आपको अपनों से दूर ले जाती है। सबसे मिलें और उनका हालचाल पूछने में संकोच न करें। बच्चे कुछ कहते हैं या दो पल आपके साथ बिताना चाहते हैं या पत्नी या पति मन की कोई बात शेयर करना चाहते हैं तो चेहरे पर बिना शिकन लाए धैर्यपूर्वक उनकी बात सुनें। सुनना, समझना बेहतर रिलेशनशिप के लिए आवश्यक है, अपनी बेटी को यह बात बताएँ। सुबह से शाम तक आप गायब ही रहें और एक लम्बे इंतजार के बाद आप बच्चों से या पति से मिलें तो उसका आनंद लें। उनसे आप जितनी ही आँखें बचाएँगे उतना ही वे आपके लिए अजनबी बनते जाएँगे। मिलने से घबराएँ नहीं, जी चुराएँ नहीं, कोई हड़बड़ाहट न दिखाएँ क्योंकि ये चीज़ें रिश्तों का अर्थ ही बदल देती हैं। घर को सँवारने और रिश्तों को निखारने की ज़िम्मेदारी स्त्रियों को ही होती है। आप अपनी बेटी को उपरोक्त बातों का ज्ञान कराएँ ताकि वह एक सफल गृहिणी और सफल माँ तथा सफल पत्नी बन सके।

3. सहभागिता का गुण करें विकसित

अपनी बेटी में सहभागिता के गुण विकसित करें। आजकल की लड़कियों में ही नहीं, बल्कि लड़कों में भी सहभागिता के गुण का अभाव है। सहभागिता के गुण के अभाव में अनेक प्रकार की परेशानियाँ उत्पन्न हो सकती हैं। बेटी को सिखाएँ सहभागिता और इसके लिए आप स्वयं आपस में चीज़ों को बाँटें। लड़कियों में छोटी उम्र से ही अपने दोस्तों, भाई, बहनों और परिवार के सदस्यों के साथ अपनी चीज़ें बाँटने की लत डालें। इससे उसका सामाजिककरण बेहतर ढंग से होगा। चीज़ें बाँटने की प्रवृत्ति शुरू से ही लड़की में न होने से वे किसी से रिश्ता नहीं बना पाती है या जुड़ नहीं पाती हैं। संयुक्त परिवार के आज टूटने का सबसे बड़ा कारण यही है कि लोगों में सहभागिता के गुण नहीं हैं। मेरा परिवार, मेरे बच्चे, मेरा सामाज जब मन में ऐसी सोच उत्पन्न हो जाती है तो सगे भाइयों को भी अलग होने में देर नहीं लगती है। वह उसका काम है, यह मेरा काम है, जब ऐसी बात मन में आ जाती है तब वहाँ काम बिगड़ता ही है, बनता नहीं है। यहाँ तक कि पति और पत्नी भी काम का बँटवारा कर लेते हैं और

तब इससे उनका आपस का रिश्ता सीधे-सीधे तौर पर प्रभावित होता है। अपनी बेटी को इन सब बातों का समय-समय पर बोध कराते रहें।

4. व्यवहार कुशल बनें

बेटी में व्यवहार कुशलता की लत डालें और अच्छी बातों के लिए समझौता करने की सीख दें। बेटी की परवरिश करते समय यह सीख भी दें कि वह केवल स्वयं के बारे में ही न सोचे। वह अपने संयम की क्षमता को बढ़ाए। पति, ससुर, सास या कोई अन्य सदस्य गुस्सैल प्रवृत्ति का है, तो समझौता करे। पारिवारिक रिश्ते तो ज़िंदगी-भर के बंधन हैं। उन्हें निभाने के लिए कई तरह के समझौते करने पड़ते हैं। जब हाथ की पाँचों उँगलियाँ एक समान नहीं होती हैं तो परिवार के सदस्य एक समान स्वभाव के कैसे हो सकते हैं? पति को या सास को गुस्सा क्यों आता है, यह जानने की कोशिश करें। अपने किसी सहयोगी से ऐसी दोस्ती न बढ़ाएँ, जो आपके पारिवारिक जीवन में उलझनें पैदा करे और आपका बसा-बसाया घर उजड़ जाए। दोस्ती की भी एक सीमा होती है। आपको वह सीमा नहीं लाँघनी चाहिए। उपरोक्त बातें ऐसी हैं, जिनका जीवन में अत्यंत ही महत्त्व है और जो लड़की अपने जीवन में उतार लेती है, वह सर्वप्रिय तो बन ही जाती है, साथ ही उसका जीवन भी सँवर जाता है।

5. शिक्षित होने के ईगो से बचाएँ

जी हाँ, अपनी बेटी को ज्यादा शिक्षित होने के ईगो से बचाएँ क्योंकि ईगो हो जाने पर व्यक्ति की प्रगति थम-सी जाती है। ज्यादातर स्त्री और पुरुष बेहतर जॉब या उच्च शिक्षा के ईगो के कारण परिवार के सदस्यों के साथ तालमेल नहीं बैठा पाते हैं। आपकी बेटी में यह दुर्गुण विकसित न हो, इस बात का ध्यान रखें। स्त्रियों में ऐसी प्रवृत्ति सर्वाधिक होती है। उनमें बात-बात पर ईगो प्रॉब्लम का दोष उत्पन्न हो जाता है। स्त्रियाँ अच्छी नौकरी और उच्च शिक्षा के गुमान में अपनी घरेलू और कम पढ़ी-लिखी सास, ननद और जेठानी या देवरानी के साथ मधुर संबंध नहीं बना पाती हैं। उन्हें लगता है कि ये लोग उन पर निर्भर हैं। वे इनसे ज्यादा पढ़ी-लिखी हैं या वे इनसे ज्यादा कमाती हैं या इनसे अधिक वे जानती हैं। भला ऐसे लोगों को मुँह क्या लगाना। ऐसी सोच से परिवार छिन्न-भिन्न हो जाता है। ईर्ष्या, द्वेष जन्म लेता है और आप सुशिक्षित और बेहतर जॉब करने के बावजूद किसी का प्यार नहीं प्राप्त कर पाती हैं। रिश्ता आपसे किसी का बन नहीं पाता है। आप परिवार के लिए आर्थिक रूप से इतना कुछ करके भी तनहा ही रहती हैं। क्या यह ठीक है? आप अपनी शिक्षा का लाभ घर के बच्चों को दें। सास, ससुर और अन्य सदस्यों की मानसिक सोच अच्छी बनाने में उनकी मदद करें। याद रखें आप कितनी भी सुशिक्षित हैं या पैसे कमाती हैं, आख़िर हैं तो बहू, माँ

या पत्नी, ही क्या इन रिश्तों को जिंदा रखने के लिए आपको सबसे मधुर संबंध बनाना आवश्यक नहीं है? आप पहले इनसान हैं और वे लोग भी इनसान ही हैं। इनसान का इनसान से जब तक दिली रिश्ता कायम न होगा तब तक कोई भी मिठास नहीं आने वाली। आपके सारे गुण फेल ही हैं। अपनी बेटी को भी ईगो से बचाएँ। ईगो को छोड़ना ही होगा और खुद के समान ही उन्हें भी देखना होगा, जो आपसे कम जानकार हैं या रिश्ते और पद में आपसे बड़े हैं। आप खुद को कुछ गुणों या खूबियों के कारण सबसे अलग और ख़ास नहीं समझ सकतीं। ऐसी सोच से अलगाव की स्थिति बनती है और आपका सबसे रिश्ता ख़राब हो जाता है। आज के बच्चे, जो काफी पढ़-लिख जाते हैं, उनमें स्वाभाविक रूप से ईगो यानी घमंड उत्पन्न हो जाता है। लड़के अपने माता-पिता से बात-बात पर कहते हैं कि 'आपको नहीं पता। आपके समय में जो होता था, अब नहीं होता है। मैं जो कुछ भी हूँ, स्वयं की मेहनत के कारण हूँ।' शिक्षित लड़कियाँ जो हैं, वे भी अपनी सास या ससुर को अक्सर ही सुनाती रहती हैं कि आप कुछ नहीं जानती हैं। आप पढ़ी-लिखी तो हैं नहीं। आपकी समझ में कुछ नहीं आता है तो चुप ही रहें।' इस तरह के शब्दों से लड़कों के मम्मी-पापा तो ज्यादा नाराज़ नहीं होते, लेकिन सास या ससुर लड़कियों के इस तरह के व्यवहार से स्वयं को काफी अपमानित महसूस करते हैं। आपकी बेटी पढ़ी-लिखी हो या अनपढ़ हो उसको तहज़ीब से बोलने की सीख दें। तहज़ीब से बात करने से रिश्तों में दरार नहीं पड़ती है।

9

बेटों से अधिक बेटियों को होती है चिंता

जी हाँ, बेटों से अधिक बेटियों को माता-पिता की चिंता होती है। माता-पिता से उनका दिली लगाव होता है। बेटी पढ़ी-लिखी हो या अनपढ़ हो माता-पिता के प्रति उसका प्रेम कभी भी कम नहीं होता है। बेटी बच्ची हो, युवा हो, प्रौढ़ हो या फिर बूढ़ी क्यों न हो उसका मायके से लगाव एक समान ही होता है। उसमें कमी वर्षों बाद भी नहीं आती है। आपने देखा होगा, लड़का जैसे-जैसे बढ़ता जाता है वैसे-वैसे मम्मी-पापा के प्रति उसका लगाव और खिंचव भी कम होता चला जाता है। जब बेटे की शादी हो जाती है और नौकरी भी लग जाती है तब तो मम्मी-पापा के प्रति उसका लगाव थोड़ा-सा ही रह जाता है। वह भी थोड़ा-सा लगाव उन बेटों का रह जाता है जो ज़िम्मेदार, कर्तव्यनिष्ठ तथा संवेदनशील होते हैं। जिन बेटों में संवेदनशीलता कम होती है, वे मम्मी-पापा के प्रति निष्ठावान नहीं होते हैं। जब शादी के तीन-चार माह हो जाते हैं तब बेटों का मम्मी-पापा से जो भी कुछ लगाव होता है, वह गायब हो जाता है और बेटा यदि पिता बन जाता है तब तो वह भी लगाव छू-मंतर हो जाता है।

लेकिन बेटियों की संवेदनशीलता में कमी कभी नहीं आती है। वे जैसे-जैसे बढ़ती जाती हैं, वैसे-वैसे मम्मी-पापा को चाहने लगती हैं। जब शादी योग्य उनकी उम्र हो जाती है तब वे अपने माता-पिता के साथ बिलकुल ही जुड़ जाती हैं और जब शादी हो जाती है तब उनका मम्मी-पापा के प्रति जो प्रेम है वह दोगुना हो जाता है। आजीवन वे अपने भाई, पिता, भाभी, भतीजा आदि के साथ दिल से जुड़ी रहती हैं। वे कितनी भी दूर रहती हैं, लेकिन साल में एक बार मायके उनका आना अवश्य ही हो जाता है।

आधुनिक वैज्ञानिकों का कहना है कि लड़कियाँ लड़कों से हर मामले में बेहतर होती हैं। सबसे बड़ी बात कि वे दयावान होती हैं, उदार होती हैं और दानी भी होती हैं। लड़कियाँ मायके तथा ससुराल दोनों ही कुलों की सलामती के लिए दान और व्रत

करती ही रहती हैं। वे स्वयं के लिए कम और दूसरों के लिए धर्म-कर्म ज्यादा करती हैं। वे अपने कार्यों के प्रति अत्यंत ही निष्ठावान होती हैं।

शादीशुदा बेटी को जब कोई ख़बर मायके की नहीं मिली तो उसने अपने पापा को फोन कर दिया–"हेलो पापा, कैसे हो?"

पापा की आँखें भर आईं। उसने मोबाइल कान से लगाकर धीमी आवाज़ में ही कहा–"बेटी, तुम! मैं तो ठीक हूँ। तुम कैसी हो, बेटी?"

बेटी ने कहा–"मैं ठीक हूँ पापा। तुम्हारी आवाज़ सुने कई रोज़ हो गए न, इसीलिए मैंने फोन कर दिया। तुम्हें कोई दिक़्क़त तो नहीं है न पापा?"

"नहीं बेटी, तुमने मुझ बूढ़े पिता को याद कर लिया, यही मेरे लिए काफी है। तुम पर मुझे नाज है बेटी। कम-से-कम तुम्हें हमारी चिंता तो है।" इतना कहते-कहते वृद्ध पिता की आँखों से आँसू गालों पर लरज आए।

"पापा, तुम रो रहे हो? यह तो गलत बात है। तुमको थोड़ी-सी भी असुविधा हो तो मेरे पास आ जाओ। यहाँ पर न तो जगह की कमी है और न ही किसी बात की कमी है।"

"मैं अपने हाल पर ख़ुश हूँ बेटी। तुम मेरी फिक्र मत करो। मैं बाद में बात करता हूँ।" इतना कहकर पापा ने फोन काट दिया। क्योंकि बड़ी बहू आकर खड़ी हो गई थी और उनकी बातें सुन रही थी। पापा ने बड़ी बहू को देखा, फिर मुँह फेर लिया।

पापा अब सोच रहे थे कि 'बेटी अक्सर ही फोन पर बात कर लेती है। हालचाल पूछ लेती है। यहाँ तक कि कोई तकलीफ़ होने पर अपने साथ रहने की वकालत कर रही है, लेकिन विदेश में काम कर रहे दोनों बेटे कितने कठोर और निर्दयी हैं। वे यहीं पर अपनी-अपनी पत्नियों से घंटों तक बात करते हैं, और मेरे बारे में पूछते तक नहीं हैं, लेकिन मेरी बेटी तो रोज़ मेरी ख़बर लेती है, मेरे बारे में सोचती है और मेरी चिंता करती है। बेटों से कहीं बेहतर और सुविधाजनक बेटी ही तो है। मैंने हमेशा बेटी को दुत्कारा और बेटों को पुचकारा। मैं गलत था, मैं पहचान करने में चूक गया। मुझको आज बड़ा ही अफसोस है।' पापा इतना कहते-कहते ख़ामोश हो गए। उनके आस-पास भी ख़ामोशी का ही साम्राज्य था।

लोग बेटियों से ईर्ष्या करते हैं, उनको देखकर चिढ़ते हैं और उनसे पीछा छुड़ाना चाहते हैं, लेकिन मैं तो कहता हूँ कि बेटियों की परवरिश लाड-प्यार के साथ कर दी जाए तो बेटों से अधिक अच्छी संतान साबित होंगी और मम्मी-पापा की हर सुविधा का भी ध्यान रखेंगी, लेकिन बेटियों को कोई अभिभावक महत्त्व ही कहाँ देता है। उन्हें सब उपेक्षा की ही नज़र से देखते हैं। वे कुछ करना चाहती हैं तो माँ ही यह कहकर उन्हें चुप करा देती है कि 'चुपकर, बेटा नहीं है कि तुम्हें वह काम करना है। ससुराल में जाकर जो करना है, वह करना। दसवीं करवा दिया यही काफी है। तुम्हारे

सास-ससुर या पति चाहेंगे तो पढ़ लेना। मैं रोकने थोड़े ही जाऊँगी।' इस टोन में बेटी से लगभग हर माँ बात करती है और उसको उतना ही पढ़ाती हैं, जितना शादी के लिए आवश्यक होता है। अब तो लड़के वाले कम से कम बारहवीं और बी.ए. तक पढ़ी लड़की को पसंद करने लगे हैं। पढ़ी-लिखी बहू की डिमांड बढ़ी है और यह अच्छी बात है क्योंकि इसी बहाने लड़की वाले कम से कम अपनी लड़कियों को बारहवीं तक या बी.ए. तक पढ़ाने तो लगे हैं। इसका सबसे बड़ा लाभ यह होगा कि लगभग सभी लड़कियाँ शिक्षित हो जाएँगी।

शिक्षा प्रत्येक लड़की के लिए अनिवार्य और आवश्यक है। लड़कियाँ जितनी ही शिक्षित होंगी, उनके ज्ञान और बुद्धि में उतनी ही वृद्धि होगी। शिक्षा लड़कियों को चीज़ों के प्रति जागरूक बनाती है, करियर निर्माण के बारे में सोचने पर मजबूर कर देती है। फिर एक लड़की जवान होते-होते यह फैसला आसानी से कर लेती है कि उसको ऐसा क्या करना चाहिए कि धन के लिए पति, बेटों, सास और ससुर पर निर्भर न रहना पड़े।

सच्चे अर्थों में औरतों को आज़ादी तभी मिल सकती है जब वे आर्थिक रूप से आत्मनिर्भर हो जाएँ और यह सम्भव तभी हो सकेगा जब अभिभावक बेटियों को शिक्षित कराएँगे और बेटियाँ भी पढ़ने में विशेष रूप से रुचि लेंगी। महारानी लक्ष्मीबाई, रानी दुर्गावती, रानी पद्मावती, रानी कर्मवती, अहिल्या बाई, सुभद्रा कुमारी चौहान, इंदिरा गांधी, सुषमा स्वराज आदि महिलाओं ने अपने-अपने क्षेत्र में निपुणता हासिल की। समाज और देश को एक नई दिशा दी। आप की अपनी बेटी में साहस, आत्म-विश्वास और धैर्य का बीजारोपण करें।

यह उदाहरण पढ़ें और मैं क्या कहना चाहता हूँ उसे समझने का प्रयास करें–

28 वर्षीया पार्वती विवाहित महिला है। उसकी प्रॉब्लम यह है कि वे तीन बहनें हैं और भाई नहीं होने की वजह से वृद्ध माता-पिता की देखभाल की ज़िम्मेदारी उन बहनों के ही ऊपर है, लेकिन पार्वती के ससुराल वालों और पति को उसका माता-पिता के घर जाना या उन्हें फोन करना पसंद नहीं है। यदि पार्वती उनकी मदद करने की कोशिश करती है तो सब लोग उससे नाराज़ हो जाते हैं। पार्वती बहुत ही दुखी है और मन-ही-मन क्षुब्ध भी है। उसकी समझ में नहीं आता कि वह ऐसे में क्या करे या न करे?

एक दिन पार्वती का तनाव के मारे सिर फटने लगा तो चुप्पी तोड़ते हुए पति से बोली–"मुझे मम्मी-पापा की देखभाल क्यों नहीं करने देते? वे चंद रोज़ के ही तो मेहमान हैं।"

पति खीझ के मारे आग बबूला हो गया और ऊँची-ऊँची आवाज़ में कहने लगा–"तुम्हारी दोनों बहनें उनकी देखभाल कर रही हैं न। तुम्हें क्या ज़रूरत पड़ी है।"

"वे दोनों तो फोन से भी बात नहीं करती हैं। वे अपनी ही दुनिया में मग्न हैं। मम्मी-पापा अकेले पड़ गए हैं। उन्हें मेरी ज़रूरत है।" गरिमा यह कहते-कहते सुबक पड़ी। "तो तुम भी अपनी दुनिया में मस्त रहो। वैसे भी लड़की पराया धन होती है। देखभाल करना तुम्हारा काम नहीं है।" पति ने इतना कहकर चुप्पी साध ली।

पार्वती का मूड ख़राब हो गया। आँखें आँसुओं से भीग गईं। वह मछली की तरह तड़फड़ा कर रह गई।

दूसरे दिन पार्वती ने फिर वही बात शुरू कर दी-"मेरा कोई भाई नहीं है। मम्मी-पापा ने हम बहनों को लड़कों की तरह लाड-प्यार, शिक्षा और अच्छी परवरिश की है। उन्हें कोई पुत्र संतान नहीं है तो मैं ही उसके एवज में हूँ न। मुझे कुछ महीनों के लिए वहाँ जाने की इजाज़त दे दो।"

पति ने कहा-"मैं तुम्हें कैसे समझाऊँ, यह काम तुम्हारा नहीं है। शादी के बाद लड़की पति की मर्ज़ी से कोई भी काम करती है। तुम आर्थिक रूप से स्वतंत्र होती तब भी मैं इसकी इजाज़त नहीं देता। तुम पर और तुम्हारे वजूद पर केवल मेरा अधिकार है। ज्यादा जिद करोगी तो तलाक दे दूँगा।" पति इतना कहते-कहते खीझ गया।

तलाक शब्द सुनकर पार्वती हिल गई। गुस्से से भौहें चढ़ाती हुई बोली-"ठीक है तब मैं आज से तुम्हारे मम्मी-पापा को भी कोई महत्त्व नहीं दूँगी। उनकी देखभाल करना केवल तुम्हारी ज़िम्मेदारी होगी।"

"क्यों, वे तुम्हारे सास-ससुर हैं।" पति ने तेज़ आवाज़ में कहा।

"हमारे मम्मी-पापा भी तो तुम्हारे सास-ससुर हैं। जब तुम कोई हेल्प नहीं करना चाहते तो मैं भी आज से तुम्हारे मम्मी-पापा की देखभाल नहीं करूँगी।" पार्वती ने ज़रा कड़क आवाज़ में कहा।

"सोच लो रहना इसी घर में है। तुम्हारी ज़िंदगी एक विधवा की तरह हो जाएगी। मैं तुम्हें हमेशा के लिए छोड़ दूँगा। जाकर वहीं रहना।" पति ने कड़क आवाज़ में कहा।

पार्वती को पति के शब्द चुभे, लेकिन वह अंदर से डरी नहीं बल्कि और निडर बन गई-"मैंने तुमसे विवाह किया है। कोई सौदा नहीं कि छोड़ने-रखने की धमकी दे रहे हो।" यह कहकर पार्वती दूसरे कमरे में आ गई। ससुरालीजनों और पति से विरोध कर स्वयं कोई ठोस निर्णय लेना इतना आसान उसके लिए नहीं था, किन्तु कोई निर्णय तो लेना ही था, लेकिन मायके और ससुराल दोनों ही परिवारों के साथ खून के रिश्तों को बनाए रखकर ही।

एक स्त्री के लिए ऐसे नाज़ुक हालातों में बहुत कुछ सोचना-समझना पड़ता है। उसकी जरा-सी भी जल्दबाजी उसके जीवन को तहस-नहस कर सकती है। वह अपना

सबकुछ मिनटों में ही खो सकती है। माना कि उसका वजूद ससुराल और पति से है, लेकिन यह भी तो सच है कि उसकी भावनाएँ मायके और माता-पिता से भी जुड़ी हुई हैं। वह भला असहाय माता-पिता को वृद्धावस्था में भाग्य-भरोसे कैसे छोड़ सकती है? पति को ऐसे नाज़ुक हालातों में गंभीर होकर सोचने की ज़रूरत है। पति यदि यह न भी सोचे तो उसके माता-पिता को तो सोचना ही चाहिए कि उनकी तरह बहू के भी तो माता-पिता हैं। इस समय उसकी ज़रूरत मायके में है। उसके मम्मी-पापा पुत्र संतानहीन हैं तो बहू को वहाँ भेजने में हर्ज ही क्या है? लेकिन आजकल इतना कौन सोचता है। सबको अपनी-अपनी पड़ी है। अपना दर्द ही बड़ा लगता है।

पार्वती सुशिक्षित है, समझदार है और अंदर से काफी बोल्ड भी है, किन्तु मामला पति के ख़िलाफ़ जाने का है, जो उसे माता-पिता की देखभाल करने से रोक रहा है। कमोवेश सभी महिलाओं की यही स्थिति है। वे अंदर से कितनी भी मजबूत और आर्थिक रूप से आत्मनिर्भर क्यों न हों, बात पति या ससुरालीजनों के विरोध में जाने की होती है, तो उनका निडर और साहसी मन भी काँप जाता है, लेकिन पार्वती ने ऐसा महसूस नहीं किया। वह एक सुबह मन की व्यथा लेकर एक विवाह सलाहकार के दफ़्तर में पहुँच ही गई। उसने विवाह सलाहकार से धीरे-धीरे सारी बातें बता दीं। उसकी व्यथा सुनने के बाद विवाह सलाहकार बोला–"अपने पैरेंट्स के प्रति आपकी चिंता जायज है, लेकिन इस मामले में दुर्भाग्य से आपको ससुराल वालों का सहयोग नहीं मिल पा रहा है। ऐसे में आप इस बात का अहसास अपनी बहनों को करवाएँ ताकि आपकी बजाए आपकी बहनें माता-पिता का ध्यान रख सकें।" विवाह सलाहकार ने सलाह दी।

"यह मुमकिन नहीं है, सर। आपको नहीं मालूम, वे बड़ी ही मतलबी और अवसरवादी हैं। सर, वे अपनी दुनिया में मस्त हैं और उनका कहना है कि यह काम बेटे का होता है, बेटियों का नहीं।" पार्वती एक साँस में ही बोल गई।

विवाह सलाहकार थोड़ा सोचते हुए बोला–"ठीक है, तब आप ऐसे में उन्हें यह बता दें कि आप पैरेंट्स की देखभाल के लिए तैयार हैं, लेकिन शर्त यह है कि उनके गुज़र जाने के बाद उनकी ज़मीन-जायदाद आपकी होगी। उन्हें उसमें से कोई हिस्सा नहीं मिलेगा। फिर आप अपने पति को भी प्यार से समझाने की कोशिश करें कि वृद्ध माता-पिता की देखभाल की ज़िम्मेदारी आपकी है और अगर वह इस काम में आपकी मदद नहीं कर सकते, तो इसमें बाधा भी न डालें। हमारी राय में तो यही उचित लगता है कि आपको अपने पैरेंट्स को ही फिलहाल महत्त्व देना चाहिए।"

पार्वती वहाँ से सीधे घर आ गई और जब उसने बहनों से फोन पर ज़मीन-जायदाद की बात की तो उनके घरवाले भी उन्हें भेजने के लिए राज़ी हो गए और जब पार्वती

ने पति से अपने ठोस निर्णय के बारे में बताया तो पति ने भी कोई विरोध नहीं किया।

बात जब ज़मीन-जायदाद की आई तो सबके कान खड़े हो गए। बहनें भी, जो अब तक तैयार नहीं थीं, झट से मायके के लिए घर से निकल पड़ीं। पार्वती ने सूझबूझ से लगभग सभी को पैरेंट्स की देखभाल के लिए राज़ी कर लिया। जहाँ बात आराम से नहीं बनती हो, वहाँ लेन-देन का मामला आते ही स्थितियाँ अनुकूल हो जाती हैं। राज़ी सब प्रॉपर्टी के लोभ में ही हुए, लेकिन पैरेंट्स को सबका सहारा तो मिल ही गया न। उन्हें बुढ़ापे में बस सहारा ही तो चाहिए था। उन्हें प्रॉपर्टी को क्या करना। आपको भी पार्वती की तरह ही बनने की ज़रूरत है। पार्वती सबसे लड़ती रही, लेकिन हार नहीं मानी। लड़का और लड़की में कोई अंतर नहीं है।

बस यह दिमाग का फेर है। अपनी सोच बदलने की ज़रूरत है और विरोधों के बावजूद पैरेंट्स की देखभाल करने का कोई बीच का रास्ता निकालें ताकि यह बताया जा सके कि पुत्री भी पुत्र का स्थान ले सकती है और माता-पिता के निधन पर वह भी मुखाग्नि दे सकती है। लड़कियाँ आर्थिक रूप से निर्भर होने के बाद भी और सुशिक्षित होने के बाद भी कोई निर्णय स्वतंत्र रूप से केवल इस वजह से नहीं ले पाती हैं क्योंकि वे यह नहीं चाहती हैं कि पति, सास, ससुर आदि का दिल उनकी वजह से टूट जाए। वे सम्मान देना जानती हैं। पति को भी या ससुर को भी उनकी भावनाओं और जज़्बातों की कद्र करनी चाहिए, जो प्राय: नहीं करते हैं।

कुछ भी कर सकती है आपकी बेटी

अलका ऑफिस से घर आई तो दरवाज़ा खुला देखकर खुश हो गई। वह सहसा ही बुदबुदा पड़ी–"इसका मतलब प्रेम आ गया है।" अलका अंदर आई तो वास्तव में ही प्रेम दफ़्तर से आ गया था और रिया के लिए कॉफी बना रहा था।

अलका ने कहा–"प्रेम, तुमने मुझको फोन कर दिया होता तो मैं रिया के स्कूल नहीं जाती न, मैं सीधे घर आती।" अलका के इतना कहते ही प्रेम सिर खुजलाने लगा–"हाँ, मुझको ध्यान नहीं रहा। आज मैं दफ़्तर से जल्दी निकल गया तो रिया के स्कूल चला गया और उसको घर लेते आया। तुम्हारे लिए भी कॉफी बना दूँ?" प्रेम ने पूछा।

"हाँ, एक कप बना दो। आज दफ़्तर में बहुत काम था। एक पल की भी फुर्सत नहीं मिली।" अलका इतना कहते-कहते सोफे पर आकर धम्म से बैठ गई।

जब अलका ने कॉफी पीली तब प्रेम ने कहा–"अलका, रिया सेना में भर्ती होकर देश की सेवा करना चाहती है।" प्रेम के इतना कहते ही अलका के चेहरे पर करंट-सा छू गया। उसका पूरा चेहरा सहसा ही सिकुड़ गया। वह दुविधा में पड़ गई। उसकी समझ में नहीं आया कि वह क्या कहे? अलका ने पूछा–"प्रेम, तुम मुझसे कहीं मज़ाक

तो नहीं कर रहे हो? रिया एक लड़की है। सेना में कैसे भर्ती होगी? यह तो लड़कों के लिए है। तुम भी, प्रेम कैसी-कैसी बातें करते रहते हो। मेरी फूल-सी बच्ची सेना में भर्ती होगी, यह तुमने कैसे सोच लिया।" इतना कहकर अलका ने ऊँची आवाज़ में कहा–"रिया बेटा, तुम कहाँ हो?" अलका ने दो-तीन बार रिया को पुकारा। रिया घर पर होती तब न बोलती। वह तो पार्क में दौड़ने के लिए गई थी। प्रेम ने कहा–"रिया तो अभी यहीं थी। पार्क में शायद चली गई। कॉफी ठंडी हो जाएगी। मैं उसको बुलाकर ला रहा हूँ।" इतना कहकर प्रेम दरवाज़े की ओर जैसे ही बढ़ा, इतने में रिया अंदर आ गई और बड़ी ही बोल्ड आवाज़ में बोली–"पापा, मैं आ गई और आज मैंने दौड़ में हरदेव भाई को पीछे छोड़ दिया। पापा, देखना, मैं एक दिन सभी लड़कों को पीछे छोड़ दूँगी और मम्मी की यह बात झुठला दूँगी कि मैं फूल-सी बच्ची हूँ। मेरी कॉफी कहाँ है?" रिया इतना कहते-कहते अलका के पास आकर खड़ी हो गई।

"बेटी, मुझे पता है तुम एक बहादुर लड़की हो, लेकिन..." अलका की बात पूरी होने से पहले ही रिया बोल पड़ी–"जब पता है कि मैं एक बहादुर बच्ची हूँ तो फिर आप मेरी क्षमता, मेरी शक्ति और मेरी इच्छा पर शक क्यों करती हैं। आप ऐसा क्यों सोचती हैं कि मैं फूल की तरह नाज़ुक हूँ और वह काम नहीं कर सकती, जो लड़के करते हैं? मम्मी, मैं तो जान-बूझकर वे सारे काम करना चाहती हूँ, जो लड़के करते हैं या जिन्हें लड़के भी करने से डरते हैं।" रिया ने इतना कहकर कॉफी पी और अपने बेडरूम में चली गई।

अलका ने प्रेम को देखते हुए कहा–"यह लड़की ज़रूर कोई-न-कोई गड़बड़ी करेगी। प्रेम, तुम उसको समझाते क्यों नहीं? वह तुम्हारी बात मानती है। लड़की है, एक लड़की की तरह रहे तभी अच्छी लगेगी। ऐसा व्यवहार करेगी तो कोई लड़का इससे विवाह भी नहीं करेगा।" अलका के इतना कहते ही प्रेम कहने लगा–"तुम भी कैसी-कैसी बातें करती हो। वह बिलकुल ही ठीक कह रही है। आजकल लड़कियाँ हर विभाग में कार्यरत हैं। पुरुषों से बेहतर ढंग से काम कर रही हैं। लड़के उनके सामने पानी भरते हैं। मैं अपनी बच्ची के उत्साह, उमंग, सोच, इच्छा को कम नहीं कर सकता। मैं जानता हूँ रिया को हम दोनों ही बढ़ावा देंगे तो वह एक दिन आकाश को छू लेगी। माता-पिता बच्चों का हौसला पस्त न कर, बढ़ाते हैं। रिया की परवरिश हमने लड़कों की तरह की है। आज उसी का नतीजा है कि रिया में लड़कों जैसी सोच, लड़कों जैसा उत्साह, लड़कों जैसा जोश उत्पन्न हो गया है। उसे अब रोको मत। उससे शादी कौन करेगा, इस पचड़े में मत उलझो। यह शादी ही तो लड़का और लड़की दोनों को कुछ करने नहीं देती है।" प्रेम ने अलका को समझाया।

यह सोलह आना सच है कि माता और पिता, विशेष रूप से माँ अपनी बेटी को

फूल की मानिंद नाज़ुक और कोमल मानती हैं और अपनी लड़की को कहीं लेकर जाती और आती ही नहीं हैं। जबकि सच्चाई यह है कि लड़की को भी लड़कों की तरह ही मजबूत और शक्तिशाली समझा जाए और उनके मन में यह भर दिया जाए कि वे कुछ भी करने की क्षमता रखती हैं, तो वह क्षमता उनमें धीरे-धीरे विकसित होती चली जाती है। रिया को उसकी माँ अलका फूल की तरह नाज़ुक मानती है, जबकि प्रेम उसको लड़कों से भी कहीं अधिक शक्तिशाली और कर्मठ मानता है और बाल्यावस्था से ही उसके मन में यह वाक्य भरता आ रहा है कि तुम एक बहादुर लड़की हो और एक दिन तुम्हें लड़कों से आगे निकलना है। रिया ने यह काम करके दिखा दिया है कि वह लड़कों को दौड़ में दिन-प्रतिदिन पछाड़ती जा रही है। इनसान चाहे तो कुछ भी कर सकता है और इनसान में गिनती केवल पुरुषों की ही नहीं, बल्कि स्त्रियों की भी होती है। आप अपनी बेटी को गलती से भी हीन, दीन और नाज़ुक न समझें। यदि आप बेटी को लड़की समझने लगे और उसकी परवरिश उसी की तरह करने लगे और उसके कान में बार-बार यह वाक्य भरने लगे कि तुम एक लड़की की तरह शक्तिशाली नहीं हो तो निश्चित रूप से उसकी क्षमता, शक्ति, साहस और सोच का विकास थम जाएगा।

मेरा कहने का मतलब बस इतना-सा ही है कि आप अपने शरीर को मजबूत, शक्तिशाली और टिकाऊ बनाने के लिए व्यायाम जिस तरह से करते हैं, उसी तरह से लड़की को भी मजबूत और शक्तिशाली बनाने के लिए उसमें व्यायाम की आदत भी डालें ताकि उसके शरीर की नाज़ुकता खत्म होकर कठोरता उसकी जगह ले ले। क्या है कि अभिभावक लड़कियों को व्यायाम करने की सीख ही नहीं देते हैं यदि लड़कियाँ अपने मन से दौड़ना, व्यायाम करना, नाचना, तैरना, रस्सी-कूदना शुरू करती हैं तो अभिभावक ही उन्हें डाँटकर चुप करा देते हैं कि क्या लड़कों की तरह दौड़ भाग रही हो। लड़कियाँ किचन के काम करती हुई अच्छी लगती हैं। जब तक लड़कियों के प्रति माता और पिता की सोच नहीं बदलेगी तब तक लड़कियाँ लड़कों की तरह व्यवहार नहीं कर सकेंगी और उनकी सोच भी लड़कों की तरह नहीं बन सकेगी। लड़की भागती नहीं, लड़की बाहर घूमती नहीं, लड़की ज्यादा बोलती नहीं, लड़की ऊँची आवाज़ में बात नहीं करती, लड़की ज्यादा खाती नहीं, लड़की ज्यादा पढ़ती नहीं, लड़की जुबान नहीं लड़ाती, फिर लड़की करती क्या है? सब काम लड़के ही करते हैं। क्यों भई? लड़कियों ने ऐसा कौन-सा गुनाह कर दिया है कि उनके लिए सारे अच्छे काम मना हैं। आप लड़की को इन बंदिशों की चक्की से दूर ही रखें। यदि आपने ऐसा नहीं किया तो आपकी लड़की इन बंदिशों से तंग आकर दम ही तोड़ देगी।

लड़कियों के प्रति सोच आज भी कुछ ख़ास नहीं बदली है। लोग लड़कियों को पढ़ाने तो लगे हैं, लेकिन लड़कों जितना उनको न तो पढ़ाते हैं और न ही उनकी पढ़ाई को महत्त्व ही देते हैं। हाँ, यह स्वागत योग्य है कि कुछ अभिभावक ऐसे भी

हैं, जो लड़कियों को लड़कों की तरह ही शिक्षा दिला रहे हैं। इसके साथ ही इस सच को भी नकारा नहीं जा सकता है कि अधिकतर अभिभावक लड़कियों को उस स्तर पर शिक्षित नहीं करा रहे हैं कि वे कहीं बेहतर नौकरी कर सकें, लेकिन लड़कों को अवश्य ही करा रहे हैं। उनका कहना है कि लड़कियों को पढ़-लिखकर हमारे यहाँ थोड़े ही रहना है, उन्हें तो ससुराल जाना है। हम उनको उतना ही शिक्षित करवाएँगे, जितना करा सकते हैं। इस सोच को बदलने की ज़रूरत है। जब तक यह सोच नहीं बदलेंगे तब तक लड़कियाँ उच्च शिक्षित नहीं हो सकेंगी। अभिभावक उनको उतना ही शिक्षित कराएँगे जितना विवाह के लिए आवश्यक है तो उनका विकास कभी नहीं हो पाएगा। 'सबका साथ सबका विकास' कहने को तो हम कह देते हैं और कहने में तथा सुनने में भी बहुत ही अच्छा लगता है, लेकिन सबका साथ कहाँ मिल रहा है और सबका विकास कहाँ हो रहा है? आप क्या समझते हैं औरतों का पूरा साथ पुरुषों को मिल रहा है? बिलकुल ही नहीं मिल रहा है।

आप यह उदाहरण पढ़ने के बाद समझ जाएँगे–

विनोद दफ़्तर से जैसे ही आए, कंचन दौड़ती हुई उनके पास आ गई और उनसे पूछने लगी–"क्या हुआ, पैसे का कहीं से इंतजाम हुआ? तुम्हारे बॉस ने क्या कहा?"

विनोद बोले–"नहीं, पैसे का इंतजाम नहीं हो सका। बॉस ने यह कहकर मना कर दिया कि अभी कंपनी घाटे में जा रही है। हम एडवांस पेमेंट नहीं कर सकते हैं।"

"तुमने सोसायटी वाले से बात की? वह देने के लिए तैयार नहीं है?" विनोद के पूछने पर कंचन ने कहा–"नहीं, वह पैसा तीन प्रतिशत ब्याज पर देगा और इसके साथ ही मकान के कागज भी रखेगा।" कंचन यह कहते-कहते चुप हो गई।

विनोद ने कहा–"देखो क़र्ज़ लेना आसान है, लेकिन उसको समय से चुकाना कठिन है। एक बात और, क़र्ज़ लेने से पहले यह भी देखना ज़रूरी है कि यह क़र्ज़ कैसे भरा जाएगा? क़र्ज़ को भरने का कोई स्रोत है या नहीं? हमें पाँच लाख रुपए की ज़रूरत है, तभी हमारे बेटे विमल का एडमिशन इंजीनियरिंग कॉलेज में हो सकेगा। हम इतनी बड़ी रकम को कैसे चुकाएँगे?" विनोद ने सवाल कर दिया।

कंचन ने कहा–"कैसी बात कर रहे हो? तुम नौकरी करते नहीं हो, कि इस तरह की बात कर रहे हो?" विनोद चिढ़ते हुए बोले–"मेरी सैलरी से लोन की किस्तें भरोगी तो बाकी सब काम के लिए पैसे कहाँ से आएँगे? रोज़मर्रा की ज़रूरत की चीज़ें जो हैं, उनको तो कम किया नहीं जा सकता। माँ की दवा बंद नहीं हो सकती। किचन के सामान बंद नहीं किए जा सकते। मेरी एक सैलरी से क्या-क्या होगा। देखो पाँच लाख रुपए की राशि बहुत बड़ी होती है। हम नहीं भर पाएँगे तो हमारा मकान तक बिक सकता है।" इतना कहते-कहते विनोद का सिर नीचे की तरफ़ हो गया। वह काफी टेंशन में थे। पैसे का काम पैसे से ही होता है। मुफ्त में तो होगा ही नहीं।

कंचन ने कहा–“पड़ोस वाले वर्मा जी के लड़के का एडमिशन भी तो इंजीनियरिंग कॉलेज में हुआ है। वर्मा जी भी तो तुम्हारी जितनी ही सैलरी वाली नौकरी करते हैं।” कंचन के इतना कहते ही विनोद को गुस्सा आ गया और वह अगले ही पल बोल पड़े–“मैं कहना तो नहीं चाहता था, अब जब तुमने वर्मा जी का नाम ले ही लिया है तो सुनो, वर्मा जी को मेरे जितनी ही सैलरी मिलती है यह तो ठीक है, लेकिन यह क्यों भूल रही हो कि वर्मा जी की पत्नी काफी पढ़ी-लिखी हैं और विदेशी कंपनी में नौकरी करती हैं। वर्मा जी की सैलरी से लोन की किस्त भरी जा रही है और उनकी पत्नी की सैलरी से घर का खर्च चल रहा है। यदि तुम भी नौकरी कर रही होती तो आज हमारा विमल भी इंजीनियरिंग की पढ़ाई कर रहा होता। देखो बुरा मत मानना, तुम मेरी धर्मपत्नी हो और मेरे दुःख-सुख में तुम्हें हमारा साथ देना चाहिए, लेकिन तुम वर्मा जी की पत्नी की तरह हमारे साथ पूरी तरह से नहीं हो। जहाँ कहीं भी पैसे का काम होता है, वहाँ पर तुम मेरे साथ नहीं होती हो। मुझे अकेले ही आर्थिक समस्या से लड़ना पड़ता है। आज तुम शिक्षित होती और आकर्षक सैलरी वाली नौकरी कर रही होती तो क्या मुझपर इतना दबाव होता।” विनोद इतना कहते ही काफी चिंताग्रस्त हो गए। कंचन ख़ामोश थी क्योंकि उसके पास कोई जवाब नहीं था।

यह सच है कि अस्सी प्रतिशत लोगों को पत्नी का साथ रुपए-पैसे के मामले में नहीं मिलता है क्योंकि वे न तो ठीक से पढ़ी-लिखी होती हैं और न ही उनके पास पैसा कमाने का कोई साधन ही होता है। मेरा जहाँ तक मानना है पत्नी जब तक सुशिक्षित और नौकरी करने वाली नहीं होती है तब तक पति को उसका पूरा साथ नहीं मिलता है और जब पत्नी का सौ प्रतिशत साथ पति को नहीं मिलता है तो आर्थिक उन्नति निश्चित रूप से थम जाती है। इसलिए बेटियों को हर हाल में पढ़ाना ज़रूरी है ताकि समाज और देश की उन्नति में उनकी भी समान भागीदारी हो।

10

बेटियाँ ही निभा सकती हैं दोहरी ज़िम्मेदारी

दोहरी ज़िम्मेदारी बेटियाँ यानी स्त्रियाँ ही निभा सकती हैं। पुरुष तो मर कर भी दोहरी ज़िम्मेदारी निभा नहीं सकते हैं। विद्वानों और अनुभवी लोगों का कहना है कि स्त्री में परमशक्ति का भंडार होता है। कुदरत ने उसमें शरम, संकोच, झिझक आदि भाव भरे हैं। कभी ये भाव उसको फायदा करवाते हैं, तो कभी नुकसान भी पहुँचाते हैं।

अनीता दफ़्तर से आई और किचन में लम्बे-लम्बे डग भरते हुए पहुँच गई। किचन में सुबह से लेकर शाम तक के बरतन रखे हुए थे। उसने उन सबको उठाकर सिंक में डाले और एक-एक बरतन को धो-माँजकर रैक में करीने से रख दिए। फिर सब्जी काटी और धोकर उसे छौंक दिया। आटा गूँध कर रखा ही था, कि रमन ऑफिस से आ गए और बेडरूम से ही ऊँची आवाज़ में बोल पड़े-"अनीता, एक गिलास गुनगुना पानी ले आना।" रमन इतना कहकर बिस्तर पर पाँव फैलाकर सुस्ताने लगे। अनीता रमन को पानी देने के बाद किचन की तरफ़ जैसे ही बढ़ी उसकी सास ने काँपती आवाज़ में कहा-"बहू, मेरी दवा कहाँ है? आज सुबह से ही मेरा दम फूल रहा है।"

अनीता किचन न जाकर सास के कमरे की ओर बढ़ गई और उनको दवा खिलाकर वहाँ से किचन में आ गई। रोटी बनाने के लिए जैसे ही उसने बेलन उठाया उसके दोनों ही बच्चे ट्यूशन से आ गए और कहने लगे-"मम्मी, मैडम आपसे कुछ बात करने के लिए बुला रही हैं।"

अनीता ने कहा-"रमन, तुम चले जाओ यार। मैं तो किचन के काम कर रही हूँ। इनकी मैडम ने बुलाया है। इनकी कोई शिकायत होगी।"

रमन ने वहीं से दबी आवाज़ में कहा-"अनीता, आज मैं बहुत ही थका हूँ। मैं जा नहीं पाऊँगा। प्लीज, तुम ही चली जाओ।" रमन के इतना कहते ही अनीता खीझ गई, फिर अपनी खीझ पर नियंत्रण रखते हुए बोली-"ऑफिस से तो मैं भी आई हूँ।

थकी-हारी मैं भी हूँ। यह तो रोज़ का ही है। थकने-हारने के नाम पर हम कब तक रोज़मर्रा के कार्यों को टालेंगे। करना तो हमें ही है तो फिर हम क्यों न हँसकर समय से उन कार्यों को करते रहें।" इतना कहकर अनीता बच्चों के साथ मैडम से मिलने चली गई।

अनीता मैडम से मिलकर जैसे ही आई, रमन ने ऊँची आवाज़ में कहा–"अनीता, आने में तुमने बड़ी देर लगा दी। तुम्हें पता होना चाहिए ऑफिस से आने के बाद मैं सीधे खाना खाता हूँ। फिर भी तुमने ध्यान नहीं दिया।"

अनीता ने कहा–"चित भी तुम्हारी और पट भी तुम्हारी। मैं खाना बनाती तो बच्चों की प्रॉब्लम को सॉल्ब कैसे करती। मैडम की पूरी बात सुनने के बाद ही तो आऊँगी। तुम तो कहने पर गए नहीं। तुम तो दफ़्तर से रोज़ ही थके-हारे आते हो। कभी भी तुमने कहा कि मैं आज बिलकुल ही ठीक हूँ? खैर छोड़ो इन बातों को मैं रोटी बना रही हूँ, आकर खा लो।" अनीता इतना बोलकर चपाती बनाने लगी। चुप रहने में ही सबका भला है, यह सोचकर वह रमन से कम ही उलझती थी।

अनीता काफी पढ़ी-लिखी है। अच्छी सैलरी वाली नौकरी करती है। वह काफी स्मार्ट और ख़ूबसूरत भी है, फिर भी उसमें धैर्य है, बर्दाश्त करने की क्षमता है और परिवार को सुचारू और व्यवस्थित रूप से चलाने की क्षमता भी है। वह दफ़्तर से छूटते ही सबसे पहले घर ही आती है और सबकी क्या माँग और ज़रूरत है उसको ध्यान में रखकर ही काम करती है। बच्चों को सँभालना, उनकी बातों और समस्याओं को सुनना और उनका हल ढूँढ़ना, बीमार रहने वाली सास को दवा देना, उनकी सेवा करना, सबके कपड़े धोना, सिंक में पड़े जूठे बरतन को माँज-धोकर रखना और पति के नखरे भी सहना और गुस्सा गलती से भी न करना, गुस्सा यदि आ भी जाए तो उसको प्रकट न होने देना, थकान होने पर भी काम करते रहना और किसी के सामने यह जाहिर न होने देना कि वह थकी-हारी है, ऐसी महान हस्ती को स्त्री कहा जाता है। शास्त्रों में ऐसे ही स्त्री को त्याग, ममता और धैर्य की देवी थोड़े ही कहा गया है।

धैर्यशक्ति, क्षमा करने की शक्ति, पीड़ा सहने की शक्ति, गुस्सा पर नियंत्रण रखने की शक्ति तथा एक से अधिक कार्यों को बख़ूबी करने की शक्ति केवल स्त्री के पास ही होती है, पुरुष के पास तो केवल चीखने, चिल्लाने, हड़बड़ाने और मार-पीट करने की ही शक्ति होती है। पुरुषों में कर्तव्यों से ज्यादा अधिकार भाव होते हैं। वह कुछ भी करता है तो उसके बदले में अधिक-से-अधिक पाने की इच्छा रखता है। रमन केवल नौकरी करते हैं और नौकरी करके वह समझते हैं कि उन्होंने बहुत बड़ा तीर मार दिया है और नौकरी करके सब पर एहसान कर दिया है। मैं आपको बता दूँ कि आप जो भी काम करते हैं, उसे पहले आप स्वयं के लिए करते हैं, इसके बाद दूसरे के लिए

करते हैं। आप नौकरी करते हैं तो पत्नी भी तो नौकरी करती है। वह तो दफ़्तर से आने के बाद आपकी तरह यह नहीं कहती कि थक गई हूँ। मुझसे कोई अन्य काम नहीं होगा। मुझसे कोई बात न करे। ऑफिस से निकलते ही उसके दिमाग में चलने लगता है कि घर पर जाकर सबसे पहले क्या करना है, उसके बाद क्या करना है और अगली सुबह क्या बनाना है। कहने का भाव है कि स्त्री हर वक़्त शरीर और मन से काम करती रहती है। उसकी सोच पुरुष की तरह नहीं होती है कि नौकरी करता हूँ तो कुछ भी हो जाए अन्य कोई कार्य नहीं करूँगा।

जितने भी आज की तारीख में तलाक हो रहे हैं यदि पुरुष भी स्त्री की तरह दफ़्तर से आने के बाद घरेलू कार्यों में रुचि लेना शुरू कर दे या घरेलू कार्यों में उसकी मदद करने लगे, बच्चों की शिकायतों को सुनकर उनका हल निकालने लगे, जैसे स्त्री अपना व्यक्तिगत कार्य स्वयं कर लेती है, उसकी तरह ही पुरुष भी अपने व्यक्तिगत काम करने लगे तो मैं दावे के साथ कहता हूँ कि तलाक की नौबत कभी आएगी ही नहीं। तलाक होता है तो स्त्री और पुरुष दोनों ही उसके लिए दोषी होते हैं। विषम परिस्थितियाँ स्त्री और पुरुष की गलत हरकतों से उत्पन्न होती हैं।

जो स्त्री कामकाजी होती है, उसको वास्तव में बहुत मेहनत करनी पड़ती है। दफ़्तर से घर आने के बाद वास्तव में ही व्यक्ति को कुछ भी करने का मन नहीं करता है, लेकिन कामकाजी महिला को काम करना ही पड़ता है। एक बात यह भी है कि स्त्री नौकरी करने से यदि मना भी करना चाहती है तो यह सोचकर ख़ामोश ही रह जाती है कि घर में पैसे की ज़रूरत है। पैसा वास्तव में ही घर की ज़रूरत है और महँगाई के इस दौर में पत्नी के लिए भी जॉब करना अति आवश्यक है।

एक युवती को देखने के लिए लड़के वाले उसके घर पर पहुँचे। नाश्ता-पानी करने के बाद लड़का और लड़की को ड्राइंग-रूम में छोड़ दिया गया और अन्य लोग दूसरे कमरे में आकर बैठ गए।

युवती ने ख़ामोशी तोड़ते हुए पूछा–"मैं नौकरी करती हूँ, लेकिन शादी के बाद नौकरी करने का कोई विचार नहीं है। क्या आप शादी के बाद मुझसे नौकरी करवाएँगे?"

युवक ने कहा–"आपकी मर्ज़ी आप चाहें तो नौकरी कर भी सकती हैं और नहीं भी कर सकती हैं। मेरी ओर से कोई दबाव नहीं होगा।"

युवती बोली–"ज़रूरत पड़ने पर यदि मुझको नौकरी करना भी पड़ गया तो आपको घरेलू कार्यों में मेरी पूरी मदद करनी पड़ेगी।"

युवक ने युवती को एक नज़र देखा, फिर कहा–"मैं घरेलू क्या किसी भी कार्य में आप की मदद करूँगा। आप इसकी चिंता न करें।"

युवती ने मुस्कराते हुए कहा–"फिर तो आप मुझे पसंद हैं।"

आज की युवतियाँ शादी से पहले ही यह जान-समझ लेती हैं कि वे नौकरी करेंगी तो घरेलू कार्यों में कोल्हू के बैल की तरह दफ़्तर से आकर नहीं लग जाएँगी न। पति का साथ भी चाहिए। 'एक अकेला थक जाए तो मिल के बोझ उठाना' यह गीत इस बात के लिए प्रेरित करता है कि ज़िंदगी को आसान बनाना हो तो मिलजुल कर रहना सीखें। ज़िंदगी अकेले नहीं कटती है। स्त्री हाउसवाइफ होती है तब भी उसको पति की मदद की ज़रूरत होती है। घर-गृहस्थी के काम बड़े ही थकाने वाले और नीरस होते हैं। एक जैसे काम रोज़-रोज़ करके हाउसवाइफ वास्तव में ही ऊब जाती है। सुबह से लेकर रात के दस बजे तक हाउसवाइफ व्यस्त रहती है। इतनी बड़ी ड्यूटी किसी की भी नहीं होती है। उसको कभी भी और परिवार का कोई भी सदस्य किसी भी काम के लिए जगा सकता है। वह कितनी भी थकी-हारी क्यों न हो यदि सास ने या ससुर या पति ने कुछ कह दिया तो उसे करना ही है। इसलिए पति को उसकी मदद करनी चाहिए।

उपरोक्त बातों से मैं आपको केवल यह बताना चाहता हूँ कि लड़कियाँ यानी बेटियाँ ऑलराउंडर होती हैं। उनको सही परवरिश मिलती है, माता-पिता का पर्याप्त सहयोग मिलता है और उच्च शिक्षा उनको दिलाई जाती है तो उनकी तरह सफल, कुशल, आज्ञाकारी तथा ईमानदार बेटे तो कतई नहीं बन सकते हैं। इसमें कोई दो राय नहीं है। यह आजमाई हुई बात है।

अपने आप पर विश्वास करें बेटियाँ

अपने आप पर बहुत कम ही महिलाएँ विश्वास करती हैं। उनसे यदि कहा जाता है कि आप स्वयं इस मुद्दे के बारे में निर्णय लें तो वे हाथ खड़ा कर देती हैं और कहती हैं कि यह हमसे नहीं होगा। आपसे क्यों नहीं होगा? क्या आपके पास दिमाग नहीं है? क्या आपमें सोचने की शक्ति नहीं है? क्या आप अपने आपको इतना अज्ञानी मानती हैं? स्वयं पर भरोसा या विश्वास न होने के कारण ही महिलाएँ निर्णय लेने से मना करती हैं। उनमें निर्णय लेने की क्षमता बहुत ही धीरे-धीरे विकसित होती है और जब विकसित हो जाती है तो किसी भी विषय पर निर्णय लेने में संकोच नहीं करती हैं और उनको सफलता भी मिलती है। मैंने लोगों को यह कहते अक्सर ही सुना है कि बेटियों को उनकी क्षमताओं से परिचय करवा दिया जाए तो वे बेटों को पीछे छोड़ देती हैं।

महिला पत्रिका के संपादक के लिए इंटरव्यू चल रहा था। इस पद के लिए पुरुष और स्त्री दोनों ने ही आवेदन किया था। 21 वर्षीय नीरा की जब बारी आई तो उससे पूछा गया–"आपका लाइफ पार्टनर कैसा होना चाहिए?" नीरा को यह सवाल बड़ा ही सहज और आसान लगा। उसने अपने दिमाग पर कोई ज़ोर नहीं डालते हुए कहा–"जो

पुरुष या युवक मुझसे अधिक ख़ूबसूरत, ज्यादा शिक्षित, ज्यादा अक्लमंद और मुझसे अधिक सैलरी वाली नौकरी करता हो उससे मैं विवाह करना चाहूँगी।"

नीरा का जवाब सुनकर डायरेक्टर को हँसी आ गई और उसने नीरा को संपादक पद के लिए बिलकुल ही अनुपयुक्त पाया।

नीरा इंटरव्यू देकर घर आ गई। जब संपादक के पद पर किसी अन्य महिला की नियुक्ति हो गई तो नीरा को बहुत ही बुरा लगा। अपनी दृष्टि में तो नीरा ने बिलकुल ही सही जवाब दिया था। असंतुष्ट और क्षुब्ध नीरा ने सवाल और जवाब दोनों का उल्लेख करते हुए जब अपने हिंदी के प्रोफ़ेसर से इंटरव्यू में असफल होने का कारण पूछा तो प्रोफ़ेसर ने कहा–"इसमें तुम्हारी कोई गलती नहीं है क्योंकि होने वाले लाइफ पार्टनर के बारे में जो सपना या जो धारणा दादी, नानी, माँ आदि का रहा है, वही तो तुम बताओगी। तुम बुरा मत मानना। महिलाएँ स्वयं अपने आपको पुरुष से कमज़ोर स्थिति में रखती हैं। पति, पत्नी से हर मामले में आगे होगा तो फिर यह रिश्ता बराबरी का कहाँ हुआ? स्त्रियों को पिछड़ने का एक सबसे बड़ा कारण यह भी है और स्त्री की इस सोच के कारण ही पुरुष प्रधान समाज आज भी जिंदा है। पुरुषों के हाथ में सत्ता सम्भवतः महिलाओं ने ही दी है। पति जब पत्नी से अधिक पढ़ा-लिखा, समझदार, सुंदर और अच्छी नौकरी वाला होगा तो यह रिश्ता बराबरी का नहीं हुआ न।" प्रोफ़ेसर ने अच्छी तरह से समझा दिया।

नीरा जैसी एक नहीं अनेक ऐसी सुशिक्षित, सुंदर और स्मार्ट युवतियाँ हैं, जो स्वयं से ज्यादा बेहतर पति की तलाश में हैं। उन मूर्खों को यह कौन समझाए कि उनकी उन्नति में बाधक यह गुलामों वाली उनकी सोच ही है। जब तक वे लाइफ पार्टनर बराबरी का नहीं ढूँढ़ेंगी तब तक वे गुलामों वाली ही ज़िंदगी जिएँगी। वे कितना भी क्यों न पढ़-लिख लें और आर्थिक रूप से कितना भी संपन्न हो जाएँ, जब तक पति बराबरी का नहीं होगा, उनकी उन्नति नहीं होगी। यह सीधी-सी बात है, जो बुद्धिमान, समझदार तथा अक्लमंद होता है उसके ही हाथ में सत्ता होती है और उससे ही सब सलाह भी लेते हैं। अब तक स्त्रियों की पर्याप्त उन्नति इसीलिए तो नहीं हुई कि वे दसवीं पास होती हैं तो उनका पति बी.ए. पास होता है। जो पुरुष होगा और आकर्षक सैलरी वाली जॉब कर रहा होगा उसकी हर बात को आठवीं या दसवीं पास पत्नी क्यों नहीं मानेगी और इसलिए भी मानेगी कि पति से अधिक किसी भी चीज़ की जानकारी उसको योग्यता-भर ही तो होगी।

भारतीय समाज में अनमेल शादी नब्बे प्रतिशत से भी ज्यादा होती है और समाज, परिवार, देश और स्त्रियों की उन्नति में यह अनमेल विवाह ही किसी-न-किसी रूप में बाधक है। तलाक, झगड़े और बहस अनमेल विवाह की देन हैं।

लड़के वाले लड़की को पसंद करने के लिए लड़की के घर पर आए। चाय-नाश्ता करने के बाद लड़की लड़के के सामने आकर बैठ गई। वह देखने में काफी सुंदर, स्मार्ट तथा आकर्षक थी और लेकिन काफी समझदार तथा बुद्धिमान भी थी।

लड़के ने सहसा ही सवाल कर दिया–'आपने कहाँ तक पढ़ाई की है?'

लड़की ने जवाब में कहा–"बारहवीं तक पढ़ाई की है। आपने कहाँ तक पढ़ाई की है?"

लड़के ने शर्ट का कॉलर ठीक करते हुए कहा–"मैंने राजनीति शास्त्र से एम.ए. किया है।"

लड़की इतना सुनते ही सदमे में आ गई। वह अब सोच रही थी कि यह रिश्ता क्या उसके लिए ठीक रहेगा? एम.ए. तक पढ़ा लड़का क्या मुझ बारहवीं पास लड़की को सम्मान सहित स्वीकार कर सकेगा? मैं कैसे पता लगाऊँ कि यह मुझमें ऐसी क्या चीज़ देख रहा है कि मुझसे शादी करने के लिए तैयार है। इसको तो बी.ए. पास या एम.ए. पास भी लड़की मिल जाएगी और मुझसे भी कहीं सुंदर और स्मार्ट भी। यह सोचते-सोचते लड़की ने अगला सवाल कर दिया–"आपने तो एम.ए. किया है। मुझ जैसी बारहवीं पास लड़की से विवाह करने का कारण क्या है?"

लड़का बोला–"आपकी ख़ूबसूरती ने मुझे प्रभावित कर लिया है। जब मैंने आपको फोटो में देखा तो उसी समय मन में ठान लिया कि कुछ भी हो जाए आप ही मेरी दुल्हन बनेंगी।"

"अच्छा तो आप मेरी ब्यूटी पर मोहित हैं। यदि मेरी ब्यूटी आगे चलकर न रही तो क्या करेंगे आप? यह शरीर तो नश्वर हैं और जब शरीर नश्वर है तो यह सुंदरता भी नश्वर है। आप जवाब दें, मेरी सुंदरता किसी कारणवश नष्ट हो गई तो क्या होगा? आप तो मुझसे प्यार करना बंद कर देंगे?" लड़की के इतना पूछने पर लड़का सहम गया।

लड़की ने आगे पूछा–"मैं केवल दसवीं पास हूँ। आप सोच लें, कल को आपके मुँह से यह नहीं निकलना चाहिए कि मैं एक दसवीं पास मामूली-सी लड़की हूँ।"

लड़के ने कहा–"कौन कहता है कि आप दसवीं पास हैं? आपके पास जो ज्ञान है, जो अनुभव है और जो सोच है, वह तो एम.ए. पास से भी ज्यादा है। मैंने तो इतने कम समय में आपसे बहुत कुछ सीख लिया।"

लड़की बोली–"देखिए, शादी बराबरी की होती है। जो स्त्री और पुरुष हर मामले में एक समान होते हैं तो उनमें परस्पर बनती है। मैं बारहवीं हूँ और आप एम.ए. हैं। शादी के बाद ताना मारेंगे, गँवार कहेंगे, तो मुझे अच्छा नहीं लगेगा। आप सोच-समझकर जवाब दें।"

लड़का बोला–"मैं आपको पसंद हूँ?" लड़के ने पूछा तो लड़की बोली–"हाँ, आप पसंद हैं।"

"तो फिर दिक़्क़त की बात ही नहीं है। मैं तो आपको पहले से ही पसंद कर रहा हूँ।"

लड़के के विचारों को सुनकर लड़की को इस बात की तसल्ली हो गई कि लड़का अच्छे विचारों वाला है और इसके साथ भविष्य में कोई दिक़्क़त नहीं होगी।

कम पढ़ी-लिखी लड़कियाँ यदि ज्ञानी, दयावान, सुशील, ईमानदार, कर्मठ हैं, तो उनके साथ विवाह किया जा सकता है और ऐसी लड़की से विवाह करके पुरुष को कभी भी कोई परेशानी नहीं होगी क्योंकि जो ज्ञानी, दयावान तथा ईमानदार होता है उसके साथ रहना आसान हो जाता है। इस सच्चाई को नकारा नहीं जा सकता है कि सुशिक्षित आदमी यदि दयावान और मानवीय गुणों वाला न हो तो उसके साथ रहना उतना ही मुश्किल हो जाता है, जितना मुश्किल एक खूँखार जानवर के साथ रहना हो जाता है। शिक्षा से विनम्रता आनी चाहिए, संपन्नता आनी चाहिए न कि निष्ठुरता और विपन्नता आनी चाहिए। वह लड़की बारहवीं पास थी, लेकिन उसको जिंदगी का अनुभव था और वह एक मानवीय गुणों से समृद्ध लड़की थी।

मैं यह समझाना चाहता हूँ आप सबको ही कि अपनी बिटिया को शिक्षा दिलाने के साथ-साथ उसमें मानवीय गुण भी भरते रहें, उसको अपनी ज़िंदगी के अनुभवों से लाभान्वित भी कराते रहें, अपने संघर्षों की गाथा भी उसको समय-समय पर सुनाते रहें ताकि वह शिक्षा के साथ-साथ सामान्य ज्ञान से भी लबालब भर जाए। आप कभी भी इस ख़ुशफहमी में न रहें कि उसकी बेटी सुशिक्षित है तो जिंदगी जीने के लिए यह पर्याप्त है। ज़िंदगी में कुछ भी बैठे-बैठाए प्राप्त नहीं होता है और ज़िंदगी को सफल बनाने के लिए अपने ज्ञान में वृद्धि करते रहना ज़रूरी है। आप एक सफल माँ और पिता बनें। लड़कियाँ ही युवतियाँ, फिर स्त्रियाँ बनती हैं। अपनी बेटी को आत्मनिर्भर बनाना चाहते हैं तो उसके साथ भेदभाव न करें। बेटे के साथ जैसा व्यवहार करें, उसके साथ भी वैसा ही व्यवहार करें ताकि वह अपने मन में यह धारणा न बना ले कि वह एक लड़की है और लड़कों की तरह महत्त्वपूर्ण नहीं है। अपनी बेटी में भूल से भी यह सोच उत्पन्न न होने दें। एक बार यह सोच उत्पन्न हो जाती है तो फिर लड़की का मानसिक विकास थम जाता है और इसका प्रभाव शारीरिक विकास पर भी पड़ता है। फिर वह खुद पर भरोसा भी करना बंद कर देती है। इसलिए अपनी बिटिया को सर्वश्रेष्ठ और बुद्धिमान बनाएँ।

बेटी को सही और गलत का ज्ञान कराते रहें

अपनी बिटिया को माता-पिता सही और गलत का बोध समय-समय पर कराते रहते हैं, जब बेटी किसी घर की बहू बनती है तो घर को और घर में रहने वालों को बड़ी

आसानी से स्वीकार कर लेती है। लाड-प्यार बिटिया को एक सीमित मात्रा में ही दें ताकि उसके पाँव धरती पर ही रहें और अपने आपको भी समझ सके। मैंने देखा है, जिन बच्चों को ज़रूरत से ज्यादा प्यार मिल जाता है, वे उसके आदी हो जाते हैं, जब उनको प्यार नहीं मिलता है तो तरह-तरह की गलत हरकतें करने लगते हैं।

यह उदाहरण पढ़ने के बाद आप मेरी बात को अच्छी तरह से समझ सकते हैं। नेहा अभी मात्र दस साल की ही थी वर्षा अचानक ही बीमार पड़ गई। नेहा स्कूल से आई तो वर्षा को पलंग पर लेटी हुई देखकर पूछ बैठी-"मम्मी, लेटी हुई क्यों हो? आज टी.वी. भी नहीं देख रही हो..."

वर्षा बोली-"तबीयत ठीक नहीं है। सिर और पैर में दर्द है।" वर्षा के इतना कहते ही नेहा तेल की शीशी लेकर वर्षा के पास आई और कहने लगी-"मम्मी, पापा कहते हैं कि सिर की मालिश करने से तबीयत ठीक हो जाती है।" इतना कहकर नेहा वर्षा के सिर की मालिश करने लगी। वर्षा ने एक-दो बार इसका विरोध किया, लेकिन मानी नहीं। दो-तीन मिनट के बाद वर्षा बोली-"मालिश क्यों कर रही हो, मैं ठीक हो जाऊँगी।"

"क्यों न करूँ मालिश, आप भी तो मेरे बीमार पड़ने पर मेरे सिर की मालिश करती हैं।" इतना कहकर नेहा सिर की मालिश करना छोड़कर पैर के तलवों की मालिश करने लगी। उस नन्ही-सी बच्ची की यह सोच वर्षा के दिल को छू गई। ऐसी सोच बड़े भी नहीं रखते हैं। वे तो बड़ी आसानी से किसी को भी कह देते हैं कि तुमने मेरे लिए क्या किया है। छोटी-सी बच्ची नेहा को इतनी समझ थी कि उसके बीमार पड़ने पर वर्षा उसके सिर की मालिश करती है तो उसे भी उसके सिर की मालिश करनी चाहिए। इतने में सौरभ भी आ गए। सौरभ नेहा को वर्षा के सिर की मालिश करते देखकर बोल पड़े-"नेहा तो तुम्हारे सिर की मालिश कर रही है। बेटी, यह किसने तुझे सिखाया?"

"मेरी मम्मी ने। ये भी तो बीमार पड़ने पर मेरे सिर की मालिश करती हैं।" नेहा ने एक बड़े और समझदार व्यक्ति की तरह जवाब दिया।

वर्षा बोली-"अब मेरा सिर दर्द ठीक हो गया है। तुम थक गई होगी। मालिश करना बंद कर दो।"

नेहा मालिश करना बंद कर बेडरूम में चली गई। लड़कियाँ वास्तव में ही बेटों से कहीं अधिक समझदार, संवेदनशील और वफ़ादार होती हैं। नेहा एक ऐसी ही लड़की थी। नेहा के चले जाने के बाद सौरभ बोला-"बच्चे भी देखते हैं कि हमारे मम्मी-पापा हमारे लिए क्या करते हैं। मुश्किल हालातों में बच्चों की देखभाल करना कहीं गहरे तक दिल को छू जाता है और वे चाहकर भी कठोर और संवेदनहीन नहीं बन पाते हैं। नेहा को देखो, उसने तुम्हारे सिर की मालिश इसलिए की क्योंकि तुम उसका ध्यान रखती हो। बच्चों की देखभाल करना, उनको माता-पिता से जोड़ता है। नेहा की उचित ढंग से

परवरिश कर तुमने उसको स्वयं से जोड़ लिया है। वैसे भी नेहा एक लड़की है और लड़कियों में बदले में देने की भावना लड़कों की तुलना में दोगुना अधिक होती है।"

"हाँ, तुम ठीक ही कह रहे हो। बच्चे माता-पिता से ही सीखते हैं और सहृदय तथा संवेदनशील बनते हैं।" वर्षा यह बोलते-बोलते बिस्तर पर उठ बैठी और कहने लगी–"कमाल है तबीयत काफी सँभल गई। नेहा के स्थान पर लड़का होता तो क्या मेरी इतनी सेवा करता। बिलकुल ही नहीं।" वर्षा इतना कहते-कहते मुस्करा पड़ी।

"बेटी ने तुम्हारी सेवा जो की है। देख लेना, नेहा बड़ी होकर भी ऐसी ही रहेगी। क्योंकि तुमने नेहा को स्वयं के प्रति संवेदनशील बना दिया है।" सौरभ बोल ही रहे थे तभी वर्षा ने कहा–"अपना बेटा हरि भी तो हमारा बहुत ध्यान रखता है। वह आजकल दूसरे शहर में रहकर पढ़ रहा है, इसलिए उसकी सेवाएँ हमें मिल नहीं रही हैं।" वर्षा इतना कहते-कहते हँस पड़ी।

हरि नेहा से बड़ा था और दूसरे शहर में रहकर पढ़ रहा था। उसकी पढ़ाई अब पूरी हो गई थी और अगले ही महीने में वह घर पर आने वाला था। वर्षा और सौरभ बहुत ही ख़ुश थे और उसके घर आने की राह देख रहे थे। अगला महीना भी आ गया।

हरि हॉस्टल से घर आया तो इसके अगले हफ़्ते ही उसकी शादी हो गई। बहू एकदम से ही हरि के विपरीत थी। हरि पर हमेशा इस बात का दबाव बनाए रखती कि मुझे यहाँ असुविधा हो रही है। किसी और जगह ले चलो। हरि चूहे-बिल्ली के खेल में पड़ गया था। वह अपने मम्मी-पापा से अलग रहने के लिए बिलकुल ही तैयार नहीं था। उसने स्वप्न में भी कभी ऐसा सोचा नहीं था कि शादी के बाद या आर्थिक रूप से आत्मनिर्भर होने के बाद अपने उन मम्मी-पापा से संबंध-विच्छेद कर लेगा, जिन्होंने उसके लिए सब किया। परवरिश में दोष होने पर संवेदनशील और दयालु लड़कियाँ भी संवेदनहीन तथा निष्ठुर हो जाती हैं और हँसते-खेलते परिवार को तहस-नहस करके दम लेती हैं।

एक शाम हरि घर जैसे ही आया, उसकी पत्नी सान्या चीखने-चिल्लाने लगी–"मुझसे इतने लोगों का खाना नहीं बनेगा। मेरे डैड ने, तुमसे शादी की है। तुम्हारे मम्मी-पापा से नहीं। कभी बाबूजी की सुनो तो कभी माँ जी को सुबह-सुबह चाय बनाकर दो तो कभी बाबू जी को दवाइयाँ दो। न बाबा न, इतने काम मुझसे नहीं होंगे।" सान्या एक साँस में ही बोल गई।

हरि बैग सोफे पर रखते हुए बोला–"तो तुमसे क्या होगा? देखो, यह तो एक कड़ी की तरह है। हमारे मम्मी-पापा की देखभाल उनके मम्मी-पापा ने की। उन्होंने हमारी की तो क्या हमारा उनके प्रति कोई फ़र्ज़ नहीं बनता है?" जिसकी परवरिश में दोष होता है, उसको समझाना इतना आसान नहीं होता है, जितना आसान सामने वाला समझता है। सान्या के मम्मी-पापा ने उसकी परवरिश ही ऐसे माहौल में की थी कि सान्या स्वयं

का हित सोचने के अलावा अन्य कुछ भी सोचने-विचारने के लिए तैयार नहीं थी। वह उल्टी खोपड़ी की थी। सान्या फोन पटकती हुई बोली–"यह तो सभी माता-पिता करते हैं। मुझको कुछ भी नहीं सुनना और समझना।" इतना कहकर सान्या बेडरूम में चली गई। हरि अपनी माँ के नज़दीक आकर बोला–"मम्मी, उसकी बातों का बुरा न मानना। वह यह नहीं जानती कि क्या कह रही है।" हरि इतना बोलकर चुप हो गया।

सान्या का घर ससुराल से आधे घंटे की दूरी पर था। वह सूटकेस लेकर बेडरूम से बाहर आई और हरि को घूरती हुई बोली–"मुझे तुम्हारे जैसे डरपोक और माँ के आँचल से बँधकर रहने वाले व्यक्ति के साथ नहीं रहना।"

"हाँ-हाँ, चली जाओ। मैं तुम्हारे लिए मम्मी-पापा को नहीं छोड़ने वाला।" हरि ने बड़ी ही दृढ़ता के साथ कहा। ज़रा-सा भी वह झुका या टूटा नहीं। सान्या दरवाज़े से बाहर हो गई तो सौरभ बोले–"हरि बेटा, हमारे कारण अपना घर क्यों बर्बाद कर रहा है? हम कितने दिन के मेहमान हैं कि बहू से बिगाड़कर लिया? तुम्हें रहना तो बहू के साथ ही है। हमारी सेवा करना बहू नहीं चाहती तो मत करे। हम तुझसे नाराज़ थोड़े ही होंगे। जाकर बहू को अंदर ले आओ।"

"पापा, आप जिस घर में नहीं होंगे वह घर तो होगा ही नहीं, फिर घर के टूटने का सवाल ही कहाँ आता है? पापा, मेरा कोई भी घर आपके बिना नहीं है। मेरा घर तो आप दोनों से ही है। मुझे धरती पर लाने वाले आप दोनों ही तो हैं। मम्मी ने मुझे कितने प्यार से पाला है। मैं कुछ भी भुला नहीं हूँ। मैं मम्मी के आँसुओं, दुखों, तड़प की वजह भला कैसे बन सकता हूँ। ऐसे में तो मैं जी ही नहीं सकूँगा। उसे जाने दो पापा। वह एक संवेदनहीन स्त्री है। वह इस जिद के साथ रहेगी तो दर्द ही देती रहेगी। वह मुझसे मेरे मम्मी-पापा को अलग कर मुझसे मेरा वजूद छीन लेना चाहती है।" यह कहकर हरि की आँखें भर आईं और उसके धैर्य का बाँध सहसा ही टूट गया और वह सुबकने लगा। वर्षा ने हरि को अपनी गोद में समेट लिया। हरि वास्तव में ही एक नेक दिल इनसान ही नहीं, बल्कि एक आज्ञाकारी बेटा भी था। आजकल इतना आज्ञाकारी और माता-पिता को इतना सम्मान तथा आदर देने वाली संतान कहाँ है। दीपक लेकर ढूँढ़ने पर भी अच्छी संतान आजकल नहीं मिलने वाली है। मम्मी-पापा के लिए पत्नी को छोड़ने वाले बेटों का तो अकाल ही है। यह तो धरती पर चमत्कार ही हो गया था। वर्षा और सौरभ दोनों की ही आँखों से खुशी के आँसू बह रहे थे और दोनों ही एक-दूसरे को अपलक देखते हुए मंद-मंद मुस्करा रहे थे मानो वे एक-दूसरे से कह रहे हों कि हमने औलाद नहीं मसीहा पैदा किया है। वर्षा ने हरि के सिर पर हाथ फेरते हुए कहा–"बेटा, सान्या को अभी जीवन का अनुभव नहीं है। वह समझती है, कि जैसा वह चाहेगी, वैसी चलेगी दुनिया। दुनिया किसी के चलाने से नहीं या किसी के

हिसाब से नहीं, बल्कि अपने हिसाब से चलती है।" वर्षा यह कहते-कहते चुप हो गई। दूसरे दिन सान्या को लेकर उसके मम्मी-पापा आ गए। उनके पूछने पर हरि ने सारी बातें बताईं। सान्या की मम्मी बोली–"बेटी, ये लोग तो निर्दोष हैं। हमने तुझे क्या यही सिखाया था कि जाते ही पति को सबसे अलग-थलग कर देना? जिन्होंने तुझे अपना बेटा दिया, घर दिया, बहू बनाया उन्हें ही तू पराया समझ रही है और हरि को अपना। यह तो बड़ी ही विचित्र बात है। जब तेरे सास-ससुर पराये हैं तो उनका बेटा तेरा अपना कैसे हो गया? बेटी, पति को पाने के लिए सबसे पहले उसके घर को अपनाना पड़ता है। तू नहीं, हम गलत हैं, कि तुझको विदाई के वक़्त कुछ समझाया नहीं। देखो बेटी, हम तेरी कोई मदद नहीं कर सकते। तेरा घर तो यही है और तेरे मम्मी-पापा, सास-ससुर ही हैं। इनका मान तू नहीं रख सकती है तो हम यह भूल जाएँगे कि तू हमारी बेटी है।" इतना कहने के बाद सान्या की माँ वर्षा के पास आ गई और उसका हाथ पकड़कर बोली–"बहन जी, मैं सच कहूँ तो सान्या को बिगाड़ने में मेरा ही हाथ है। मैंने इसको हमेशा गलत ही सीख दी। जब इसके घर को उजड़ते हुए देखा तब मुझको महसूस हुआ कि गलत हमेशा गलत और हानिकारक ही होता और विशेष रूप से उस व्यक्ति को सबसे पहले हानि पहुँचाता है, जो दूसरों के बारे में गलत सोचता है। अब आप यहीं पर देख लीजिए, अपने गलत व्यवहार से सान्या ने अपना ही घर उजाड़ लिया है। मैं उसकी तरफ़ से और अपनी तरफ़ से भी माफी माँगती हूँ। आपका दिल बहुत ही बड़ा है। आप हम दोनों माँ-बेटी को माफ कर दीजिए और मेरी बेटी को स्वीकार कर लीजिए। अब यह पहले वाली गलती नहीं दोहराएगी।" यह कहकर सान्या के मम्मी-पापा चले गए। उन्होंने चाय-नाश्ता भी नहीं किया क्योंकि वे अपने किए पर बहुत ही शर्मिंदा थे।

सान्या कुछ देर तक निष्प्राण-सी खड़ी रही, फिर वर्षा के गले लगकर रोने लगी। वर्षा ने उसको चुप नहीं कराया यह सोचकर कि सारे अपराधबोध आँसू के साथ बह जाने दो। यही सान्या की सेहत के लिए सही है और प्रायश्चित भी है। जब सान्या ने ख़ूब आँसू बहा लिए तब वर्षा ने कहा–"चुप हो जाओ।" वर्षा के इतना कहते ही सान्या कहने लगी–"माँ जी, मुझे माफ कर दीजिए। आप ही मेरी माँ हैं। यह घर ही मेरा अपना घर है। मैं भटक गई थी और किन्हीं गलतफहमियों की शिकार भी हो गई थी। सच को समझ न सकी।"

"अरे नहीं बेटी, रोओ मत। सबकुछ तुम्हारा ही है। हमने तुम्हें माफ कर दिया। तुमने जो किया था, उसका प्रायश्चित कर लिया। मन में किसी भी प्रकार की हीनभावना लाने की ज़रूरत नहीं है।" इतना कहकर वर्षा ने चैन की साँस ली क्योंकि ख़ूबियाँ पुनः लौट आई थीं।

लड़की के मम्मी-पापा ऐसे विषम और नाजुक हालातों में बेटी को सही और गलत दोनों का ही बोध कराएँ और गलती से भी उसे शह न दें तो ज्यादा परिवार टूटने से बच सकते हैं और तलाक की संख्या में भी कमी आ सकती है। अपने मम्मी-पापा का साथ पाकर ही बेटियाँ सास-ससुर के साथ गलत व्यवहार करती हैं। बेटे भी हरि की तरह हों तो बात आगे तक नहीं जा सकती है।

मेरा कहने का आशय है कि लड़की स्वाभाविक रूप से संवेदनशील, भावुक, दयालु और धार्मिक प्रवृत्ति की होती है, आप उसकी परवरिश करते समय उसके दिमाग में गलत बातों को न बैठाएँ। ऐसा करके आप अपनी बेटी के भविष्य को बिगाड़ती हैं और स्वयं के लिए भी ठीक नहीं करती हैं क्योंकि जब बेटी को अहसास होता है कि उसके मम्मी-पापा की गलत सीखों के कारण ही उसका घर उजड़ गया और पति से तलाक हो गया, तो फिर बेटी आपसे घृणा करने लगेगी। आप बेटी के घृणा पात्र न बनकर अच्छी परवरिश कर प्रशंसा का पात्र बनें। आपको ईश्वर ने संतान सुख दिया है और उनकी परवरिश करने की ज़िम्मेदारी है, तो आप इस शुभ और पुण्य प्रदान करने वाले काम को पूरी ईमानदारी के साथ करें। अपनी बेटी के मन को सुंदर बनाएँ, उसकी सोच को सकारात्मक बनाएँ और उसे कर्तव्यनिष्ठ, धर्मपरायण तथा ईमानदार बनाएँ। सान्या की माँ न बनें। उसने अपनी बेटी को शुरू से ही अलग रहने की सीख दी। इस सीख ने सान्या को स्वार्थी बना दिया। उसके मन में यह बैठ गया कि पति और उसके बच्चे ही उसकी ज़िम्मेदारी हैं और बाकी सब रिश्ते बेकार हैं। आप अपनी बेटी को इतना स्वार्थी और मतलबी बनाकर ससुराल में न भेजें।

आजकल शादी होते ही टूट जाती है या बेटा बहू सबसे अलग होकर रहने लगते हैं। क्या यह अच्छी बात है? माता-पिता ने अपने बेटे की परवरिश की, उसको पढ़ा-लिखाकर बड़ा किया, और वह नौकरी करने लगा तो बड़ी धूमधाम के साथ उसकी शादी कर दी इन उम्मीदों के साथ कि बहू आएगी तो उनकी सारी चिंताएँ दूर हो जाएँगी। वह घर को स्वर्ग बना देगी। बुढ़ापे का सहारा बेटा और बहू बन जाएँगे और हमें हमारे किए का सुफल मिल जाएगा, लेकिन जब बहू सान्या की तरह मिल जाती है और सास तथा ससुर को अलग कर उनको ईश्वर के भरोसे छोड़ देती है तो फिर बड़ा ही बुरा लगता है। पूरा गणित ही गड़बड़ा जाता है। जीवन का गणित जब गड़बड़ा जाता है तो ऐसा लगता है, जैसे हमने गलत और निरर्थक कार्य किया, जिसका कोई मूल्य नहीं मिला।

आजकल अनेक लोग यह कहते हुए मिल जाएँगे कि बेटों की शादी बड़ी उम्मीदों के साथ की, ख़ूब नाचे, गाए और ढेरों ख़ुशियाँ मनाईं और जब बहू आई तो हफ़्ते-भर के भीतर ही हमसे अलग हो गई। वह हमारी सेवा कहाँ से करेगी, हमसे तो हमारे

बेटे को ही छीन लिया। बेटा माता-पिता की आज्ञा को मानने वाला होता है, सामाजिक होता है और माता-पिता ने उसके लिए क्या किया है, इससे वास्ता रखता है तो अपनी पत्नी की बात को नहीं मानता है, फिर ऐसे में तलाक होता है। इस समय तो यही हो रहा है कि मेरी बात नहीं मानोगे और अपने मम्मी-पापा का कहना मानोगे तो मैं तुम्हारे साथ नहीं रहूँगी। यह लिखते हुए दुःख भी हो रहा है कि इसमें लड़की को उनके मम्मी-पापा का पूरा साथ मिलता है।

शादी के बाद या तो तलाक होता है या बहू सास-ससुर के बेटे को ही लेकर चंपत हो जाती है। इससे पारिवारिक व्यवस्था ही ख़तरे में पड़ती जा रही है और एक दिन ऐसा भी आ सकता है कि विदेश वाली स्थिति यहाँ भी आ जाएगी। परिवार-व्यवस्था को स्त्रियाँ ही जीवित रख सकती हैं और जब बेटी अलगाववादी हो गई है और विवाह होते ही पति को छोड़कर, पति के साथ जुड़े रिश्तों को कोई महत्त्व ही नहीं देती है तो क्या कहा जा सकता है। यही कहा जा सकता है न कि परिवार-व्यवस्था संकट में है।

यह कहना गलत न होगा कि बेटियों में जो क्षमता है, वह क्षमता बेटों में कतई नहीं है। आप इनकी क्षमता को देखना चाहते हैं तो सुबह से रात तक इनका काम आप देखें और इनकी दिनचर्या पर सुबह से रात तक एक नज़र डालें, फिर आपको सहज ही रूप में मालूम हो जाएगा कि बेटियों में कितना दम होता है। लगभग अस्सी प्रतिशत भारतीय महिलाएँ 40 की उम्र तक आते-आते धार्मिक कार्यों में रुचि लेने लगती हैं। वे कितनी धार्मिक प्रवृत्ति की होती हैं, मुझको इससे कोई मतलब नहीं है, लेकिन धर्म-कर्म में वे बढ़-चढ़कर भाग लेने लगती हैं। उन में से किसी एक महिला की दिनचर्या का उल्लेख मैं यहाँ कर आपको उनके स्टेमिना से अवगत करवा रहा हूँ–

एक चालीस वर्षिय महिला रात के ग्यारह-साढ़े-ग्यारह बजे सोने के लिए बिस्तर पर जाती है, सुबह पाँच बजे बिस्तर छोड़ देती है, झाड़ू-पोंछा करने के बाद स्नान आदि कर्म करती है, फिर पूजा करती है। पूजा करने के बाद बच्चों को स्कूल के लिए तैयार करती है, इनके साथ ही पति, सास, ससुर आदि सदस्यों के लिए नाश्ता भी बनाती है, जब बच्चे स्कूल और पति दफ़्तर चले जाते हैं, तब छोड़े हुए कपड़ों को धोती है। शाम तक बच्चे आ जाते हैं तो उनको ट्यूशन भेजती है। फिर सिंक में पड़े जूठे बरतनों को माँजकर, सब्जी काटती है, इसके बाद आटा गूँधती है और सब्जी बनाने के बाद चपाती बनाती है। जब सब खा-पी लेते हैं तब सबके जूठे बरतनों को माँजती है और चूल्हे को पोंछकर रात के ग्यारह-साढ़े-ग्यारह बजे बिस्तर पर पहुँचती है। यदि पति कभी दफ़्तर से ज्यादा लेट आ गया तो उसको भी सोने में लेट हो जाता है और नींद पूरी हो या न हो उसको जल्दी उठना पड़ता है। मैं आपसे अब पूछता हूँ क्या एक स्त्री इतने सारे काम इतने घंटों तक करती है तो बिना स्टेमिना के ही? एक स्त्री में स्टेमिना पुरुष से अधिक होता है। इसमें शक की कोई गुंजाइश नहीं है।

अभिभावक यदि अपनी लड़की की परवरिश सकारात्मक माहौल में करते हैं, उसके मनोबल को हमेशा ऊँचा रखते हैं, उसके साथ कोई भेदभावपूर्ण व्यवहार नहीं करते हैं तो फिर लड़की जब युवावस्था में आती है तो वह एक ऐसी स्त्री बनती है, जो जमाने की दिशा को मोड़ सकती है, लेकिन बहुत ही दुःख के साथ कहना पड़ रहा है कि लड़की के साथ भेदभाव सबसे पहले उसके घर में ही, उसके माता-पिता करते हैं, फिर उसके रिश्तेदार आदि उसके साथ भेदभाव करते हैं। लड़की जहाँ-जहाँ जाती है, वहाँ-वहाँ उसके साथ भेदभावपूर्ण व्यवहार होता है, जो उसके व्यक्तित्व और क्षमता को पूरी तरह से विकसित नहीं होने देता है।

आश्चर्य की बात है कि एक लड़की के साथ भेदभावपूर्ण व्यवहार वे लोग भी करते हैं, जिनको उससे न कोई वास्ता है और न ही कोई लेन-देन ही है। मुझे तो ऐसा लगता है कि लड़की से भेदभावपूर्ण व्यवहार करने की आदत लोगों में पड़ गई है। यदि यह सच है तो बहुत ही गलत है समाज, परिवार, देश और स्वयं के लिए भी। जिस देश के समाज में महिलाओं की कोई भागीदारी ही नहीं होती, वह देश कभी भी आगे नहीं बढ़ता है। नारी पूजनीय है, क्योंकि वह माता है, बहन है, दादी है, पत्नी है और इन सभी रूपों में वह आदरणीय है, इसमें कोई शक नहीं है और सब रूपों में ही बेपनाह शक्तियाँ हैं। यह तो सोचने और समझने वाली बात है कि लड़की ही बड़ी होकर स्त्री का रूप धारण करती है और बीतते समय के अनुसार लड़की, बहन, पत्नी, माँ, दादी, नानी आदि रिश्तों से बँधती चली जाती है। इसलिए यह बहुत ही ज़रूरी है कि एक लड़की को ढंग से पढ़ाया-लिखाया जाए, उसको अच्छी तरह से नैतिक शिक्षा दिलाई जाए, उसमें मानवीय गुणों से संपन्न संस्कार डाले जाएँ और उसको चरित्रवान बनाया जाए ताकि वह एक अच्छी बेटी, अच्छी पत्नी, अच्छी माँ, अच्छी दादी, अच्छी नानी बने और वह इतनी योग्य और विद्वान हो कि अपनी संतान को अपनी तरह ही बनाने की कोशिश करे।

शिक्षा का इतना महत्त्व जानने और इतना प्रचार-प्रसार होने के बाद भी बहुत-सी बेटियाँ आज भी अशिक्षित हैं या आठवीं-दसवीं तक ही पढ़ी-लिखी हैं क्योंकि इनके अभिभावकों ने इनको पढ़ाना ज़रूरी नहीं समझा। मैंने खुद अपने कानों से बहुत से लोगों को यह कहते हुए सुना है कि लड़की है, नहीं भी पढ़ेगी तो कुछ बिगड़ता नहीं है। कौन-सा इसको दफ़्तर में जाकर नौकरी करना या घर का खर्च चलाना है। जबकि आज के समय में लड़की का नौकरी करना उतना ही ज़रूरी है, जितना लड़कों का नौकरी करना ज़रूरी है। लड़की आज घर को भी चलाती है, बच्चों की भी देखभाल करती है, दफ़्तर में जाकर नौकरी भी करती है और पति के कंधे से कंधा मिलाकर भी चलती है। लड़कियों ने उन पुरानी सारी धारणाओं को झुठला दिया है कि लड़कियाँ

मर्दों वाले काम नहीं कर सकती हैं। लड़कियाँ मर्दों वाले काम भी कर रही हैं और घर के भी काम कर रही हैं। लड़कियाँ हर विभाग में कार्यरत हैं। वे सबकुछ कर सकती हैं। जो कार्य उनके लिए सख्त रूप से वर्जित थे, वे काम भी करने लगी हैं। कुश्ती, वजन उठाना, हॉकी, फुटबॉल, क्रिकेट, कबड्डी सब खेलों में उन्होंने भाग लेना शुरू कर दिया है और अपना लोहा भी मनवाया है। औरत अब अबला नहीं रह गई है और अपने दम पर जीने की क्षमता उसने विकसित कर ली है। ज़माना बदल गया है। अपनी बेटी को शिक्षित करें, परिवार को तोड़ने नहीं जोड़ने की शिक्षा दें और तलाक की नौबत आती भी है तो पहले यह देखें कि तलाक की ज़रूरत है भी या यूँ ही जोश में होश खोकर संबंध-विच्छेद करना चाहते हैं। सही और गलत का ज्ञान कराकर गलत कदम उठाने से रोकें।

प्रभाकर प्रकाशन द्वारा प्रकाशित पुस्तकें

 sales@pharosbooks.in  011-40395855  www.prabhakarprakashan.com

प्रभाकर प्रकाशन, प्लॉट नं.-55, मेन मदर डेयरी रोड, पांडव नगर, ईस्ट दिल्ली-110092

www.ingramcontent.com/pod-product-compliance
Ingram Content Group UK Ltd.
Pitfield, Milton Keynes, MK11 3LW, UK
UKHW042019190726
13854UKWH00005B/2358